Mermoz

EMMANUEL CHADEAU

Mermoz

LE GRAND LIVRE DU MOIS

DES DÉBUTS DIFFICILES

1901-1924

1

L'enfant en trop ?

Aubenton, 1901. Un village de mille habitants ordonné autour de son église, de sa place du marché, dans une petite région vallonnée appelée Thiérache, aux confins de la Champagne, de l'Ardenne et de la Lorraine. À un coin de rue, près de l'église, se dresse une auberge avec un seul étage et des combles, sans vrai confort, et au nom sans surprise : *Le Lion d'Or*. Dans la nuit froide du lundi 8 au mardi 9 décembre, vers deux heures du matin, Jean Mermoz vient au monde à l'étage de l'auberge.

Le 9, à midi, le père, Jules Léon Charles Mermoz, va déclarer cette naissance à la mairie, située à deux pas. Jules Mermoz est une figure connue du village. L'hôtelier Mermoz est un homme de taille moyenne, carré, aux yeux bleus, aux cheveux et aux sourcils clairs, coiffé en brosse. Depuis sept ans, il tient le *Lion d'Or* : il est, il a toujours été « maître d'hôtel ». Pour la déclaration, il a pris pour témoins le géomètre local et son propre père, Jules Athanase, soixante-treize ans, veuf, rentier, ancien exploitant forestier. Son père est aussi une figure du village. Car si la lignée des Mermoz est d'origine savoyarde, elle a quitté depuis longtemps les forêts alpines pour les confins ardennais. Jules Athanase est né à Mont-Saint-Jean, un village encore plus modeste qu'Aubenton, à quelques kilomètres plus au sud. Son frère, Charles Clovis, mort l'année précédente, était né au Fréty, encore huit kilomètres au sud-est. Les Mermoz, depuis trois générations, ont établi leurs pénates dans un même terroir. Ils se relaient dans les forêts de la région, tantôt domaniales, tantôt privées, aux noms immémoriaux (La Haie d'Aubenton, Estremont, Bonnefontaine) pour y exercer leur métier de scieur de long, de menuisier.

Jules Mermoz, père du nouveau-né, n'a pas suivi cette tradition. Les hasards de la guerre franco-prussienne de 1870 l'ont fait naître à Vervins, vingt-cinq kilomètres plus à l'ouest. Vingt ans plus tard, le jeune homme, droit et trapu, nanti d'une bonne instruction primaire, est déjà « maître d'hôtel ». Selon les uns, un métier de « déclassé » — comparé à la liberté du compagnon ou du maître forestier. Pour d'autres, un métier de « patron », où l'on conduit sa barque, où on commande des servantes, et où on arrondit sa pelote, même dans une bourgade, grâce au gîte et aux libations proposés aux voyageurs de commerce. Car au *Lion d'Or*, comme l'indique la devanture, on fait « table d'hôte » autant qu'on accepte des pensionnaires.

Ce Mermoz-là est donc un original. Il est rétif au simple travail manuel, mais il s'engage dans un métier de service, l'hôtellerie, où il faut savoir dire oui. Est-il pour autant un faible ? Il est surtout astucieux. Lors de la sélection pour le service militaire, il a tiré un « mauvais numéro » ce qui lui vaut, en principe, six ans de service comme « trouffion ». Alors, il préfère s'engager pour trois ans renouvelables. Du coup, le voici dans l'infanterie, au 128ᵉ de ligne, où il doit, coûte que coûte, gagner ses galons de sergent. Car, une fois sergent, on peut refuser de « rempiler ». Il réussit un parcours sans relief, mais sans faute, dont il se tire avec le brevet de « sergeot » et un certificat de bonne conduite. Bien sûr, il ne « rempile » pas, mais, bon patriote, et en dépit de son mariage, il ne manque aucune des « périodes de réserve ».

*

Le 25 septembre 1899, à Aubenton, Jules Mermoz a épousé Gabrielle Gillet. Un mariage banal, à quelques détails près : la promise doit fêter son dix-neuvième anniversaire le lendemain de ses noces ; elle a neuf bonnes années de moins que le promis, et, pour les gens du pays, cette union est celle de l'eau et du feu. La mère de Jean Mermoz est-elle l'épouse qui convient à Jules Mermoz ? Toute sa vie, elle a laissé planer le doute, au fil de nombreuses confidences faites aux proches de son fils. Elle donna même clairement à entendre que son époux avait toujours manqué de volonté et d'énergie. Qu'il n'était pas à sa hauteur à elle.

Mais tout indique aussi que Gabrielle Gillet a été une fillette puis une jeune fille au destin contrarié, qui, très tôt, a voulu prendre une revanche sur la vie. L'aurait-elle prise en se mariant ?

Les Gillet ne sont pas à proprement parler de la Thiérache. Ils portent un nom répandu dans la France septentrionale comme en Belgique. Ceux de la lignée de Gabrielle ont longtemps fait souche plus à l'est, dans les Hauts-de-Meuse, presque en Lorraine. C'est dans ces parages, à Écurey, près de Damvillers, qu'est né, en 1849, son père à elle, Jean-Baptiste Gillet, fils de cordonnier, une profession répandue dans la famille. Il continue la tradition et devient cordonnier lui-même. Peut-être plus ambitieux, il est en tout cas aimanté par la capitale, et le voici, vers 1870, sur le pavé parisien. Là, il épouse Stéphanie Laurent et s'établit chausseur dans un quartier bourgeois, rue de Richelieu, à deux pas de la Bibliothèque nationale.

Ici, on ne dit pas chausseur, mais « bottier » : c'est plus chic. Un destin de boutiquiers et de façonniers sur mesure, empressés devant le désir du client, s'ouvre devant le jeune ménage. C'est un destin contraignant, mais qui peut conduire loin. On ne sait jamais : à Paris, un bon atelier, une belle boutique, bien tenus, peuvent mener au-delà de la prospérité, jusqu'à la notoriété, et à la fortune.

La famille s'agrandit. Deux filles naissent. D'abord, Madeleine, en 1876, puis, le 26 septembre 1880, Gabrielle. Couple heureux, enfants choyés, au milieu des parfums du cuir et de l'éclat des boutons de bottines ? Parions que oui. Mais, au début de 1884, c'est la catastrophe. Madeleine et Gabrielle perdent leur mère. La cadette n'a que trois ans. Le veuf met son commerce en gérance et abandonne Paris pour chercher refuge, à trente-quatre ans, en Thiérache, à quelques kilomètres au sud-est d'Aubenton, non plus dans l'Aisne, mais dans les Ardennes.

Il s'installe à Mainbressy, un village si reculé, si perdu entre champs et bois, qu'on commence à peine d'y construire une mairie-école en briques, avec deux petites salles de classe, une pièce commune et, à l'étage, ses logements exigus d'instituteurs. Un bâtiment qui sera, un jour, le plus bel édifice de la commune, plus grand même que la vieille église aux pauvres murs de torchis. C'est tout dire !

Ici, Jean-Baptiste Gillet se rapproche d'une partie de sa

famille. Son frère aîné, Jules, lui aussi cordonnier, a épousé une fille du pays, Rosalie Willaume. Ils habitent le pays voisin des Hauts-de-Meuse, mais ils viennent volontiers en visite à Mainbressy, avec leur fils de bientôt quinze ans, Jules-Victor. On imaginerait volontiers le jeune veuf, tout à sa peine, à la fois rentier et, comme tout le monde au village, plus ou moins exploitant agricole, se consacrer tout entier à l'éducation de ses filles, dans une maison bien à lui, ombragée par de vieux arbres.

En fait, veuf le 22 janvier 1884, Jean-Baptiste Gillet se remarie dès le 6 septembre. Sa consolation s'appelle Marie-Philomène Arsène Cotte. Elle a vingt et un ans. C'est la fille d'un gros exploitant dont la famille, en alliance avec une autre lignée, celle des Henne, tient de belles fermes dans toute la Thiérache. Une famille de coqs de village, déjà à moitié tirée hors des champs : le nouveau marié compte parmi ses beaux-frères le premier clerc d'un des plus gros notaires de Charleville, le chef-lieu du département.

Ce remariage répond peut-être à autre chose qu'à l'inclination naturelle d'un homme encore vaillant pour une jeune fille disponible et honnêtement dotée. Il s'agit sans doute aussi, pour Jean-Baptiste Gillet, d'offrir à ses filles le secours d'une mère de remplacement, qui saura les élever, se dévouer pour elles. Un fait peut conforter cette hypothèse : le second ménage Gillet n'aura pas de descendance propre. Est-ce un choix ? En tout cas, les filles Gillet seront élevées dans l'idée qu'elles sont des « demoiselles », et non de simples filles de la campagne.

Gabrielle Gillet passe donc son enfance et son adolescence à l'ombre d'une jeune belle-mère dont, plus tard, elle déplorera la présence. Comme si elle avait subi une injustice. Car tous les ingrédients sont désormais réunis pour façonner en elle une forte personnalité. Il y a le ressentiment, naturel, à l'égard d'un père qui a si vite remplacé la « vraie » mère, certes pour le bien de ses filles, mais sans se sacrifier tout à fait, puisqu'il a préféré une épouse à une simple gouvernante. Plus tard, la mère de Jean Mermoz donnera volontiers en exemple son propre sacrifice en faveur de son fils...

Il y a aussi, année après année, la découverte que la famille a lâché la lumière de Paris pour l'ombre d'un petit vallon rural où l'électricité, le téléphone, puis l'auto, restent des luxes aussi exceptionnels les uns que les autres. Gabrielle fera savoir un jour, à qui veut l'entendre, qu'elle a toujours favorisé les projets d'aviateur et les ambitions sociales de son fils...

Le mariage de Gabrielle Gillet avec Jules Mermoz s'apparente-t-il alors à une échappatoire empruntée par une jeune fille de dix-neuf ans pour s'affranchir d'un univers familial qui ne la satisfait pas ? D'autant plus que la sœur aînée de Gabrielle, Madeleine, fait des « étincelles » à l'école primaire, puis à l'école normale départementale. Très jeune, la voici « institutrice d'État » et, bientôt, mariée à un collègue du nom de Boulanger. Quand tous deux s'installent à l'autre bout du département de l'Aisne, à Folembray, à deux lieues de la forêt et des verreries de Saint-Gobain, avec un nouveau-né, la jeune fille ne se retrouve-t-elle pas seule et sans état, au milieu du couple paisible que forment son père Gillet et sa belle-mère Arsène Cotte ? Au cœur d'un village de moins de mille habitants...

*

De son côté, le « maître d'hôtel » Jules Mermoz a presque trente ans. Il doit « tenir une maison ». À son âge, il doit penser à « faire une fin ».

Deux vies se rapprochent ainsi, entre deux villages séparés seulement d'une bonne heure de marche, entre deux communautés où tout le monde ou presque se connaît. Ajoutons à cela qu'un oncle du promis habite justement à Mainbressy... On aboutit ainsi, le 25 septembre 1899, à la célébration du mariage de Jules Mermoz et de Gabrielle Gillet. Il n'empêche : ce mariage en surprendra plus d'un. Plus tard, un parent de Jean Mermoz témoignera : « Par quelle succession de hasards une demoiselle Gillet... épousa-t-elle ce M. Mermoz... installé dans une auberge d'une petite ville perdue... ? »

En tout cas, quatorze mois et demi plus tard, naît Jean Mermoz.

À ce moment, les relations entre ses parents sont-elles aussi dégradées que Gabrielle le dira si volontiers plus tard ? À moins que la naissance de l'enfant n'ait cristallisé une tension entre les époux et mis au jour leur incapacité à se supporter. Certains auteurs iront jusqu'à suggérer — instruits comment, et par qui ? — que l'impétueuse Mme Mermoz — trop mal assortie au « mol » maître d'hôtel — aurait conçu le petit Jean hors du mariage. Ce genre de détail romanesque permet d'évincer le père du culte rendu à son héros de fils...

On peut d'ailleurs imaginer un scénario symétrique. Gabrielle Mermoz est intransigeante et impétueuse, et, à vrai dire, elle sera toujours très possessive. Le père Mermoz, sur ses rares photographies, a l'allure d'un gaillard carré, et ce « mollasson » a quand même supporté pendant trois ans la vie plutôt rude des casernes de l'époque, où il s'est bien tenu. Enfin, dans toute auberge, même de village, il y a toujours une de ces jeunes « souillons » appelées à obéir au doigt et à l'œil à leur patron. Alors... Peut-être la bouillante Gabrielle Mermoz n'a-t-elle pas fermé les yeux ?

Quoi qu'il en soit, sans doute à la fin de l'été 1903, la crise éclate. Selon les confidences de Mme Mermoz, elle aurait alors fui le domicile conjugal pour aller se « réfugier » chez son père à Mainbressy avec le petit Jean, son seul bien.

*

Débute alors une période assez confuse de la vie de Jean Mermoz, et, surtout, de ses relations avec ses parents. Une période pleine de secrets et de non-dit qui durera jusqu'à son adolescence. Malgré les vérités réaffirmées à maintes reprises par sa mère, malgré la reprise de bonne foi de ces récits par des auditeurs et des plumes très dévoués à sa personne puis à sa mémoire, nombre de faits ne sont pas avérés. Quant au petit Jean, qui tient de son père autant que de sa mère un visage arrondi et des cheveux clairs, il est pris malgré lui dans un jeu de rôles et de passions dont il ne peut saisir la nature et dont il ne sait pas qu'il est un des enjeux.

On écrira ainsi, plus tard, qu'il ne reverrait plus son père. Motif officiel : un refus initial de la mère, puis le déménagement du père, qui traduiraient la négligence ou la résignation de ce dernier. Pourtant, en 1904, quand l'armée le fait passer dans la réserve de son grade de sergent, Jules Mermoz réside encore à Aubenton. C'est seulement en juin 1906 qu'il donne pour résidence (et non pour domicile, la nuance est de taille) une adresse à Hirson, sur la grand-route de Charleville. Dans les deux cas, le père et le fils demeurent à portée l'un de l'autre ; car Hirson n'est qu'à vingt-cinq kilomètres au nord-ouest de Mainbressy, à quelques stations du petit tortillard. Il faut attendre avril 1908 pour que Jules Mermoz s'installe hors de la région, à Soissons.

On ignore s'il y a eu, entre les époux séparés, des tractations inabouties pour un droit de visite du père. En tout cas, la légende colportée à travers les souvenirs ultérieurs de Gabrielle Mermoz nous montre Jean vivant au village entre sa mère, son grand-père et la seconde épouse de celui-ci. Non sans quelques tiraillements entre Gabrielle et sa belle-mère. Car Gabrielle, en abandonnant le domicile conjugal, a commis un acte qui, à l'époque, est considéré comme injustifiable, quelles qu'en soient les causes.

Mais, une fois encore, tout est-il aussi simple que le prétend la légende ? Gabrielle Mermoz n'apparaît pas en 1906 dans la liste du recensement général de la population de Mainbressy. Et pas plus dans celle de 1911. Comme si elle ne faisait auprès de son fils que des séjours temporaires, car elle serait occupée ailleurs à gagner leur subsistance.

Tout cela laisse à penser que la séparation des parents Mermoz n'est pas complète. Le placement du petit Jean chez son grand-père serait alors le prix payé par la jeune femme, et par son époux, pour des tentatives, plus ou moins inabouties, de raccommodage de leur union... En fin de compte, il semblerait que Gabrielle Mermoz se soit installée à Charleville, où elle aurait ouvert un atelier de couture. Néanmoins, son nom ne figure pas sur les listes des recensements de Charleville et de la commune jumelle de Mézières, ni en 1906, ni en 1911. Une autre version des faits, plus tardive, laisse entendre que Mme Mermoz aurait d'abord fait un détour par Paris, pour ne revenir à Charleville que quelques mois avant que n'éclate la guerre de 1914. Pourquoi pas ?

Dernier mystère : les époux Mermoz qui, dit-on, se chamaillaient déjà pendant leur lune de miel ne divorcent pas. À cette époque, quand il y a eu abandon du domicile conjugal, et même si l'abandonné (ici l'époux) ne veut pas porter plainte, l'obtention du divorce, au bout de six ans, devient quasi automatique. Or, Jules Mermoz et Gabrielle Gillet divorceront bien, mais seulement en 1922 !

*

Le « scénario » de l'enfance de Jean Mermoz est donc complexe, ce qui explique pour partie le voile pudique jeté sur ses épisodes, y compris par Jean Mermoz quand il parviendra à l'âge adulte.

Pour l'essentiel, dès ses premières années, ses deux parents sont absents. Il est, au quotidien, élevé, éduqué par ses grands-parents, Jean-Baptiste Gillet et sa deuxième épouse. C'est à l'école de Mainbressy, presque trop grande, aux pignons à clochetons, qu'il apprend à lire, à écrire. C'est entre ses quatre murs qu'il découvre le monde, grâce aux chromos de « leçons de choses » que l'instituteur punaise sur les murs de la petite classe. Aux vacances, peut-être un peu plus souvent, Maman vient en visite. Autour de sa silhouette menue et fine, autour de sa voix décidée, de ses gestes volontaires, s'installe, saison après saison, le halo de mystère attaché aux êtres aimés, mais dont la présence est intermittente. Cet attachement indicible s'épuise, entre deux rencontres, dans une correspondance nourrie, toute pleine de pensées quotidiennes, qui, pendant des années, tisse le lien essentiel entre le fils et sa mère. Par contraste, autour du souvenir de Papa, se fixe l'image d'un être trop rare : celle d'un « chef » de famille qui s'est dérobé. Mais dérobé jusqu'à quel point ? Des témoignages familiaux nous montrent Jules Mermoz rendant visite aux Gillet, à Mainbressy.

On imagine enfin les complications supplémentaires créées par une situation pour le moins inédite : après tout, Arsène Cotte-Gillet n'a-t-elle pas déjà élevé Gabrielle ? Et maintenant, elle s'occupe de Jean, alors qu'elle-même n'a pas eu d'enfant... Trente ans plus tard, Gabrielle Mermoz se plaindra avec amertume : sa belle-mère aurait voulu garder l'enfant pour elle seule, éloigner la mère « fautive ». On les aurait même empêchés de s'embrasser à leur guise !

2

Entre villages et ville

Mainbressy est un petit monde. La vie y est lente et morne, entre deux coteaux, au flanc d'un petit bois, au gré des sentes qui s'égrènent en ruelles entre les grosses maisons basses et les granges, tout autour de l'église pataude, d'un rare dépouillement. C'est un gros hameau plus qu'un village. Par le nord, on y descend depuis de nombreuses fermes isolées plantées derrière des boqueteaux, au bout de chemins improbables. Quand on regarde vers le sud, on ne voit qu'une succession de molles ondulations où se découvrent, sur des kilomètres, des alternances de haies, de creux herbeux, de plateaux de labours, couronnés de petits bois. La vraie bourgade du canton, c'est, à deux kilomètres, Rocquigny, avec son petit bureau de poste, sa vraie mairie, sa vraie place du marché, bien campée entre son auberge et son café.

À Mainbressy, le café est un lieu insignifiant, un coin glauque dans l'épicerie où on boit un coup en vitesse en passant. Car on vit d'abord chez soi. On confectionne même son propre alcool, avec les fruits de son jardin ou ceux des complants de sa pâture. Ici, les tout petits paysans dominent, et tout le monde jouit d'un petit pré, d'un bout de jardin. On arrange ses affaires entre soi. Quand le conseil municipal se réunit trois fois par an, c'est le bout du monde. Ordinairement, deux réunions suffisent, une au printemps, une à l'automne. Leur compte rendu est rédigé au dernier moment, juste avant la nouvelle réunion.

De toute façon, le maire est quasiment immuable. Jusqu'en 1902 c'est un Thibault, de la lignée du seul épicier digne de ce nom au village, qui a de la famille à Paris et qui achète pour elle de la terre. Puis c'est un Omer, d'une famille d'agriculteurs. Quant à l'ordre du jour, il est mince, et, comme la commune est pauvre, elle ne délibère et n'agit que quand l'autorité supérieure lui demande de se mettre en règle avec la loi. Le plus souvent, c'est pour des affaires qui, ailleurs, seraient insignifiantes. Ainsi, en 1907, une querelle éclate avec le sous-préfet à propos du loyer que le curé Cambis devrait maintenant payer pour utiliser son presbytère, devenu « bien communal » depuis la séparation encore fraîche de l'Église et de l'État. La même année, commence un feuilleton qui, en juin 1914, n'aura pas encore connu sa conclusion. Le département veut équiper Mainbressy du téléphone, mais ici, personne n'en veut. Les habitants réclament plutôt un deuxième passage du facteur de Rocquigny, l'après-midi, qui leur épargnerait de multiples allers et retours. Une négociation s'engage : donnez-nous un bureau de poste auxiliaire, avec un préposé à temps partiel, et nous prendrons votre téléphone, à temps partiel bien sûr... Un vrai dialogue de sourds, car le sous-préfet change, mais pas le conseil de Mainbressy, reconduit presque tel quel d'élection en élection.

*

Ainsi va Mainbressy. Tout se passe au rythme de l'alternance des saisons et des rentrées des classes, avec la retenue qui convient aux gens de condition modeste. Tout est ici en nuances, même les ciels qui, au cœur de l'été, demeurent voilés. Peu d'occasions s'offrent de côtoyer un monde plus large, aux tonalités plus franches. C'est tout juste si, de temps en temps, sur les chemins poudreux baptisés « routes », passe l'automobile d'un visiteur reçu par Mme de Briche, une Parisienne qui possède, dans la commune, une « campagne » au milieu d'un domaine de sept hectares.

Pour Jean Mermoz, l'ouverture au monde se réduit aux rencontres familiales. De ce point de vue, il a plutôt de la chance, malgré — ou à cause de — sa situation familiale embrouillée. Les grandes vacances d'été — qui courent alors de la fête nationale du 14 juillet à la fin septembre — offrent l'occasion de voir plus souvent sa mère et de recevoir la visite de la sœur de celle-ci, l'institutrice de Folembray, Madeleine Boulanger. Elle vient rituellement passer quelques semaines à Mainbressy en compagnie de son époux et de son fils, qui s'appelle aussi Jean et qui a presque le même âge que le petit Mermoz. Les cousins partent à l'aventure, du côté des meules et des moissons, récolter des fruits sauvages. Ils font des escapades dans les bois tout proches, se baignent dans les ruisseaux.

À charge de revanche, Jean passe l'autre moitié des vacances chez son cousin, à Folembray.

Ici, on vit dans une grande école en briques qui domine véritablement la bourgade, juste au-dessus du foirail. Un jour, Jean Boulanger témoignera : « L'école faisait pour ainsi dire partie de la maison, et la maison de l'école. » On a sur les alentours un coup d'œil de petit notable, au cœur d'une communauté qui rassemble des laboureurs, des forestiers et des ouvriers employés par les poteries, les briqueteries, les scieries de la grande forêt de Coucy, qui enserre Folembray. À la différence de Mainbressy ou d'Aubenton, le canton possède, malgré sa pauvreté, un attrait spécial. Il lui vient de l'énorme silhouette du château de Coucy qui, sous un donjon blanc géant, dresse les restes de ses tours pansues sur un éperon qui écrase le paysage alentour. Coucy est devenu un lieu historique, que vantent déjà les premiers guides pour touristes, qu'on rejoint en une heure de marche, non sans transpirer dans les côtes. Les bourgeois s'y rendent depuis Paris, en automobile. Comme eux, on se promène sur les chemins de ronde, la tête remplie de fantômes de la guerre de Cent Ans. À la belle saison, jusqu'à Folembray, le petit commerce débite à foison les cartes postales de ce vestige de la féodalité.

*

Jean, selon sa mère, est un méditatif précoce. Entre périodes scolaires et périodes de vacances, il lit beaucoup. Comme beaucoup d'enfants qui vivent à la campagne, lectures et observation directe des choses se mêlent dans son instruction. Il suit ainsi une tradition Gillet, car, chez les Gillet, malgré des allures rustiques, on est plutôt instruit : les deux grands-parents de Jean cultivent même une belle écriture. Et, chez l'oncle et la tante Boulanger, tous deux instituteurs, on vit, même pendant les vacances scolaires, au rythme alterné d'une étude relâchée, engourdie par l'été, et de longues récréations. Par toutes ces attaches, l'enfant appartient ainsi à ces lignées de la campagne qui, par leurs centres d'intérêt, par la lecture, par certaines fréquentations, effleurent le mode de vie des gens de la ville.

En dehors du cercle familial restreint de Mainbressy et de Folembray, Jean Mermoz retrouve autour de lui cette atmosphère double. À Charleville, la plus grosse ville de la région, où on se rend de temps en temps, il y a certes un oncle Mermoz, frère de Jules, modeste garde-frein à la Compagnie des chemins de fer de l'Est. Mais cet oncle a une sœur, Juliette, déjà « institutrice d'État », qui, à son tour, en 1906, épouse un instituteur. Toujours à Charleville, côté Gillet-Cotte, il y a encore un oncle, premier clerc de notaire, et puis un autre, comptable. Au total, un col bleu, une blouse grise et deux cols blancs : un bon échantillon de la province française de la Belle Époque.

Tout ce petit monde ne se retrouve pas seulement à Charleville, parmi ces rues grises ou ocre, sans joie, qui dégringolent depuis la citadelle et la place Ducale vers la gare et la Meuse. Car le Mermoz des chemins de fer achète en 1908 un bout de terrain avec jardin à Mainbressy, et le clerc de notaire possède du bien dans le coin. On se fréquente donc, malgré la brouille officielle entre le côté Gillet et le côté Mermoz.

*

Dans cette ambiance, à côté de la lecture et du repli sur soi, Jean, en grandissant, cultive une troisième inclination : la mécanique. Plus précisément, il a la passion des moteurs qui déjà, dans les scieries et dans certains travaux des champs, colonisent la « France profonde ». Un jour, on raccordera cette passion des moteurs à sa carrière d'aviateur, pour voir dans la première l'origine de la seconde. Et on ajoutera à cette histoire bien des détails invraisemblables. En août 1909, le grand-père Gillet aurait entraîné son petit monde jusqu'à Reims où se déroule, sur le terrain de Bétheny, la *Grande Semaine d'aviation* de Champagne, la plus énorme exhibition d'avions de la Belle Époque où se pressent un demi-million de badauds... À l'occasion, le petit Jean aurait découvert les héros du moment : Blériot, le récent vainqueur de la Manche, et son pilote attitré, Pégoud... Il aurait même reçu son baptême de l'air.

Cette anecdote laisse sceptique : Jean a alors sept ans et demi, et les monoplans Blériot sont des machines sur lesquelles les sportifs les plus intrépides hésitent à monter. Alors, embarquer un gamin... Plus probablement, comme des milliers de garçons, Jean Mermoz, les jambes bien plantées au sol, a dû voir passer à basse altitude, ou stationner dans quelque champ, certaines des machines engagées en 1910 dans le Circuit de l'Est, où les équipages font étape à Charleville. Ou bien, il aura vu évoluer, à partir de 1911, les premières escadrilles militaires qui patrouillent le long de la frontière du Nord-Est, si proche de Mainbressy. Quant au cousin Boulanger, il est sûr d'avoir fait le voyage avec Jean et leur grand-père jusqu'à Bétheny, mais... en 1913. Et de conclure que le spectacle des avions ne fit ni chaud ni froid au jeune Mermoz.

Pour autant, la passion des moteurs n'est pas sans conséquence sur le destin de l'enfant. Car, dès la rentrée 1913, alors qu'il approche de ses douze ans, sa famille pense à son avenir. Il faudra un jour choisir un métier pour ce gaillard toujours affamé, plutôt silencieux. À cette époque, les fils du peuple ne vont pas au lycée, sauf s'ils décrochent une bourse d'État, sur recommandation de l'instituteur et après des examens en bonne et due forme. De surcroît, quand on vient comme lui de la campagne, il faut une bourse d'internat, au montant plus élevé. Et, pour mériter cette bourse, il faut, d'abord, avoir une famille « normale » qui, en cas d'échec scolaire, garantit qu'elle reprendra l'enfant sans dommage. À moins que Maman n'habite près d'un lycée, c'est-à-dire à Charleville... Aucune de ces conditions ne semble remplie.

Une seule possibilité s'ouvre alors : inscrire Jean dans l'établissement départemental le plus proche, l'école professionnelle d'Hirson, qui remplira un peu le rôle d'un collège et où il pourra obtenir une bourse locale, plus accessible. Pour autant, le parcours du garçon n'est pas tracé. S'il parvient à suivre les cours généraux des sixième et cinquième « modernes », (sans latin), il pourra, après deux années très méritantes, rejoindre le « grand lycée », le « vrai » lycée, celui qui ouvre à toutes les carrières. Ou bien se présenter au concours d'entrée à l'école normale d'instituteurs. Après tout, dans sa famille, les instituteurs et institutrices ne manquent pas. En tout état de cause, si Jean Mermoz travaille bien, s'il a envie, comme le veut ardemment sa mère, de réussir et de s'élever, plusieurs voies s'ouvrent devant lui. Au pire, après deux années passées à l'école d'Hirson, il pourra, si ses études ne marchent pas bien, aller en apprentissage, faire « de la mécanique »...

C’est avec derrière lui déjà une année de sixième passée à Hirson que Jean Mermoz aborde les grandes vacances de l’été 1914. Il a douze ans et demi. C’est l’âge des premiers pantalons longs. C’est l’âge où on se voit en héros de Jules Verne. C’est aussi l’été où éclate la Grande Guerre. Pour lui aussi, elle va tout changer.

3

L'exil

Au début d'août 1914, les villageois de Thiérache voient monter vers les Ardennes de longues colonnes de soldats. Au pas cadencé, des régiments entiers traversent Mainbressy comme Aubenton. Ce flot humain, avec armes et bagages, monte « casser » le centre de l'armée allemande, du côté de la Belgique. Son général porte un nom, Lanrezac, qui claque comme un drapeau au vent.

Pour les enfants, les vacances continuent, même si les familles sont rétrécies par l'appel sous les drapeaux. Les gamins parcourent des champs où des mères et des filles conduisent maintenant les travaux et les bêtes.

Comme chaque été, Madeleine Boulanger et ses enfants Jean et Lucienne séjournent à Mainbressy. L'institutrice est sans nouvelles de son mari, emporté on ne sait où par la mobilisation. Maman Mermoz, Gabrielle, que Jean appelle déjà « Maman Gaby » ou « Mangaby », est absente. Selon la version officielle, elle se trouverait alors à Charleville, toute à un atelier de couture qu'elle viendrait de créer là-bas, dans une ville forte placée désormais sous contrôle militaire. Chacun pense aussi à Jules Mermoz. Mobilisé malgré ses quarante-quatre ans, il a, le 8 août, rejoint son « corps », le 87e d'infanterie.

L'été est à son zénith. Les journaux amaigris prédisent une victoire prochaine. Certains articles racontent même que les balles allemandes traversent les soldats français sans les blesser. On sait aussi, vaguement, que des Français sont montés jusqu'à Givet, jusqu'à Charleroi, pour détruire l'armée allemande et offrir au pays la revanche de 1870 sur les Prussiens.

Puis vient la catastrophe. À partir du 23 août, les armées françaises refluent depuis la Belgique, par la vallée de la Meuse, puis à travers la Thiérache. Malgré une défense acharnée, elles éprouvent des pertes énormes. C'est une retraite, pas une débandade. Le jeudi 27 août, Lanrezac établit sa ligne de résistance sur les plateaux qui courent depuis le sud d'Hirson jusqu'à Aubenton. Dans le village natal de Jean Mermoz, il installe même tout un quartier général. En avant de ce môle, les soldats se battent de nuit comme de jour. La campagne et les bois résonnent d'explosions, de rafales, du miaulement des balles perdues. Les héros de ce combat sont les soldats du 1er corps de la Ve armée que conduit un futur maréchal de France, Franchet d'Esperey.

Cette résistance ne suffit pas à endiguer la poussée allemande. Le lendemain, samedi 28 août, les positions françaises sont enfoncées à la fois à l'ouest, du côté d'Hirson, et à l'est, du côté d'Aubenton. De ce côté, une large brèche est ouverte entre deux armées françaises, la Ve et la IVe, qui cherchaient à se rejoindre. Dans cette brèche, s'engouffrent une division de cavalerie et trois corps d'armée allemands. Précédés de compagnies de mitrailleurs et des tirs ajustés d'une puissante artillerie mobile, les « uhlans » sont de retour.

Mainbressy est au cœur de la brèche. Les jours précédents, on a vu passer les blessés français, et aussi des réfugiés belges repliés de la vallée de la Meuse. Puis sont venus les premiers réfugiés français. La rumeur colporte que les Prussiens, par « sauvagerie » innée, ont coupé les mains des femmes et des enfants chaque fois qu'ils ont conquis un village, là-haut, dans les Ardennes belges. La panique est accentuée par le spectacle déprimant des troupes qui battent en retraite.

*

Les Gillet, encombrés de paquets faits à la hâte, abandonnent leur maison de Mainbressy. Ils s'engouffrent dans la brèche ouverte entre les deux armées françaises, avant que les Allemands n'arrivent et ne bloquent tout le monde au village. Le témoignage de Jean Boulanger est formel. Jean-Baptiste Gillet, son épouse et l'institutrice ont hésité entre deux maux : l'inconnu de l'exil et les dangers d'une occupation. Ce choix est-il encouragé par les militaires français ? Rien, à ce propos, ne transpire des documents officiels d'état-major. Ceux-ci n'évoquent, en termes pudiques, que des « évacuations ». Les six habitants de la maison Gillet ont pris la route de l'exode. Trois adultes, trois enfants, entassés dans une carriole à cheval avec leurs bagages. Ce 28 août est bien long. On avance cahin-caha, au milieu d'autres réfugiés, sur les chemins, les routes poussiéreuses, en direction de Reims, à travers l'interminable plateau champenois.

Les autres péripéties de cette équipée demeurent inconnues. La famille abandonne sa carriole à Reims, et trouve un train pour Paris. Elle débarque à la gare de l'Est, toute blanche et fraîche, agrandie et redécorée l'année précédente. Il règne ici une certaine cohue, derrière laquelle on sent quand même de l'organisation. Les autorités civiles ont en effet pris en main le flot des réfugiés qui affluent depuis le Nord-Est par milliers. À trois cents mètres de là, une autre foule de fuyards débarque chaque jour en gare du Nord. L'attente commence. On s'inscrit sur des listes. On cherche à loger les enfants, les bagages.

Paris n'est qu'une halte. Car une idée domine chez les officiels : il faut désengorger Paris de ces masses à la dérive. Paris, où presque toute activité est arrêtée depuis des semaines. Paris, où, déjà, le grand quartier général étudie la mise en défense de la ville, au cas où l'avance allemande se poursuivrait. Paris, d'où les généraux planifient des contre-attaques lancées avec des troupes fraîches, réunies de partout en chemin de fer. Dès lors, les civils jetés là par la peur, qu'il faut nourrir et rassurer, représentent des problèmes supplémentaires.

Autant les repousser plus loin. Quand on aura chassé les Allemands du pays, ils pourront rentrer chez eux. D'ici là...

Aux Gillet-Boulanger-Mermoz, deux destinations sont enfin proposées : la Bretagne ou l'Auvergne. Des régions paisibles, loin d'un front mouvant et rétractile. Plus patriarche que jamais avec sa grande barbe blanche, Jean-Baptiste Gillet lâche sa décision : ce sera l'Auvergne. Personne, dans la famille, ne s'avise de lui demander ses raisons.

Quelques jours plus tard, une locomotive s'ébranle vers le sud, en tête d'un convoi d'« évacués ». Toute la famille y a pris place, encombrée de ses colis. On part, croit-elle, pour quelques semaines. Le vendredi 4 septembre 1914, elle parvient au terme de son voyage : Aurillac, une ville de moyenne montagne, chef-lieu du département du Cantal. Sur le trajet, chacun a pu admirer les viaducs acrobatiques, les tunnels qui semblent sans fin. Les oreilles ont résonné des coups de sifflet rageurs d'une locomotive nerveuse, taillée pour les fortes pentes. Chacun a respiré l'air plus frais de la montagne. Dans d'autres circonstances, on se croirait en route pour des vacances auxquelles invitent les affiches publicitaires de la compagnie de chemin de fer PLM. En vérité, c'est un exil de trois ans qui commence pour Jean Mermoz.

*

À Aurillac, la préfecture, la municipalité, les citoyens, font face avec un grand mérite à l'afflux des réfugiés, dans une ville où, comme partout, la guerre a bouleversé la vie quotidienne. Certes, les nouveaux arrivants, qui s'accumulent depuis la dernière semaine d'août, apportent des nouvelles des régions du Nord et de l'Est, c'est-à-dire du front, où se battent des milliers d'Auvergnats. Mais ce sont des nouvelles fragmentaires, et, parmi elles, les « bobards » abondent. Quoi qu'il en soit, en ces moments où le sort de la guerre est confus, les officiels doivent garder la tête froide, et installer cette masse de Belges, de Français « nordistes », Picards ou Ardennais.

On sait déjà, à chaque arrivée de train, combien ils sont, parce que la police des chemins de fer, sur tout le trajet, a fait son travail de contrôle. Une fois qu'ils ont débarqué, il faut les trier, les inscrire sur des listes, les loger, à Aurillac et dans tout le département. Certains, en mauvaise santé, sont dirigés vers l'hôpital, qui domine la ville au nord-ouest du côté des nouveaux faubourgs. Un hôpital où, déjà, on soigne des blessés graves évacués du front dans des wagons transformés à la va-vite en ambulances. D'autres réfugiés, des hommes à l'air trop jeune, sont conduits à la caserne du régiment d'infanterie, où on épluche leurs papiers, où on les questionne : sont-ils des réfugiés, ou bien des insoumis au service militaire, qui, en se mêlant aux familles en fuite, pensent échapper à l'uniforme, à leur devoir patriotique ?

La famille Gillet-Mermoz-Boulanger n'est pas concernée par ces contrôles. On trouve tout de suite à la loger, dans la partie la plus ancienne de la ville, dans une maison naguère vide, maintenant réservée à des réfugiés. Du 4 septembre 1914 au 27 septembre 1917, Jean Mermoz a donc pour adresse le 22, rue des Tanneurs à Aurillac.

C'est, dans une rue étroite, en courbe, une grosse bâtisse carrée alignée sur ses voisines, à trois étages, dont un sous les combles. Une maison trapue, aux toits en forte pente, bâtie pour affronter les rigueurs de l'hiver montagnard, avec des fenêtres petites et de lourds volets en bois peint qui filtrent aussi les rayons chauds de l'été. La famille occupe deux logements en étage. Les « commodités », en dehors de l'évier de la pièce qui sert de cuisine, sont communes à tous les habitants. On est déjà vingt-cinq dans l'immeuble. Presque tous viennent de l'Aisne et des Ardennes, mais pas des mêmes villages. À l'arrivée, on entasse ses affaires dans des placards taillés dans les murs épais, ou on les déploie sur un maigre mobilier rustique : quelques chaises, des lits quelconques, une même table pour les repas et pour les devoirs des enfants.

On est tout de suite dans une ambiance nouvelle. L'accueil fait aux réfugiés est bon, mais l'atmosphère est différente. D'abord, il y a le parler des gens, ponctué de tournures et de mots occitans, leur accent et leur débit rapide, tout le contraire de celui des campagnes, des petites villes du Nord-Est. On doit apprendre à se comprendre.

Tout n'est pas nouveau pour les « étrangers » qui débarquent. Car Aurillac est une ville au cœur de la campagne, où les hommes du peuple portent la blouse, de gros souliers, voire des sabots, de grands chapeaux, un peu comme les paysans, les villageois de Thiérache. Les femmes vont en tablier et en fichu. Et puis, il y a des détails qui rendent le paysage de la ville familier aux Gillet-Mermoz-Boulanger : un vieux château sur une hauteur au nord (comme à Folembray), au sud des troupeaux plantés sur les collines qui barrent l'horizon — comme à Mainbressy. Et au pied de la vieille ville, la Jordanne, une petite rivière, presque un torrent, avec son pittoresque pont Rouge qui surmonte un mail ombragé — comme si souvent dans les villes françaises.

Mais Aurillac est aussi une vraie ville. La Jordanne s'écoule devant le parc d'une préfecture. Il y a un lycée d'État, un hôpital, une caserne, et des églises partout. Même si la gare, excentrée et de proportions modestes, ressemble beaucoup à une halte de vacances, avec sa marquise presque neuve, même si la Jordanne n'est qu'un ruisseau par rapport à la Meuse alourdie de péniches, même si Aurillac est nettement plus petit, on retrouve certains traits du paysage urbain que Charleville a rendus familiers à Jean Mermoz.

*

Octobre 1914. Jean entre en classe de cinquième au lycée d'État d'Aurillac. Chaque matin, il parcourt un même trajet qui, peu s'en faut, lui fait traverser tous les quartiers de la ville. C'est d'abord le lacis des petites rues courbes de l'ancienne cité médiévale, ponctué d'églises et de couvents, une ville héritière de l'évêque, puis pape, Gerbert, qui prêcha la première croisade au temps du Moyen Âge. Cette partie de la ville recèle aussi, très discrets, quelques hôtels particuliers, ceux des plus anciennes familles. Ce sont de vieux quartiers, industrieux, où ateliers, échoppes et habitations s'entremêlent. Les ruelles aux noms intemporels (rue des Hortes — des Jardins —, rue des Carmes...) sont tout de suite encombrées par les carrioles et résonnent du matin au soir du bruit et du cri des métiers.

Plantée devant le pont Rouge, la statue de Gerbert défie la ville plus récente. C'est presque une autre ville, qui a moins de cent ans. Elle se présente comme une cité du progrès. Ses rues, plus droites, plus larges, portent le nom de notables républicains ou invoquent un universel laïc, ainsi la rue de l'Égalité.

Pour passer de l'une à l'autre ville, le trajet le plus court est toujours le même. Jean Mermoz file jusqu'à la place de l'Hôtel-de-Ville — une grande bâtisse en pierres grises —, il enchaîne par une série de rues courtes jusqu'aux frondaisons du square aux espèces exotiques planté devant les colonnades du palais de justice. Ensuite, l'adolescent escalade le raidillon derrière le palais, prend à gauche et, le cartable plus lourd, il monte entre un semis de villas neuves et de jardins jusqu'au parc du lycée, avec son perron surmonté d'une grosse horloge. De là-haut, on distingue, au bout de la rue de la République, le viaduc du chemin de fer, et, au-delà, la gare. De l'autre côté, au pied du vieux château fort, s'étend un paysage d'arbres fruitiers et de jardins maraîchers, et, déjà, la campagne.

4

Misère et dignité

La famille vit dans l'indigence, avec trois francs vingt-cinq par jour, le montant de l'allocation reçue par les deux Gillet et le jeune Jean. Une mauvaise paie d'ouvrier pour trois. Tous les réfugiés qui ne sont pas en état de travailler touchent la même chose : un franc et vingt-cinq centimes par adulte et par jour, la moitié par enfant. Depuis le 27 septembre 1914, les Gillet-Mermoz sont officiellement classés parmi les « nécessiteux ». Jean-Baptiste Gillet est trop vieux pour s'embaucher, sa femme doit s'occuper de la maison, Jean est lycéen. On imagine que, dans les premières semaines du séjour à Aurillac, le pécule emporté à la hâte de Mainbressy a fini de fondre, après avoir été écorné par l'exode et les quelques jours de station forcée à Paris. À partir de la fin janvier 1915, la situation s'aggrave. Jusque-là, les Gillet-Mermoz faisaient « popote » commune et partageaient des dépenses avec Madeleine Boulanger et ses deux enfants, qui, de leur côté, recevaient deux francs soixante-quinze par jour. Mais, à ce moment, au plus dur des froids de l'hiver, l'institutrice et ses deux enfants quittent Aurillac. Embarqués dans un convoi de « partants » — c'est le vocabulaire officiel —, ils cheminent vers Château-Thierry, une vieille cité située juste derrière le front de Champagne, où on manque cruellement d'enseignants.

Jean Mermoz et ses grands-parents se retrouvent alors seuls face au dénuement et aussi face aux fautes d'orthographe de l'administration préfectorale et communale, qui mettra plus d'un an à comprendre que Gillet prend deux « l » et que Mermoz ne s'orthographie pas « Mermose » !

Le logement est gratuit — le loyer est payé par la préfecture.

Mais le reste ne l'est pas. Il faut manger. Et Jean Mermoz a toujours son appétit d'ogre : une omelette de douze œufs ou un poulet entier ne l'effraient pas. Dès février 1915, le trio doit accepter la charité en complément de son allocation. Le 11 février, Jean-Baptiste Gillet reçoit un bon de neuf francs de marchandises gratuites chez Delbac, marchand de textiles. La facture sera honorée par un comité d'Ardennais installés à Paris, qui ont leurs relais au cœur de l'Auvergne. Ces neuf francs procèdent d'une générosité calculée au plus juste (trois francs par membre de chaque foyer), car les réfugiés ardennais sont nombreux (soixante-six personnes rien qu'à Aurillac), et les Ardennais de Paris plutôt rares.

Cette aide en complète une autre offerte, dès Noël 1914, par les comités cantaliens d'assistance, dirigés par un notable aurillacois, le docteur Appert, qu'anime un optimisme civique inébranlable. Ce sont quelques offrandes symboliques aux enfants, des spectacles de circonstance, et... des oranges, un fruit alors exotique qui fait couler du soleil sur les frimas de l'hiver montagnard.

Ces libéralités sont les premières d'une longue série — même si les Gillet-Mermoz sont loin d'être les seuls à quémander. En 1915, d'autres dons d'argent leur parviennent. D'une plume humble, à l'occasion des vœux pour 1916, Jean-Baptiste Gillet noie le bienfaiteur Appert sous des flots de reconnaissance : « ... j'ai attendu bien longtemps pour vous remercier... pour la bienveillance que vous nous avez toujours montrée, à ma famille et à moi, et pour tous vos bons procédés à notre égard... Je ne veux pas attendre pour vous exprimer nos sincères sentiments de reconnaissance... »

D'autres documents font état de dons en nature ultérieurs : en février 1917, le grand-père Gillet reçoit un maillot en tricot ; en octobre, c'est une couverture ; et, en juillet 1917, un comble pour un ancien chausseur, « une paire de souliers ». Nos personnages sont au plus bas de l'échelle des réfugiés : on leur accorde, seau par seau, le charbon du chauffage. En 1917, il faudra aussi leur donner, par deux fois, des « aides d'extrême urgence » en argent. Au-delà des habitudes d'économie propres aux gens qui viennent de la campagne, ils s'imposent un rationnement de chaque jour, se privant au besoin pour calmer la fringale de Jean.

*

Ainsi coulent les jours, dans la promiscuité du 22, rue des Tanneurs. Au début de 1915, vingt-deux personnes se partagent la maison et son très relatif confort. On trouve là une femme seule venue de Charleville, trois cultivateurs de Signy-l'Abbaye — à proximité de Mainbressy — et un domestique de ferme, un Polonais de quinze ans. Et puis la famille d'un mécanicien du Nord, et deux familles nombreuses de l'Aisne. Le mécano du Nord travaille en ville, ce qui lui confère un statut à part dans cette arche des déshérités. Moins bien lotie, et sans doute la plus misérable de toute la maison, une mère de famille élève seule ses trois filles en bas âge et héberge sa mère. Chez elle, à tour de rôle ou ensemble, les enfants font maladie grave sur maladie grave. Ce sont sans cesse, de sa part, des demandes de secours, une lutte contre des complications de toute sorte, la peine qu'elle a de voir ses filles, l'une après l'autre, entrer pour trop longtemps à hôpital. À ce désespoir s'ajoute l'absence d'un époux disparu dès le début de la guerre et dont elle demeure sans nouvelles. On compte aussi une vieille femme de soixante-huit ans, toute seule avec son franc vingt-cinq quotidien, qui, peu à peu, devient infirme.

Bien sûr, au milieu de toute cette misère, il y a des heures plus claires. Un beau jour, le mécano du Nord et sa famille s'en vont : on a besoin de l'homme dans une usine de la région de Saint-Nazaire, qui travaille pour la défense nationale. Une autre fois, à l'arrivée d'un train, débarque un vieux paysan de Folembray qui rejoint, dans l'arche de Noé de la rue des Tanneurs, son épouse et sa fille. Ils s'étaient perdus lors de l'exode, ils se retrouvent après presque deux ans. Cet épisode heureux permet aux Gillet et à Jean Mermoz, en voisins, d'évoquer une fois de plus Folembray et les souvenirs d'avant-guerre.

Face au dénuement, les Gillet-Mermoz ne se laissent pas aller. Pour Jean-Baptiste Gillet, la résistance morale au malheur passe par l'action en faveur de ses semblables. Dès que se forme à Aurillac un comité d'aide aux réfugiés des Ardennes, il y adhère et, peu après, il en devient le trésorier. La tâche est délicate. Il faut correspondre avec Paris, où l'on compte bientôt pas moins de trois comités d'aide aux compatriotes en exil, pour solliciter des fonds. Il faut visiter les familles réfugiées, faire connaître leurs besoins exacts aux autorités départementales et locales chargées des secours.

Le grand-père oublie ainsi sa misère pour se consacrer à celle des autres. Un vrai sacerdoce : de 1914 à 1917, on compte en permanence environ soixante-cinq familles d'Ardennais dans le département, dont une trentaine à Aurillac même. Jean-Baptiste Gillet est chargé de suivre la situation pécuniaire de chacune, dans ce département de hautes terres où les routes sont mauvaises. Il doit aussi plaider pour chacune de ces familles, même si l'attitude de la population à l'égard des réfugiés varie selon les villes et les villages. À Aurillac, elle est ouverte, patiente. Dans certains cantons, surtout les plus reculés, elle est fermée, hostile même.

Dans une ambiance familiale faite de privations et d'abnégation, Jean Mermoz a pour mission de réussir ses études. Au lycée d'Aurillac, il suit un parcours régulier, sans néanmoins de ces fulgurantes copies qui fondent l'admiration des maîtres. Plutôt littéraire, il reçoit les compliments d'usage et des citations au tableau d'honneur. Comme souvent à son âge, il écrit de petits poèmes. Pour le reste, il apparaît comme un adolescent sage, assez renfermé, à qui sa mère manque beaucoup. Aux heures de loisir, il parcourt la campagne toute proche, évadé dans ses pensées. Au lycée, il fréquente les agrès de la salle de gymnastique. À la maison, il s'intéresse au sort de son jeune voisin polonais ancien garçon de ferme, au nom « imprononçable ». Il continue de pousser en force, malgré les restrictions. Il est, en quelque sorte, en réserve : il grandit, et il attend.

*

La plupart des réfugiés n'ont qu'un désir : s'en aller. Ceux qui sont au fin fond des campagnes cantaloues, où la vie est très dure, rêvent de rejoindre Aurillac qui, au moins, dispose des commodités de la vie urbaine : un cinéma, les beaux cafés de la place du Jardin. Ceux qui sont à Aurillac voudraient bien rentrer chez eux, ou, du moins, changer d'air, même si la ville les a accueillis de son mieux. C'est normal : les réfugiés sont, ce que personne ne crie haut et fort, en résidence surveillée dans la commune qui les héberge ; ils ne peuvent circuler librement dans la région. On peut les interner à la prison, ou à l'hôpital, au moindre comportement irrégulier.

Aurillac offre une tentation supplémentaire de partir, car la ville est un centre de tri permanent où se croisent « arrivants » et « partants ». Même après le grand flot d'août et septembre 1914, les réfugiés ne cessent d'affluer. Les quelques centaines d'exilés qui résident ici en permanence vivent au rythme des convois. Il y a eu d'abord les trains chargés de gens qu'on avait mal dirigés, qu'on a réorientés jusqu'ici. À partir du printemps de 1915, la petite gare voit à nouveau passer des trains remplis de populations en provenance des régions envahies. Presque toujours, ces errants ont été expulsés de chez eux par les Allemands ; on a pillé leurs maisons et leurs fermes ; certains ont été expédiés à l'intérieur du Reich.

D'abord transférés et parqués en Allemagne, soit comme « otages », soit comme travailleurs contraints, ils ont ensuite été expédiés en Suisse, sous la pression des organismes humanitaires, ou parce qu'ils étaient autant de bouches peu utiles à nourrir, ou parce qu'ils étaient malades. En Suisse, la Croix-Rouge les a recueillis. Puis les Suisses les rendent à la France, par la gare d'Annemasse, tout près de Genève. Ce périple a pu durer des mois.

En France, les hommes aptes à servir la patrie — l'armée ou l'industrie — sont récupérés à la frontière. Pour les femmes, les enfants et les vieillards, on imagine ensuite l'ultime mais interminable trajet, depuis la Savoie jusqu'à l'Auvergne. Ils ont connu le désespoir puis l'espoir, ils roulent à nouveau vers l'inconnu. Dans les dernières heures du trajet, une fois au cœur de l'Auvergne, le convoi s'arrête à plusieurs reprises. Sous la surveillance d'un commissaire de police, on débarque des dizaines de personnes, à Murat, à Vic-sur-Cère. Pour eux, le voyage est terminé. Ils seront cantonniers, filles de ferme, forestiers ou mineurs de charbon. Les autres se retrouvent à Aurillac, où s'entassent surtout les réfugiés sans espoir de travail.

Ces derniers viennent prendre la place des « partants », surtout des gens du Nord ou du Pas-de-Calais qui rentrent chez eux ou presque, parce que le front s'est stabilisé à partir de 1915, d'un côté ou de l'autre du bassin minier. D'autres changent de lieu d'exil, parce que les bureaux leur ont trouvé du travail dans l'industrie de guerre. Ou parce que, à force de démarches, de lettres poignantes, de vérifications, ils ont retrouvé, quelque part, des parents qui acceptent de les héberger dans des contrées moins enclavées. Des mères, des adolescentes, espèrent, là-bas, trouver un emploi, et passer de la misère assistée à la pauvreté ordinaire.

Sous la surface morne de la vie quotidienne, la plupart des réfugiés vivent ainsi dans une attente anxieuse. Attente des retrouvailles avec un proche, avec son « pays », sa région d'origine, avec sa maison, son bien. Sans cesse, s'allongent les listes d'attente des candidats au retour. La fièvre du départ s'empare de ceux qui figurent sur la liste des prochains rapatriés. Les autres se contentent d'attendre « la prochaine fois ».

Le grand jour, les chanceux sont convoqués à la gare. Sur le quai, au pied du petit train de montagne, ils croisent les arrivants. Parfois, ce sont les blessés qui viennent passer leur convalescence à Aurillac, au bon air, où est installé pour eux un grand centre de traitement des combattants rescapés des obus ou des gaz.

*

Au début de leur exil, les Gillet-Mermoz n'ont aucun espoir d'aucune sorte. Ils vivent plutôt dans l'angoisse du sort réservé par la guerre à l'instituteur Boulanger. Sur la foi d'un « bobard » recueilli sur le chemin de l'exode, ils l'ont cru « disparu au combat ». Il a fallu les démarches, le témoignage à distance de Jules Mermoz, puis des semaines d'attente, avant que l'erreur se dissipe : Lucien Boulanger est bien vivant.

Cette heureuse nouvelle a précipité le départ d'Aurillac de Madeleine Boulanger et de ses enfants. On manque partout d'enseignants pour compléter les effectifs allégés par le conflit. Et il est absurde de verser les allocations de secours à une institutrice parquée à Aurillac alors qu'elle pourrait exercer et vivre de son métier. Bon gré, mal gré, les Boulanger sont donc prioritaires, lorsque le premier convoi quitte la ville en 1915. Du coup, les Gillet-Mermoz ne songent qu'à un départ vers des contrées où ils seraient rapprochés des Ardennes occupées. Ils ont sans doute pensé rejoindre la famille Boulanger du côté de Château-Thierry, puis dans la grande banlieue de Paris, où elle a fini par aboutir. Mais, comme en témoigne une lettre de Jean-Baptiste Gillet aux « officiels », cet espoir de survit pas à l'année 1915.

De son côté, Jules Mermoz ne peut servir de recours. Lui-même connaît bien des tribulations. Il a survécu à la grande mêlée des premiers mois de la guerre. Mais il n'en est pas sorti sans dommages. Sa santé est affaiblie et, au jour des Morts de 1914, on le renvoie « dans ses foyers ». Il n'a plus de foyer ; alors il s'installe comme il peut à Compiègne, dans l'Oise, à quatre-vingts kilomètres au nord de Paris. Il n'est pas démobilisé, et demeure à disposition de l'autorité militaire, ne sachant pas de quoi demain sera fait. Quand, au début de 1915, on commence à renvoyer des réfugiés du Cantal, Jules Mermoz est sous la menace d'un rappel au front, et donc incapable d'héberger ses proches.

De fait, le 1er avril 1915, Jules Mermoz est rappelé aux armées : il faut bien combler les pertes, et nourrir les offensives du printemps. Il reste un an au feu, en revient plus malade encore avec une patte folle, tout juste bon pour le service dit « auxiliaire », où on ne combat pas. On veut le réformer. Il refuse. Il entend servir. Alors on l'expédie au plus loin du front, en Bretagne, à Quimper, dans les troupes d'intendance. Les tribulations du sergent Mermoz l'ont ainsi, pendant toute la guerre, tenu sans cesse éloigné de son fils. Comme autrefois, il n'est ni un espoir, ni un recours.

5

Le mystère « Mangaby »

Il reste bien Maman, « Mangaby ». Mais que devient-elle ? Où est-elle ? C'est toute une histoire, presque une légende.

Sur la base de ses souvenirs, ou de récits d'origines diverses, des auteurs ont légué à la postérité une version poignante des heures vécues par « Mangaby » dans la tourmente de l'été 1914. On nous l'a dépeinte, les troupes allemandes sur les talons, découvrant par une chaude journée la maison familiale déserte dans un village à moitié vidé de ses habitants, où la panique étreint les femmes et les vieillards déboussolés. Elle veut fuir, mais déjà l'envahisseur est là. La voici bloquée au village pendant trois longues années. Trois années passées à s'interroger sur le sort des siens, de son fils chéri, sans nouvelles d'aucune sorte.

Selon une autre version, « Mangaby » serait accourue trop tard au village. Elle aurait trouvé les Allemands déjà installés. Elle aurait cru les siens perdus ou enfuis ou on ne sait où et, repliée elle-même à Charleville, sous occupation allemande, elle aurait dû patienter trois longues années avant de profiter d'un convoi de réfugiés en partance pour la Suisse, et ainsi de reprendre espoir.

Même si l'on croit bien volontiers Gabrielle Mermoz angoissée par l'avance allemande et par l'occupation des Ardennes, ces récits ne collent pas avec certaines réalités de l'époque, telles que les témoignages directs et la lecture des archives les restituent. Tout d'abord, si « Mangaby » s'est enfuie de Charleville en août 1914, on la voit mal courir à Mainbressy au premier signal de l'avance ennemie. Cette simple citoyenne aurait dû franchir les lignes françaises ou allemandes, voire les deux, puis s'engouffrer ensuite dans la brèche de Mainbressy. Tout cela à pied et en un temps record, car, à Mainbressy, les Français abandonnent le terrain le 28 août, et les avant-gardes allemandes déboulent le même jour...

On peut imaginer un autre scénario. Toute la région est envahie. Elle finit par obtenir des Allemands un laissez-passer pour Mainbressy depuis Charleville. Là, elle découvre l'exil de son père, de sa belle-mère et de son fils. Cette version est tout aussi rocambolesque : une fois qu'ils ont mis la main sur la région, les Allemands ont tout fait pour empêcher les déplacements des habitants, par crainte de l'espionnage, du sabotage...

Le vrai problème est de savoir où se trouve Gabrielle Mermoz en août 1914, au moment où commence l'invasion allemande. Est-elle vraiment à Charleville ? Les autorités militaires ont fait évacuer très vite la plus grande partie des civils de cette grosse place forte. Il est donc très probable qu'elle ait été évacuée de la zone des armées dès les premières canonnades de la guerre. Et, dans ce cas, elle n'aurait pu, ensuite, « repasser » les lignes depuis l'arrière vers le no man's land entre Français et Allemands où se trouve brièvement Mainbressy. Il est encore moins probable qu'elle ait pu se rendre au village une fois celui-ci occupé par les Allemands. Dans cette hypothèse, Gabrielle Mermoz, à l'abri quelque part, a dû, pendant longtemps, croire que son fils et son père étaient restés « coincés » dans la nasse, d'où on ne reçoit pas de courrier... On imagine son inquiétude et son remords de n'avoir pas été là au moment décisif. Et, dans cette hypothèse, elle n'aurait pu connaître le sort de ses proches avant octobre ou novembre 1914, époque à laquelle Jules Mermoz reçoit des nouvelles de tout le monde par Madeleine Boulanger, qui recherche activement son époux.

Encore faudrait-il que Gabrielle Mermoz cherche à savoir ce que son époux est devenu, ce qui n'est pas certain...

Mais le « mystère Mangaby » est encore plus épais. Car elle n'a pu, comme il a été affirmé, passer des années à se ronger les sangs en se demandant où étaient les siens, ni à Charleville, ni dans le département des Ardennes, notamment à Mainbressy. Car, une fois la région occupée par les Allemands, elle n'aurait pu en sortir qu'avec un passeport en bonne et due forme, de préférence par un des convois organisés par les Allemands et la

Croix-Rouge à partir de janvier 1915, et qui permettaient à des Français des zones occupées de rejoindre la « France de l'intérieur », *via* l'Allemagne et la Suisse, après un long et éprouvant périple. Or, le nom de Gabrielle Mermoz ne figure ni sur les listes de demandes de passeport de résidents des Ardennes soigneusement conservées aux archives de Mézières, ni dans les listes de Français expédiés depuis les Ardennes par les convois.

On est donc en droit de se demander où Gabrielle Mermoz pouvait bien être, non seulement en août 1914, mais encore pendant toute une partie de la guerre. Elle ne figure pas non plus sur les listes de réfugiés des départements envahis qui ont pu, à un moment ou à un autre, regagner la France de l'intérieur entre 1914 et 1916. Une seule chose semble certaine : elle n'a pas passé toute cette période dans la zone occupée. Mais où était-elle ?

Selon le dossier constitué en 1952 pour qu'on lui accorde la Légion d'honneur, « Mangaby », en 1916, est à Paris. Elle est devenue infirmière et travaille à l'hôpital Laënnec, au pavillon des tuberculeux. Mais avant, où était-elle ? Le mystère reste entier, dans l'état de la documentation disponible.

Dans ces conditions, on comprend que nombre d'auteurs aient pu penser qu'il fallait un vrai miracle pour que Maman Mermoz retrouve, en pleine guerre, la trace de sa famille.

*

Pourtant, un jour, le miracle se produit. Presque trente-sept mois après la fuite des Gillet-Mermoz-Boulanger, « Mangaby » apparaît à Aurillac. Elle vient chercher son enfant, qui est maintenant un solide gaillard — bien qu'un peu maigre — qui va vers ses seize ans. On est quelques jours avant le 27 septembre 1917. Gabrielle Mermoz vient d'avoir trente-sept ans. Pour la légende, tout est simple : « Mangaby » a échappé à l'enfermement dans les Ardennes, elle accourt chercher son fils... Comment le sait-elle à Aurillac ? Comment a-t-elle obtenu un laissez-passer pour sortir de la zone des armées ? Comment aurait-elle pu arriver à Aurillac dans un convoi de réfugiés, sachant qu'aucun convoi ne rejoint, à ce moment, le chef-lieu du Cantal ?

Autant de mystères qui, on l'a vu, se dissipent pour partie quand on sait qu'en vérité Maman Mermoz réside à Paris depuis plus d'un an. Tout indique qu'elle s'est alors rapidement rapprochée des comités parisiens qui suivent le sort des réfugiés ardennais du Cantal. Ici, on a des listes, et on sait qu'il existe à Aurillac un Jean-Baptiste Gillet, trésorier du comité local des réfugiés. Et puis, au début du printemps de 1917, le *Journal officiel* publie enfin une longue liste nationale des réfugiés des Ardennes, où il est indiqué, noir sur blanc, que le jeune Jean Mermoz se trouve avec ses grands-parents à Aurillac, en provenance de Mainbressy.

À ce moment, il est naturel que l'infirmière de Laënnec fasse l'impossible pour obtenir les autorisations nécessaires, quitter Paris, et récupérer son fils. La suite se devine sans peine.

Mais après coup, comment rendre crédible cette absence de trois ans sans encourir le reproche d'avoir été une mère négligente ? Sans faire jaillir des questions qui rouvrent la plaie de la séparation de la mère et du fils *avant* le grand bouleversement de 1914 ? Même si Jean n'a pas connu, de la bouche de sa mère, toute la vérité sur ces péripéties hors normes qui sont à la mesure d'une époque étrange, gageons qu'il a accepté d'elle la version qu'elle donnait de son récit. Ne sont-ils pas enfin ensemble, l'un à l'autre ?

On imagine les retrouvailles entre la mère et le fils, après plus de trois ans de séparation. Un pacte de fidélité indéfectible se noue alors entre Jean Mermoz et sa mère. Maintenant, elle a gagné le droit d'être une mère à part entière, malgré l'irrégularité de sa présence d'autrefois, malgré les critiques qu'elle a dû subir de son entourage. D'ailleurs, elle obtient apparemment sans peine de reprendre Jean à ses grands-parents, qui lui laissent l'enfant bien qu'ils aient veillé sur lui comme père et mère depuis l'exode de 1914.

Le 27 septembre 1917, pourvu de tous les papiers nécessaires, Jean Mermoz embarque avec sa mère dans le train régulier en direction de Paris. C'est comme si l'adolescent revenait de longues vacances.

Quant aux grands-parents Gillet, les voilà privés de la vie qu'apporte dans une maison un adolescent, et face à la vieillesse et à la solitude partagées. Ils demeureront ainsi jusqu'en janvier 1920, car Jean-Baptiste Gillet mettra un point d'honneur à ne pas abandonner ses compatriotes en exil. Alors, le vieux couple comptera parmi les derniers Ardennais à rentrer chez eux, bien après l'arrêt des hostilités.

6

Désillusions parisiennes

« Mangaby » a de la suite dans les idées. À peine la rentrée des classes de 1917 sonne-t-elle dans toute la France, que Jean se retrouve, au début d'octobre 1917, élève demi-pensionnaire au lycée Voltaire, en classe de seconde. Or, les Mermoz habitent dans le bas bout de l'avenue du Maine, à trois cents mètres de Laënnec, alors que le lycée Voltaire est dans le 11e arrondissement, au pied de Ménilmontant. Cet éloignement est-il le prix d'une inscription tardive, ou bien « Mangaby » avait-elle tout prévu avant son départ pour Aurillac ? En tout cas, d'un coin de Paris à l'autre, cette circonstance impose au jeune homme un interminable trajet en métro aérien. Elle lui offre aussi une plongée quotidienne dans les quartiers les plus variés du Paris populaire. Un Paris auquel, plus tard, devenu militant politique, il se flattera d'appartenir, même s'il fréquente plutôt les « beaux quartiers »...

Jean Mermoz et sa mère habitent une sorte d'atelier désaffecté, au fond d'une petite cour, dans un quartier animé par les trafics, tout proches, de l'ancienne gare Montparnasse. La paie de l'infirmière suffit tout juste pour joindre les deux bouts, dans une ville où certains produits sont maintenant rationnés et où les prix flambent. Le jeune Mermoz, boursier, se concentre sur ses études. On vit entre soi. Les seules visites fréquentes sont celles d'un ami de Maman, Max Delty, un chanteur de music-hall des Boulevards, qu'elle a soigné à l'hôpital. Il est devenu son chevalier servant, son fidèle confident. Il se prend très vite d'affection pour Jean, qu'il traite comme un fils, et qui lui rend son affection.

Parfois, Delty invite Jean à passer la soirée au théâtre. Ils y entrent par les coulisses ; toute une aventure pour un jeune homme de dix-sept ans. À partir de la rentrée 1918, le cousin Jean Boulanger participe à ces virées. Car il est maintenant interne au lycée Hoche de Versailles : les Mermoz sont ses « correspondants » à Paris pour les fins de semaine et les vacances. Tant que dure la guerre, ces virées nocturnes dans Paris plongent les jeunes gens dans une ambiance spéciale : certains soirs, il y a couvre-feu, et, dans le ciel, on peut suivre la course entre les projecteurs et les obus traçants de la défense contre avions, et les escadrilles allemandes qui viennent larguer leurs bombes sur la ville. Et puis, dans les coulisses des music-halls, on croise des chanteurs, des danseuses, qui changent de costume, d'allure, de voix avant d'entrer en scène, et, à nouveau, avant de s'en aller du théâtre. Un monde particulier, que Mermoz aimera toute sa vie.

*

Lors de sa première année au lycée Voltaire, Jean Mermoz obtient de bonnes notes et les compliments de ses maîtres. Il a des facilités et, de plus, il s'applique. Peu après son entrée en première, en octobre 1918, arrivent les premières nouvelles du recul rapide des Allemands sur tous les fronts. Celles-ci sont suivies par l'armistice du lundi 11 novembre, son déferlement de liesse, et, plus encore, de détente et de soulagement après des années de tension et de crainte. Paris exulte.

Pour « Mangaby » néanmoins, l'armistice ne change rien à la vie quotidienne, parce que la guerre, le brassage de millions d'hommes, ont mis la lutte contre la tuberculose au rang des priorités médicales, et que la fin des combats renvoie vers les hôpitaux de l'arrière des milliers de soldats malades qu'on soignait plus près du front.

Jean Mermoz, lui, fait des vers et porte des lavallières. Sa mère lui laisse la bride sur le cou. Il s'est découvert une vocation de poète et entend assurer sa matérielle comme journaliste, ce qui suppose un succès au « bachot », préalable à des études longues. Au moins ce souhait rencontre-t-il en partie les ambitions de sa mère. Elle le voit, après le lycée, briguer une place dans une des classes préparatoires aux grandes écoles qui font la fierté de la capitale. Pourquoi ce garçon qui a toujours aimé la mécanique ne se lancerait-il pas dans une carrière d'ingénieur ?

Mais il leur faut déchanter. En juin-juillet 1919, Jean Mermoz affronte les épreuves de la première partie du baccalauréat. Il échoue. À cette époque, ce faux pas est un couperet : il fait perdre au jeune homme sa bourse de demi-pensionnaire — car les lycées d'État sont alors payants. Du coup, il ne peut passer en « mathélem » (Mathématiques élémentaires) et tenter le bac complet qui lui donnerait une place sur les bancs de la Sorbonne. Pire, sans la première partie du bac, on ne peut à cette époque entrer en « classe prépa », où le bac complet n'est pas encore obligatoire.

Après cet échec cuisant, et selon le témoignage de Mme Mermoz, Jean aurait connu une période de dépression. Une nuit qu'il était sorti en ville plus tard que de coutume, elle l'aurait, après de longues recherches, retrouvé sur une berge de la Seine, effondré et prêt à n'importe quelle issue. Une fragilité qui contraste avec l'apparence physique d'un garçon devenu, à presque dix-huit ans, un athlète à la carrure avantageuse — plus d'un mètre vingt aux épaules — et de belle taille pour l'époque — un mètre soixante-quatorze. Le visage assez rond, les cheveux longs et blonds, des yeux bleus vifs sous des sourcils un peu arqués d'homme du Nord, il respire la santé. Sur les photos, qu'il pose seul ou avec sa mère, on remarque son goût pour les costumes de qualité, offerts à un jeune homme choyé. On dit qu'il a une voix douce, assez lente, bien timbrée. Bâti en force, il semble fait pour une vie prise à pleines mains.

Une seule chose lui manque : un avenir, un destin. Alors que Paris résonne d'un après-guerre enjoué où l'on transgresse volontiers les tabous et où le choc de la guerre fait tomber les barrières sociales, Jean est un désœuvré précoce, un garçon entre-deux. Il n'est pas assez pauvre et trop instruit pour aller pointer dans une de ces usines géantes qui ont poussé ou grandi tout autour de la capitale pendant la guerre, de Billancourt à Levallois ou Saint-Denis. Il n'est pas assez instruit et trop pauvre pour briguer une de ces professions qui lui permettraient d'échapper à la condition populaire : médecin, ingénieur, professeur.

Pendant un an, Jean tourne en rond, vaguement fasciné par les lumières proches du Montparnasse des artistes, où les bourgeois viennent s'encanailler, avec ses relents de jazz, ses brasseries à néons et ses « bars américains », ses ateliers où naît le XXe siècle esthétique. Finalement, aux premiers jours de l'été 1920, il décide de chercher son destin du côté d'une institution habituée à être le recours des jeunes gens à la volonté forte, mais inemployée : l'armée.

7

Aviateur

Jean Mermoz n'a pas la vocation militaire. Il rejoint l'armée par besoin de sécurité. Sa mère a été marquée par l'aventure des berges de la Seine, ce qui a pesé lourd dans l'engagement de son fils. Elle devine son Jean atteint de neurasthénie. Un moment, elle a espéré le guérir en l'envoyant séjourner quelque temps à Aurillac auprès de ses grands-parents. Sans grand succès. Et puis, Jean lui devient une charge, en raison de ses maigres émoluments d'infirmière. Enfin, à la fin de 1919 ou au début de 1920, « Mangaby » a quitté Laënnec et Paris pour l'hôpital de Pontoise, où tous deux résident désormais derrière l'église Saint-Maclou.

Comment devenir journaliste quand on habite presque à la campagne, à une heure de train de la gare Saint-Lazare ? D'autant plus que l'affaire se présentait mal dès le début. Max Delty avait recommandé Jean dans un grand quotidien parisien, *Le Journal*, en espérant qu'il obtiendrait un bout d'essai ou un vrai stage. Fiasco : on expliqua au jeune homme qu'il devrait patienter jusqu'à une date indéterminée. L'armée est donc un recours. Delty a approuvé ce choix, en y ajoutant une touche personnelle riche de conséquences : il a conseillé à Jean de s'engager plutôt dans l'aviation, tout simplement parce que la solde y est la meilleure.

Le vendredi 26 juin 1920, Jean Mermoz se présente au bureau de recrutement de la mairie de Versailles, où il signe un engagement volontaire de quatre ans. Il a dix-huit ans, six mois et dix-sept jours. Un dernier dimanche en famille, et, le lundi 29 juin, sa valise à la main, il est incorporé comme soldat de deuxième classe au 4e régiment d'aviation. On commence par remplir sa fiche signalétique, celle d'un individu aux « cheveux blond foncé, yeux gris-bleu, front vertical, nez rectiligne, visage long, lèvres minces », qui ne sait pas nager et qui, avant de signer, était « étudiant ».

Commence pour lui, comme pour tout nouveau soldat, une période d'instruction de trois mois, les « classes ». Des mois de marche au pas et de défilé en ordre serré, de rudiments de vie militaire, de maniement d'armes, de corvées, de leçons de discipline et de tactique. Des années plus tard, dans ses récits de sa période militaire, Jean Mermoz ne fera aucune allusion à ces quelques mois passés à Versailles et à Satory, pas même pour s'en plaindre.

Après dix jours de permission, Mermoz se porte volontaire pour l'école de pilotage d'Istres, en Provence. Ses qualités physiques, son niveau d'études plaident pour lui. Mais l'affectation n'est pas automatique. Le jeune homme sait que les semaines d'attente précédant le verdict seront cruciales pour lui, car il s'est tout de suite rendu compte que l'aviation se divise en deux tribus. La plus nombreuse mais aussi la plus faible est celle des « rampants », des employés au sol, qui mènent une vie morne d'employés de piste, de hangar ou de bureau. Parmi eux, il existe une barrière infranchissable entre la troupe, les sous-officiers et les officiers issus des écoles militaires supérieures.

La tribu dominante est celle des pilotes, qui entraîne dans son sillage une catégorie intermédiaire de navigants non pilotes (mécaniciens, bombardiers, navigateurs). Outre l'avantage d'une solde confortable, les pilotes forment une fratrie unie par le métier et ses dangers. Ils ont en commun une aventure qui commence dès qu'ils laissent derrière eux le terrain d'aviation et, avec lui, le monde normal. Chez eux, les frontières entre les grades semblent plus floues, la camaraderie l'emporte sur la hiérarchie. Enfin, être pilote rapporte des galons : un soldat est promu caporal quand il réussit le brevet de pilote, il passe sergent un an ou dix-huit mois plus tard. Même modestes, ces galons sont valorisés, par le brevet de pilote, face à ceux des adjudants de l'époque, des sergents de garnison blanchis sous le harnais. Et ils ouvrent la voie vers les concours internes d'officiers.

Officier et aviateur-pilote : deux mots qui font rêver les jeunes gens de l'âge de Mermoz, grandis dans le culte tout neuf des héros de la Grande Guerre. Deux mots qui évoquent la gloire des « as », des « chevaliers du ciel » de 1914-1918, morts au combat comme Charles Guynemer ou Roland Garros, survivants et promus au rang de vedettes comme René Fonck ou Charles Nungesser.

Jean Mermoz, au départ insensible à l'« appel » des cieux, se rend compte que son engagement dans l'aviation n'aura de sens que s'il devient pilote. Il sent confusément que le pilotage peut lui apporter une double liberté : sportive et professionnelle. Et, une fois pilote, s'il parvient à « passer » officier, il deviendra « quelqu'un », tant est grand le prestige des officiers dans la société française de 1920.

Mermoz s'engage pourtant dans cette voie avec un handicap. La plupart des jeunes gens qui partagent son ambition sont issus de milieux plus favorisés, ou ont bénéficié de bourses d'apprentissage. Ils arrivent au régiment avec en poche leur brevet de pilote civil. Une fois leurs « classes » accomplies, ces soldats sont rapidement confirmés comme pilotes militaires, puis versés dans les escadrilles. Mermoz, lui, doit franchir d'un seul coup deux étapes, car il n'a jamais mis les pieds dans un avion. Il joue son avenir à quitte ou double. Ou bien il « passe » pilote pendant son stage à Istres, ou bien il demeure un « rampant » qui deviendra caporal et devra « rempiler » au bout de quatre ans pour être confirmé comme sergent.

*

Le vendredi 29 octobre 1920, le soldat Mermoz est officiellement affecté à la base d'Istres. Le jour même, revêtu de son uniforme, avec en main son maigre paquetage, il embarque gare de Lyon pour la gare de Miramas, la plus proche d'Istres, que l'on rejoint *via* Avignon ou Marseille.

C'est un saut dans l'inconnu. Mermoz a-t-il imaginé que, là-bas, on l'attendait à bras ouverts ? Plus tard, dans des conférences publiques, il expliquera combien ses illusions étaient grandes, et comment il a dû, par une lutte de tous les instants sur lui-même et sur les autres, conquérir le droit de devenir pilote. Dès le mois de décembre 1920, dans un cahier d'écolier qui recueille son éphémère journal intime, il a noté l'ambiance de mauvais augure qui enveloppe son arrivée à Istres : « C'est un samedi que je suis arrivé. Un samedi noir et pluvieux, et je n'ai distingué aucune lumière, même pas l'ombre d'une maison au bord de la route. J'ai franchi tel un fantôme les deux kilomètres qui séparent la gare du camp. Oh ! cette lande froide et mouillée, noyée d'ombres, où sifflait lamentablement le vent du nord : un chien perdu hurlait à la mort ; au-dessus de ma tête, des nuages d'encre glissaient, rapides... Seule la lumière d'un phare trouait l'obscurité à intervalle régulier. »

L'école d'Istres est plutôt sinistre. Elle s'étend sur des kilomètres dans la Crau, une plaine caillouteuse pelée en été par le soleil et balayée en hiver par le mistral. Dans un coin du terrain, des baraquements servent de casernements. De là, on voit une série de hangars d'avion. La « bleusaille » qui ne sait pas encore piloter est traitée sans égards par de vieux sous-officiers aigris. La moitié du temps est consacrée à débarrasser la piste de caillasses qui s'obstinent, comme partout dans la Crau, à ressortir du sol.

À Istres, entre deux corvées, Mermoz, comme tous les débutants, s'exerce sur un « pingouin ». C'est un avion dont on a coupé les ailes et qu'on fait tourner, au moteur, tout autour d'un mât auquel il est rattaché par une corde. Il s'agit, sur ce manège à moteur et hélice, d'apprendre à se servir des commandes de base : manche à balai ou volant, palonniers, manette des gaz. Au mieux, ce curieux engin se soulève un peu du sol avant de retomber ou, si l'élève est maladroit, de capoter. L'apprenti doit parvenir à faire tourner régulièrement son « pingouin » au bout de la corde, autour du mât. Car, on l'aura deviné, plus on pousse les gaz, et plus la trajectoire de l'avion est rectiligne. Elle tend à l'éloigner du mât, au risque que la corde se rompe, ou qu'elle se comporte comme un gros élastique...

Après quinze jours de ces exercices, où chaque élève roule quelques minutes par jour à tour de rôle, c'est le grand jour. Le 14 ou le 15 novembre — les archives sont sur ce point imprécises —, Jean Mermoz prend l'air. Il vole quelques minutes avec un moniteur, dans un vieux Caudron « G3 », un biplace à doubles commandes. Le moniteur fait les manœuvres, l'élève l'accompagne en copiant, sur ses propres commandes, les gestes du moniteur. Peu à peu, l'élève doit apprendre à se comporter comme s'il était seul à bord, tandis que le moniteur devient un recours qui « rattrape » les fausses manœuvres de l'élève.

Ce n'est pas un exercice de tout repos : même si on vole bas

— et surtout pour cette raison —, on risque à tout moment de se casser la figure. Les « G3 » sont des biplans en bois et toile conçus au début de la guerre de 1914-1918. On y est mal protégé. Une vrille peut provoquer la dislocation de l'avion, et, s'il percute le sol, il s'émiette, tandis que ses passagers sont ensevelis sous l'entoilage... Seule consolation : ce modèle est tellement lent, a des ailes si étendues, qu'il peut planer moteur coupé, et qu'il se pose et décolle à vitesse réduite. Ce qui limite les risques.

Plus tard, Mermoz se plaindra de cette période de tâtonnements, où il est soumis aux humeurs (compréhensibles) de moniteurs qui remettent chaque jour leur vie entre les mains de jeunes gens sans expérience. Car, plus il apprend, plus son enthousiasme pour le pilotage s'accroît, et, avec lui, son impatience de voler seul. Tout indique que, dès les premières tentatives, il a été touché par la grâce, par la griserie du vol. Il ressent pleinement la joie qu'on a de sentir l'avion se mouvoir dans l'air autour de soi, celle de vaincre les courants d'air et de dominer la mécanique. Bref, Mermoz est « mordu ».

*

Enfin vient le grand jour, celui du premier vol en solo, la veille de la Noël 1920, cinq semaines après le premier vol accompagné. Il s'agit plutôt d'une prise de contact, car, le lendemain, Jean part en permission pour les fêtes de fin d'année. De retour à Pontoise, on imagine les récits contrastés, et de l'ennui qui suinte d'Istres, et de l'exaltation de ce premier « lâcher ». Les choses sérieuses — l'entraînement en solo pour préparer le brevet de pilote — commencent le 4 janvier 1921. Après un vol accompagné, le moniteur lâche Mermoz pour une démonstration d'atterrissages, puis pour vingt minutes de ronds au-dessus de la base. Pendant les six semaines suivantes, jusqu'à son examen, Jean manœuvre désormais seul.

Ces « lâchers » ne sont pas sans danger. Selon Jean Mermoz, pas moins de dix-sept de ses camarades auraient trouvé la mort dans cet exercice entre octobre 1920 et février 1921 : presque un par semaine, un chiffre énorme. Le matériel est vieux et les moteurs capricieux. Les apprentis, en général du même âge que Jean, n'ont pas tous ses qualités physiques, décisives quand il faut corriger des commandes capricieuses. De surcroît, le mistral se révèle un ennemi intraitable, dont les rafales sont capables de renverser les petits avions d'école.

Mermoz racontera ainsi qu'un beau jour de janvier 1921, son moteur l'ayant lâché, il s'écrase au sol. On l'aurait ressorti de son avion avec une fracture de la mâchoire et d'un tibia... En l'absence de toute mention dans son dossier militaire, il n'est pas interdit de penser que ces « fractures » étaient de simples contusions, à moins que le pilote ait cru bon de se plier rétrospectivement au rituel de la scarification, le courage se mesurant à proportion des blessures affichées.

Encore douze jours d'entraînement et vient le 8 février, le jour décisif où il doit accomplir un voyage au terme duquel on doit lui remettre son brevet. Voilà Mermoz aux commandes d'un Caudron, sur un triangle balisé : Istres, Orange, Nîmes, Istres. L'élève pilote doit « pointer » au-dessus du terrain militaire de chaque localité, où son passage est attendu. Un voyage de routine, mais qui, en ce jour d'hiver, conduit à ruser avec le mistral, qu'on prend de face, puis par le travers, enfin de dos. Du côté de Nîmes (et non d'Orange comme Mermoz croit s'en souvenir quinze ans plus tard), c'est l'accident : un atterrissage en catastrophe, dans la garrigue, de l'avion balayé du ciel par le vent. On vient dépanner l'apprenti, heureusement indemne. Les sauveteurs immortalisent l'événement sur une photo où l'on voit un Mermoz à demi allongé dans l'herbe, comme en vacances, dans son gros blouson fourré, devant l'avion en lambeaux.

Contrairement aux craintes de Mermoz, cet accident ne remet pas son succès en cause. À sa grande surprise, ses supérieurs l'accueillent à bras ouverts : « Avec ce vent, vous vous en êtes plutôt bien tiré ! » Ils lui remettent son brevet (n° 18096). Jean peut maintenant accrocher sur sa vareuse l'insigne des pilotes : deux ailes déployées de métal. Le lendemain, il est fait caporal. Tout cela à une condition, qui se révèle être une simple formalité : refaire en entier le voyage achevé la veille dans les broussailles.

Jean Mermoz a donc atteint avec aisance le premier des buts qu'il s'était fixés : devenir pilote. À ce moment, il a accompli cent douze atterrissages et aligné trente-trois heures de vol, dont cinquante-quatre atterrissages et vingt-quatre heures de vol en solo, avec seulement deux accidents. Résultat prometteur, comme l'indiquent les notes, honorables, que lui accorde son moniteur : « bon élève un peu nerveux et irrégulier mais susceptible de perfectionnement ».

*

Les semaines du caporal Mermoz se passent ensuite en vols de perfectionnement. Le 19 avril, le moment est venu de quitter Istres. Il a trente-neuf heures de vol en solo et ses notes sont devenues élogieuses : « pilote régulier et précis ». Ce bon pilote débutant est-il pour autant un bon militaire ?

Il faut, là encore, faire la part des faits et de la légende. Bien plus tard, un de ses camarades d'Istres, Émile Coursault, a brossé une fresque digne du cinéma. Selon Coursault, les deux apprentis pilotes forment une inséparable paire d'amis. Ils partagent la chambre, la « popote », leur maigre pécule et même leur unique paire de chaussures civiles. Caporaux, ils épuisent leur solde ensemble, à grande allure. Toute occasion leur est bonne pour courir s'amuser en ville, pour se déniaiser dans les bars de Miramas ou de Salon-de-Provence.

Toujours selon Coursault, les deux jeunes gens seraient aussi des trublions, des chahuteurs de discipline, assez souvent punis pour échanger fraternellement leurs jours de consigne. Pourtant, pendant les cent soixante-trois jours que Mermoz passe à Istres, il n'est puni qu'une seule fois, le 21 novembre 1920 (trois jours avant son baptême de l'air). Et encore, il n'écope que d'une peine légère de quatre jours d'« arrêts simples », où il fait son service de jour et dort au « trou » — nom familier de la « salle de police ». À petite punition, motif modeste : notre bidasse a arrosé par avance son premier vol. Son supérieur, sobrement, a noté dans le dossier du puni : « été surpris urinant à proximité du bâtiment sur les trottoirs ».

*

Le 11 mai 1921, le caporal Mermoz rejoint le 11e régiment de bombardement. Fini le mistral, et, en même temps, le soleil presque quotidien : le « 11e » est basé à Metz, ancienne capitale de la Lorraine allemande. Il règne ici une ambiance de ville frontière. Les pilotes s'entraînent sans relâche. Après les Caudron et les petits Nieuport d'Istres, Mermoz prend en mains un matériel puissant et moderne, les Breguet XIV : trois cents chevaux sous le capot, cent cinquante à l'heure en croisière, un plafond de vol supérieur à quatre mille mètres. Certes, on pilote toujours le nez au vent, derrière un vague pare-brise, le visage crispé par le froid sous le casque de cuir, malgré l'écharpe coupe-vent, mais on a une combinaison chauffante, et la sensation de dominer les cieux.

On apprend la tactique de bombardement, c'est-à-dire le vol de précision. Le bombardier trace sa route vers sa cible fictive à partir de repères terrestres qui, d'en haut, ont l'air de jouets d'enfant : voies ferrées, routes, canaux, sommets vosgiens, châteaux. Il apprend aussi à voler en formation serrée, à prendre des rendez-vous de groupe au-dessus de la cible, parfois avec l'aide du sol, grâce à la TSF.

Dans ce régiment d'élite, où il séjourne jusqu'au 22 juillet 1921, Mermoz apprend donc les bases les plus solides du métier de pilote. Il perfectionne aussi ses sauts en parachute. Côté discipline, pas grand-chose à dire : notre homme s'aligne et reçoit seulement, fin mai, deux jours de consigne pour s'être levé trop tard...

Après deux mois de cette rude école, Mermoz repart en permission. À nouveau, il est dans l'attente d'une grande nouvelle. Car il s'est porté volontaire pour le Levant, c'est-à-dire pour la Syrie, où la France mène une guerre sans nom. Il veut partir à la rencontre de l'aventure outre-mer qui, peut-être, fera de lui un élément hors pair, lui conférera l'étoffe d'un héros.

8

L'Orient

Le 17 septembre 1921, depuis le pont d'un navire de transport, un spectacle splendide s'offre aux yeux du caporal Mermoz : celui de la baie et de la ville de Beyrouth, nimbées de soleil. Quelques jours plus tôt, il s'était embarqué à Marseille, en direction de « l'Orient compliqué » où, comme tout un chacun, il arrive « avec des idées simples ». En route pour Beyrouth, a-t-il rêvé aux images d'Épinal alors répandues partout et décalquées des reportages sur les possessions arabes de la France en Afrique du Nord : minarets, femmes voilées, dromadaires et danses du ventre ?

Dans ce cas, le dépaysement est total, car, à Beyrouth, tout est différent. Si Alger, la perle de l'Empire français d'Afrique, est une ville arabe dédoublée d'une ville française, Beyrouth est une ville cosmopolite, à la fois turque, arabe, européenne, de haute culture ancienne, où, aux langues multiples de l'arrière-pays, se mélange le « sabir » habituel des ports de la Méditerranée, où se côtoient, dans un espace réduit, toutes les religions du Livre. Plantée en arrière de plages magnifiques, la ville est en pleins travaux. Le port est sans cesse agrandi, des places modernes voient le jour, les automobiles bousculent les carrioles à âne. Et au-delà de la montagne, le désert...

Pour un jeune homme qui n'a pas vingt ans, qui a passé le plus clair de sa vie entre la Thiérache et l'Auvergne, l'effet exotique est garanti. D'autant plus qu'ici la vie est brutale, mais la parole toute en nuance, tandis que la présence militaire française fait l'objet de sentiments ambivalents. Le protectorat français sur la Syrie — dont le Liban n'est que la façade sur la mer —

est tout récent. Quatre ans plus tôt, Beyrouth était une possession de l'Empire turc. Dans le dépeçage qui a suivi son effondrement, la France a reçu la Syrie, qui s'étend de la Méditerranée jusqu'au pied du Taurus turc, et jusqu'à la région de Mossoul, au nord du futur Irak.

Elle y exerce un protectorat à la fois sentimental et intéressé. Sentimental parce que, depuis longtemps, avec l'appui de la communauté chrétienne du Liban, les Français se posent en protecteurs de la liberté religieuse dans une terre toute musulmane, mais où chaque région, chaque ethnie, a sa propre version de l'islam. Intéressé parce que, du côté de Mossoul, la France a recueilli les champs de pétrole naguère dévolus à l'Allemagne.

Les militaires français en Syrie forment l'« armée du Levant ». Ce corps expéditionnaire s'appuie sur le littoral pour établir son autorité de l'autre côté de la montagne, sur d'immenses territoires intérieurs, arides, voire désertiques, où se succèdent, d'ouest en est, des populations sédentaires mais turbulentes, puis les tribus nomades qui, depuis des siècles, sillonnent les pistes caravanières qui relient la Méditerranée au bassin de l'Euphrate.

*

D'abord basé à Beyrouth, le caporal Mermoz entre ainsi dans un monde magique qui se découvre peu à peu, d'un vol d'entraînement à l'autre. D'avion, il lit toute la géographie d'un Liban montagneux, couvert de forêts, aux gros villages accrochés aux pentes à l'endroit où jaillissent les sources, avec des sommets pelés par la neige hivernale. Vers le sud-ouest, son avion se glisse vers les monts du Hauran où on se battait encore l'année précédente. Juste derrière, c'est le djebel druze, où vit une population rétive à toutes les occupations, hier turque, aujourd'hui française, et où on s'aventure avec prudence, tant les habitants y ont le coup de feu facile.

Ce monde magique est aussi l'antichambre d'un désert où la paix n'est qu'une apparence, comme le découvre Mermoz le 4 décembre 1921, quand il est muté à l'escadrille 54 de Saïda, chargée des missions de soutien des forces terrestres. Le mot « soutien » recouvre des activités variées : évacuation sanitaire de soldats malades ou blessés dans des opérations de « pacification », repérage de tribus « suspectes », guidage de pelotons méharistes vers les points de rassemblement des « insoumis ».

Ces missions pénètrent en profondeur dans le territoire syrien, de l'autre côté de la montagne libanaise. Autant le versant du côté de la mer est verdoyant et apaisant, autant l'autre offre au regard du pilote d'immenses horizons désertiques, où l'ocre de la pierre est, ici ou là, marquée, soit du tracé d'une « route » ou d'une voie ferrée, soit d'une oasis autour de laquelle s'organise une vie humaine rare, et essentiellement nomade. Ces oasis, fréquemment, sont balisées de ruines, antiques ou médiévales, de temples, de forteresses. Toutes ces pierres témoignent de l'ancienneté des trafics des tribus et de la volonté millénaire des Empires, depuis l'époque babylonienne, de les maîtriser, avec une réussite très inégale.

Lors de ces missions, Mermoz connaît à la fois la joie et le danger de la navigation aux limites du rayon d'action et des possibilités des machines de l'époque. Même si les Breguet envoyés de la métropole sont spécialement préparés pour affronter l'humidité tiède de la côte et les écarts de température du désert, les mécaniques — spécialement les moteurs — souffrent du climat. Quant au pilote et à son navigateur, qui volent le plus souvent à basse altitude, au-dessus de territoires dont le dessin est incertain et mal rendu sur les cartes, ils sont aussi mal protégés que leur avion des vents de sable brûlants, de la sécheresse diurne et des courants d'air glacés des sommets.

*

Ces conditions extrêmes ne ralentissent pas l'ardeur à voler, à voler encore de Mermoz, vite remarqué par ses chefs comme un élément d'élite. Mais cette ardeur ne le prémunit pas contre les pannes en plein désert. En mars 1922, avec son équipier, il frôle la mort lors d'une mission en profondeur effectuée au-delà de l'oasis de Palmyre, pointe avancée du dispositif français au centre de la Syrie. Les deux hommes doivent poser leur avion en urgence dans le désert, à la suite d'une panne de moteur.

Commence alors l'angoisse de l'attente des secours, loin des routes caravanières, suivie d'une marche épuisante à la recherche d'autres humains. Effectuée avec le maigre secours d'une boussole rudimentaire, cette marche dure quatre jours et autant de nuits. Les réserves d'eau s'épuisent. Les deux équipiers se demandent s'ils ne tournent pas en rond. Les mirages, les hallucinations en tout genre s'emparent d'abord du compagnon de Mermoz. Ce dernier, en puisant dans ses dernières forces, soutient son camarade. Finalement, parvenus aux limites de la mort, les deux hommes s'effondrent sur le bord d'une piste. Ils sauront plus tard que, et ce fut leur chance, c'est la plus fréquentée du centre de la Syrie, celle qui relie l'oasis de Palmyre à celle de Dar ar Zawr. Bientôt, ils sont recueillis par une patrouille de méharistes envoyée à leur recherche.

*

Ce genre de mésaventure, s'il en était besoin, convainc Mermoz qu'il lui faut profiter à plein des journées et des soirées de détente qu'offre la vie du militaire expatrié, dont la solde est multipliée. À Beyrouth, ville où se mélangent des marins du monde entier et des intermédiaires rodés à tous les trafics, nobles et plus honteux, les lieux de plaisir ne manquent pas. L'autorité militaire, formée dans la tradition coloniale, ferme les yeux sur les passe-temps avouables et inavouables de la troupe et des cadres. Mermoz profite aussi de la prime donnée aux blonds assez grands dans un pays où le type général est le brun plutôt petit. Les anecdotes fourmillent sur le succès du caporal, puis du sergent Mermoz, auprès des femmes qui s'offrent dans les bars de la ville. Il se prête volontiers à ces aventures, par une boulimie de plaisirs qui n'a d'équivalent que son appétit, et ses dispositions à tenir l'alcool. Filles, boissons fortes et « gueuletons », jeux de cartes et de dés, bagarres pour rire ou sérieuses, font l'ordinaire de ces « dégagements ». Entre deux soirées chaudes, ce sont les balades dans les souks où notre homme fait l'emplette du mobilier indispensable — tapis, coussins, plateaux de cuivre, narguilé et pipes. Il mélange avec allégresse tous les ingrédients de la vie militaire outre-mer. Il s'exerce bien sûr à apprendre les rudiments d'arabe et de « sabir » indispensables à la fréquentation des marchands et des indigènes du beau sexe. Plus tard, d'aucuns prétendront que Mermoz a profité de la chaude ambiance locale pour s'initier à la vieille coutume orientale des stupéfiants. Pourquoi pas ? En tout cas, on n'en a pas de traces, et, plus tard, s'il s'adonne au tabac, Mermoz n'aura rien d'un toxicomane.

*

Des dangers qu'il éprouve, des plaisirs de rencontre, Mermoz confie à peu près tout à une seule personne : sa mère. Il ne lui cache que les détails que la pudeur impose de n'aborder que par allusion. Par retour du courrier, sa mère l'informe de la procédure de divorce entamée avec Jules Mermoz. L'intimité et la sincérité de la correspondance entre « mon Jean » et « Mangaby » est totale, comme celle des lettres qu'échangeraient deux époux. Malgré la distance qui les sépare, c'est toujours, entre eux, une communion sans pareille.

Au moment où est prononcé le divorce de ses parents, en octobre 1922, Mermoz a quitté la côte libanaise depuis deux mois. Au prix d'un renoncement partiel à la joyeuse vie nocturne de Beyrouth, il a rejoint dans l'oasis de Palmyre, avec l'escadrille 57 détachée depuis Damas, l'avant-garde française en Syrie.

Palmyre est un site magique. Au cœur de la palmeraie, s'étend toute une ville de tentes, de nomades caravaniers qui se relaient autour des maisons des villageois sédentaires et des maigres constructions modernes, ainsi la petite gare du chemin de fer qui rejoint Homs et Damas. L'oasis est sertie de hauts plateaux ocre que surmonte, d'un côté, une montagne couronnée par les ruines d'un ancien château fort dont les contours se fondent sur l'horizon. Cette construction, qui prend au crépuscule une allure fantomatique, domine à la fois l'oasis moderne et, non loin d'elle, l'énorme champ de ruines de la Palmyre romaine que dominent les colonnes géantes du temple de Baal, tout près des tombeaux en forme de tour de la nécropole nabatéenne.

À côté de ces splendeurs millénaires, le champ d'aviation tout neuf qui borde l'oasis a l'allure d'une excroissance honteuse, avec ses baraquements rudimentaires, ses hangars préfabriqués qui rôtissent sous le soleil, ses relents d'huile et d'essence, ses empilements de fûts métalliques que l'humidité nocturne vient rouiller.

Ici, Jean Mermoz va passer six mois qu'il racontera peu, sauf pour dire qu'il en a gardé pour toujours un sentiment de très grande liberté. Il vole beaucoup — vingt-cinq heures par mois en moyenne —, toujours au-dessus du désert, aux commandes de son Breguet. Ce sont les mêmes missions que celles qu'on menait depuis Saïda. Mais elles conduisent les équipages plus loin, dans un univers de montagnes arides que tranchent les gorges d'oueds saisonniers orientés en demi-cercle vers l'opulente vallée de l'Euphrate, dont les eaux sombres scintillent à l'horizon au nord et à l'est. Il y a aussi d'autres missions, auxquelles on ne sait pas — faute de documents assez précis — jusqu'à quel point Jean Mermoz participe : le mitraillage à basse altitude de tribus « irrédentistes » que poursuivent des pelotons de méharistes français. C'est que la « pacification » recèle une guerre souterraine entre « Alliés », une guerre franco-anglaise qui se fait par bédouins interposés, pour le contrôle du désert, des eaux de l'Euphrate et, plus loin, du précieux pétrole.

Dans la légende mermozienne, le séjour à Palmyre coïnciderait avec une idylle que l'aviateur aurait partagée avec une mystérieuse « princesse » arabe — la fille d'un chef de tribu ? Elle venait chaque nuit hanter pour le bain un petit plan d'eau au cœur de la vieille nécropole. Il lui serait apparu sous la lune, blond et beau, après qu'il eut, les jours précédents, discrètement remarqué la présence envoûtante de la jeune fille. Et, dans le même lieu, entre eux, se serait déroulé, nuit après nuit, le rite millénaire de l'amour. Jusqu'à la dernière nuit, celle des adieux les plus émouvants...

*

L'aventure à Palmyre, que suit un bref séjour de huit jours à Damas, se termine le 28 février 1923, quand Jean Mermoz retrouve, en transit, la base arrière de Beyrouth. Il est, à vingt et un ans, trois mois et quelques jours, un pilote militaire accompli : il compte plus de trois cents heures de vol, sur sa poitrine brille la croix de guerre des théâtres d'opérations extérieures, avec étoile d'argent : une distinction rare chez un si jeune homme, qu'on lui a remise, sur le front des troupes, le 1er février.

Il a été cité à l'ordre de la division : « Très bon pilote plein d'allant et toujours volontaire pour les missions difficiles, s'est particulièrement signalé en effectuant de nombreuses et délicates évacuations sanitaires au-dessus du désert de Syrie. À d'autre part assuré plusieurs missions de liaison lointaine en pays hostile avec les détachements méharistes. »

Mais son temps au Levant est terminé. Le vapeur *Lotus* quitte Beyrouth le 3 mars 1923 pour ramener en France sa cargaison saisonnière de soldats renvoyés en métropole. Là-bas l'attendent une permission de trois mois et, ensuite, une affectation, déjà programmée, au 21e régiment d'aviation de Nancy. Jean Mermoz est à seize mois de la fin de son contrat avec l'armée. Il a largement rempli le programme qu'il s'était fixé. Il n'a ménagé ni son courage, ni ses forces. Et maintenant, comment rebondir ?

9

La déception militaire

L'enchaînement des faits ultérieurs est assez difficile à établir, parce que les témoignages sont contradictoires, épurés, voilés — à commencer par celui de Jean Mermoz...

Jusqu'à l'automne 1923, tout semble aller pour le mieux. Mermoz a d'abord largement profité de sa permission de retour, puis il a rejoint, le 11 juin 1923, le 21e régiment d'aviation de Nancy, une unité de bombardement où il demeure jusqu'à la fin août. Seul événement à signaler, pour cette période : il se plaint, dans une lettre à sa mère, d'être de service pour la parade du régiment le 14 juillet, pour lui une vraie corvée. Il aurait voulu être en permission aux côtés de « Mangaby ». Il renâcle : le 14 juillet ne tombe-t-il pas cette année-là un samedi ? Alors pourquoi l'a-t-on consigné, lui, le sergent décoré, pour cette revue où il doit encadrer des « bidasses » présentés au drapeau et aux notables endimanchés ?

*

Pourtant, le 29 août, la carrière militaire de Mermoz atteint une sorte de sommet. Ce jour-là, il est affecté à l'une des unités les plus prestigieuses de toute l'aviation, le 1er régiment de chasse. Rejoindre la chasse : le rêve de tout pilote, qui s'installe ainsi comme le successeur des « as » de la guerre 1914-1918. Et qui parfois les rejoint, comme c'est le cas dans le régiment de Mermoz, dont le « patron », le colonel Houdemon, compte à son palmarès de nombreuses victoires sur les avions à la croix pattée noire...

Dans la chasse, on prend en mains les avions les plus puissants, les plus rapides, les plus manœuvrables. On devient, sur sa machine, un vrai oiseau de proie. Le jour même de son arrivée, Mermoz passe ses premiers tests : quatre heures de vol d'exercice sur Caudron 54 et surtout sur Nieuport 29, le chasseur dernier cri, avec ses quatre cents chevaux et sa vitesse en palier de deux cent cinquante kilomètres à l'heure. Résultat concluant : « bon pilote très adroit a du coup d'œil, ferait un excellent pilote de chasse ». Voici notre homme agréé par les experts en combat aérien.

Et puis, à peine arrivé sur la base du régiment, à Basse-Yutz, à deux kilomètres du centre de Thionville, il se fait des camarades, deux appelés du contingent qui deviendront des amis pour la vie : Henri Fournier et Henri Guillaumet. Ces deux-là sortent tout juste d'Istres, après avoir appris à piloter dans une école privée. À suivre les détails confiés par Fournier, leur rencontre s'enclenche comme dans un roman. Mermoz et Fournier sympathisent sur la plate-forme du vieil autobus qui les conduit, lors de leur première arrivée, de la gare de Thionville à la base aérienne. Guillaumet est déjà au régiment ; Fournier et lui ont été camarades à l'école privée Nungesser. Ils se retrouvent ici avec joie, et Fournier présente Mermoz à Guillaumet. L'amitié des trois jeunes gens se noue parce que le colonel Houdemon, qui veut des équipes soudées, les affecte tous trois dans la même escadrille...

Mermoz, comme engagé volontaire, avec ses quatre cents heures de vol et sa croix de guerre, est en quelque sorte l'ancien de cette triplette qui fait presque tout de suite chambrée commune dans un vieux baraquement, où les trois hommes bricolent un chauffage et une installation d'eau courante de fortune. Toute une ambiance se crée. Ce sont les journées sans vols et sans exercices passées à fumer des pipes et des cigarettes, à blaguer, sous les dessins de filles dénudées punaisés sur les murs, entre deux parties de belote. Les tapis rapportés de Syrie par « l'ancien » ajoutent une touche exotique à cette intimité. Mermoz ne porte plus de lavallières. Mais il garde toujours les cheveux les plus longs possible, qu'il plaque sur son crâne, pour faire mine de respecter le règlement. Il fume la pipe. Cette dégaine continue de lui conférer une apparence de poète, que conforte son énorme correspondance avec sa mère, qui, ses amis le comprennent très vite, est décidément la femme de sa vie.

Fournier et Guillaumet, comme dans les films, sont des personnages complémentaires. Ils sont tous deux de taille moyenne, avec une propension à la rondeur que corrigent les exercices physiques obligatoires des pilotes de combat. Mais Fournier a le visage rond et moqueur, Guillaumet le visage plus carré et sérieux.

Trois jeunes gens, trois personnalités. Guillaumet est d'un tempérament plutôt égal et rangé, c'est la tête froide de la petite bande, l'homme qui dort à poings fermés à la baraque quand ses camarades font « la foire » à Thionville. Fournier partage avec Mermoz le goût des soirées bruyantes en ville, des parties fines où l'alcool coule à flot, où on fait des blagues, où on drague les filles qui fréquentent les bars pour militaires. Des soirées moins envoûtantes que celles de Beyrouth ou de Damas : on est sur les rives de la Moselle, en plein district sidérurgique et à vingt kilomètres de la frontière luxembourgeoise, dans une ville de garnison où l'accent chantant et la prononciation lente des Lorrains mosellans ont remplacé le parler guttural et rapide des Beyrouthins... Mais, avec Guillaumet, un vrai champion, Mermoz partage aussi, au gymnase de la base, une autre passion : l'exercice à l'épée, qui entraîne l'acuité visuelle et les réflexes.

Bien sûr, les trois gaillards sont aussi des mordus de vol. Guillaumet est un pilote froid et méticuleux comme Mermoz, qui, lui, est par surcroît un fou du vol pour le vol, un acharné du pilotage accrocheur, et qui ne manque pas, comme Fournier, de peaufiner les figures acrobatiques qui sont le fin du fin du métier de pilote de chasse.

Faussement casse-cou, Mermoz est quand même assez maître de lui et de son art pour qu'on lui confie, à l'automne, l'instruction des « jeunots », les pilotes fraîchement « débarqués » au régiment. Ce poste d'instructeur est une sorte de promotion, un marchepied pour qui voudrait, comme il se l'était promis lui-même, franchir le dernier obstacle d'une vraie carrière militaire : devenir officier.

*

Tout a l'air parfaitement enclenché, mais c'est à ce moment-là que le destin bascule. Au fur et à mesure qu'un automne froid et brumeux s'empare de l'aérodrome de Basse-Yutz et rend les vols de plus en plus rares, le moral de Mermoz baisse, et avec lui, son respect de la discipline. Il est, le 23 novembre, puni de six jours de salle de police, pour une infraction majeure : « étant à l'instruction de jeunes recrues dans une tenue ridicule, sandales, cache-nez, mains dans les poches ». C'est une manifestation volontaire de désinvolture, qui en précède d'autres. Elle est sanctionnée sans retard par les notes que lui donne le lieutenant Marty, son chef d'escadrille, pour le second semestre 1923 : « Sous-officier arrivé depuis peu à l'escadrille, qui laisse à première vue une impression de mollesse et de laisser-aller. Cette impression est d'autant plus forte que l'instruction de ce sous-officier est solide... Nul au point de vue militaire. Fera un excellent pilote. »

Ces notes sont une mise en garde. Elles signifient au sergent Mermoz qu'il doit se reprendre, et entrer dans les vues que l'armée a sur lui : cet excellent pilote devrait se corriger, rengager et, en même temps, devenir officier. D'ailleurs, le supérieur hiérarchique de Marty, Bignolas, ne s'y trompe pas, qui les corrige, les adoucit dans son appréciation finale, la seule prise finalement en compte par l'autorité militaire : « Sous-officier ayant beaucoup à apprendre du point de vue militaire. A besoin d'être commandé. Peut très bien faire. » Ce qui peut se traduire ainsi : « on pourra peut-être en faire un officier, mais pas tout de suite. Qu'il promette d'abord de rengager ».

C'est justement là que le bât blesse. Car, si sa conviction n'était pas encore forgée, il semble bien que Jean Mermoz parte pour une brève permission, à la Noël 1923, avec l'idée de ne pas rengager au terme de ses quatre ans, alors qu'il lui reste, à un jour près, sept mois d'armée à « tirer ». Début 1924, il demeure un pilote acharné, habile et de sang-froid. Pour preuve, la manière dont il se tire, au moindre mal, le 14 janvier 1924, de la panne subite du moteur d'un avion neuf qu'on lui a demandé de convoyer du Bourget, près de Paris, jusqu'à son régiment — qui a changé de numéro pour devenir le 38e. Bien qu'il vole à basse altitude au moment de la panne, il parvient à se poser, non sans casse mais sans dommages corporels, sur un terrain totalement inadapté, non loin de Château-Thierry. Et c'est avec le même calme qu'il rédige, le jour même, son rapport d'accident.

Mais, dès décembre, voire avant — avant même d'être puni en novembre ? —, il a, en secret, fait un choix que seule sa mère doit vraiment connaître, sans qu'on sache ce qu'elle en pense. Il veut continuer à être aviateur, cette passion qui lui a donné une raison de vivre, qui le guide et l'anime désormais. Mais plus dans l'armée. Et il veut replonger dans l'ambiance exotique, qu'il a connue au Levant. Alors il envisage une nouvelle carrière, celle de pilote professionnel civil.

Il entend choisir la liberté, la fraternité des équipages, et aussi l'aventure. Car, à cette époque, les compagnies aériennes sont embryonnaires, transportent peu — surtout du courrier — lors de voyages au long cours qui se font par petites étapes, dans des conditions techniques et humaines plus rudes que celles de la routine militaire des frontières de l'Est.

Comme par hasard, fin novembre ou début décembre 1923, Mermoz pose sa candidature de pilote auprès de la compagnie la plus aventureuse de toutes. C'est la Compagnie générale d'entreprises aéronautiques, plus connue sous le nom de Lignes Latécoère — du nom de son fondateur et grand patron, le constructeur d'avions Pierre Latécoère. Depuis Toulouse, elle assure, dans des conditions dures, la liaison postale vers le Maroc — Rabat et Casablanca — par-dessus la côte orientale de l'Espagne, et, aussi, par hydravion, vers les Baléares. Poliment, en retour, par courrier du 17 décembre, on demande à Mermoz de remplir un formulaire de renseignements... C'est un coup d'épée dans l'eau. Mais qui sait ? Il faut d'abord se faire connaître.

*

En vérité, Mermoz ne parvient pas à se réadapter à la vie de garnison en métropole. À Beyrouth, dont Saïda n'était qu'une banlieue un peu éloignée, ou encore à Damas, on menait une vie large, ouverte à tous les vents de la Méditerranée. Puis, à Palmyre, on vivait dans une petite communauté militaire soudée, où la discipline formelle s'effaçait derrière la camaraderie née du danger des missions, et des plaisirs des trop rares « dégagements » entre camarades vers la ville la plus proche. On avait des officiers de terrain, eux-mêmes heureux d'être affranchis des solennités de la vie militaire de province, comme ce commandant de la « 54e », toujours en tenue de vol sans galons, plus prompt à partager l'anisette avec ses sous-officiers, au bar de l'escadrille, qu'à échanger avec eux des saluts hiérarchiques.

À Palmyre, avec ou sans « princesse arabe », on était au contact des populations locales aux sentiments ambivalents, et donc excitants, dans une ambiance partagée entre le danger d'une attaque et le bonheur de la palabre autour d'une tasse de thé. On se sentait là pleinement au cœur de plusieurs carrefours. Carrefour entre les peuples du monde, carrefour social fait de gestes francs, de paroles simples, entre professionnels chargés de mettre en œuvre une grande confrontation : celle de la nature — le climat, les vents, le relief — et de la culture — la machine, l'organisation. Tout un ensemble de gestes et de valeurs qui inspireront Mermoz jusqu'à son dernier jour.

*

Or, Thionville est une sous-préfecture récemment reprise aux Allemands, où les soldats issus de la « France de l'intérieur » doivent donner l'exemple de la « tenue » (la discipline), et où aviateurs et « biffins » se partagent l'espace mesuré, et on ne peut plus provincial, des bars et des « maisons » à soldats. Ici, aux commandes d'un magnifique Nieuport, on conquiert la liberté de l'altitude seulement après avoir fait des tours au-dessus des hauts-fourneaux fumants de Rombas ou d'Hagondange, ou encore, plus à l'est, des brumes vosgiennes. L'actualité militaire, depuis le début de 1923, c'est, à trois cents kilomètres, un « front » ubuesque où il ne se passe rien, où on n'intervient guère, mais qu'on surveille par-dessus la frontière officielle franco-allemande : celui de la Ruhr que, depuis janvier 1923, l'armée française occupe comme gage des réparations imposées par le traité de Versailles de 1919. La Ruhr : encore des usines sidérurgiques, des fumées de hauts-fourneaux, des barges et des péniches chargées de minerais ou de produits laminés... En plus grand, en plus gris, une autre Lorraine...

*

Une circonstance particulière alimente l'attitude négative de Mermoz à l'égard de l'ordre militaire de la métropole. Il est persuadé que son chef d'escadrille, le lieutenant Marty, lui en veut personnellement. Selon Henri Fournier, cette antipathie a une cause banale : Mermoz aurait soufflé une « petite » à son chef. Du coup, le lieutenant lui ferait faire « toutes les corvées ». Dans une ville moyenne comme Thionville, où on se croise et se recroise chaque soir entre le port fluvial et la Tour aux Puces, vestige du château des ducs de Luxembourg, on comprend qu'une rivalité pour une fille puisse prendre une importance démesurée.

Néanmoins, en ces premières semaines de 1924, le dépit de Jean Mermoz ne se réduit pas à une querelle de mâles. De son côté, le rejet de la vie militaire est profond. Il se relâche. Le 17 janvier, il est puni de quatre jours d'arrêts simples pour avoir raté une interrogation portant sur « le règlement du pilote de chasse ».

Le 28 janvier, nouvelle punition : commis, comme chacun à son tour, à l'organisation des gardes du « service de semaine », il a négligé de venir prendre ses ordres. Du coup, les « consignés » se sont retrouvés sans surveillance. Cette affaire entraîne une cascade de sanctions : deux jours d'arrêts simples de la part de l'adjudant adjoint du chef de groupe, allongés ensuite, par Marty puis par le capitaine chef de groupe, de quatre jours de prison ferme.

Dans une lettre à sa mère, écrite depuis le « trou », Mermoz rumine sa rancœur : « Ah ! elle est belle la République : liberté, égalité, fraternité ! au diable tous ces mots idiots qui n'existent pas. Et dire qu'on est obligé de la boucler... enfin, un jour viendra... le lieutenant qui me vaut tout cela a dit qu'il ferait tout... de façon à m'en faire ch... le plus longtemps possible, paroles textuelles... C'était bien la peine d'aller risquer ses os et de travailler comme quatre en Syrie. » Quel dépit !

Les jeux sont faits : Mermoz a renoncé. À sa mère, dans la même lettre, il confie l'essentiel : « Pour tous ceux qui ne veulent pas rengager, il en est de même. Ah ! la sale race. » Quatre jours après être sorti du « trou », Mermoz y retourne, le 9 février, cette fois pour passer quelques nuits. Encore une punition infligée par Marty. Motif : chambre mal tenue.

Affaire de femme ou non, il semble bien que son supérieur direct ait envie de lui faire passer le goût de l'uniforme. Début mars, chacun sait qu'il ne rengagera pas. D'ailleurs, il a déjà déposé, comme il en a le droit, une demande de congé pour « affaires personnelles », conclusion normale d'une fin de contrat, qui permet au sous-officier de préparer sa reconversion.

Ce qui lui vaut, de la part de Marty, en date du 12 mars, des notes définitives hypocrites, chargées de regrets officiels : « Pilote qui aurait pu bien faire, car il a des qualités physiques et une bonne instruction. Manquant de constance et de volonté, n'a pas rendu les services qu'on aurait pu en attendre. »

10

Le « paria »

Mermoz, dans une conférence de 1936, s'est désigné comme un « paria » pour décrire les mois qui ont suivi sa mise en congé de l'armée, le 25 mars 1924. Le mot implique de sa part une grande amertume. Amertume d'avoir vu devinée sa réticence à poursuivre la vie de garnison ? D'avoir été poussé dehors par un officier qui a su à la fois reconnaître chez lui le pilote de grand talent et le médiocre candidat à la carrière d'officier ?

Une amertume qui, en tout cas, se nourrit chez Jean Mermoz du sentiment rétrospectif d'avoir, après l'armée, vécu sans doute la pire période de sa vie. Il a pris soin d'en décrire lui-même les ingrédients : une misère financière noire, mal compensée par l'obtention, de temps en temps, de « petits boulots » dégradants, des mois et des mois passés à rechercher du travail dans une compagnie aérienne, le désespoir d'une vie solitaire à Paris, dans des galetas sans nom, et même dans des asiles de nuit où le sort le met au contact d'autres réprouvés, et aussi d'authentiques clochards.

À vrai dire, son état misérable au sortir de l'armée s'explique en partie par son imprévoyance, par la joyeuse insouciance avec laquelle, depuis des années, il dépense sa solde et ses primes en plaisirs sans lendemain. Il déclare, selon les termes de ses écrits posthumes : « Pour tout bien en ce monde, j'avais un costume qui datait de 1919, une lavallière et cent cinquante francs. »

Or, « Mangaby » s'est encore éloignée de Paris. Maintenant, elle est infirmière-major à Lille, à l'hôpital de la Charité, où elle anime l'équipe de soins d'un pavillon pour tuberculeux. Elle ne peut guère aider son fils à se faire une place dans la capitale.

Elle est logée à l'hôpital, et, dans les premiers temps de son congé, Jean réside chez elle.

Sans délai, il se préoccupe de son avenir. Il entame une campagne d'envois de lettres de candidature pour un emploi de pilote, d'essai ou de ligne, à la plupart des maisons d'aviation et aux compagnies aériennes. Le 4 avril, il s'adresse ainsi à la maison Farman. On néglige de lui répondre. À partir du 15 avril, il arrose à peu près tout le monde de ses courriers, en plusieurs rafales qui s'échelonnent jusqu'aux premiers jours de juin. Les réponses varient peu : nous sommes au complet, c'est le marasme, on vous écrira, etc.

Il est vrai, le moment pour se porter candidat est mal choisi. Au printemps de 1924, l'industrie aéronautique est en pleine reprise, mais elle a déjà fait le plein de pilotes d'essai l'année précédente, quand elle a commencé à sortir les nouveaux prototypes que l'État lui demandait. Au même moment, les compagnies aériennes, sans exception, sont dans un creux. Toutes sont subventionnées par l'État. Toutes lui ont demandé une extension de leurs lignes et de leurs flottes. Une planification de leur avenir sur dix ans, rien moins, est en préparation, mais, justement, on est en plein débat parlementaire sur la question, et nul n'attend une réponse du Parlement et de l'Administration avant l'été, voire l'automne de 1924. Entre-temps, les compagnies surveillent leurs dépenses et n'embauchent personne.

*

Bientôt, Mermoz vit, à Paris, dans un hôtel garni, avec la solde réduite, et vite fondue, d'un sergent en congé de fin de contrat, sans prime ni complément d'aucune sorte, et sans bénéficier de la « popote » d'une escadrille : c'est la portion congrue. Il tire les sonnettes. Il n'a pas hésité à s'adresser en haut lieu, pour obtenir des conseils et du « piston », auprès d'officiers qui ont su apprécier ses qualités, son talent. Le plus éminent d'entre eux est le colonel Victor Denain, ancien commandant de l'aéronautique au Levant, celui qui a signé la citation et le brevet de croix de guerre de Jean. À la supplique de son ancien subordonné, le colonel, un des officiers les plus brillants de sa génération, répond sur un ton paternel : « Mon cher Mermoz... je vous conseille plutôt de rengager dans l'armée, où vous êtes assuré de mener une existence intéressante, surtout si vous partez pour le Maroc ou le Levant. »

S'agit-il d'une « ouverture » ? Le colonel Denain est-il prêt à intervenir pour favoriser le retour de Mermoz dans les plis du drapeau ? C'est possible, mais cette bienveillance bute sur la volonté de Mermoz. Ce dernier n'envisage en rien un tel retour : la haine de l'armée est en lui déjà solidement ancrée. Et puis, en le supposant possible, ce retour serait humiliant. Il se ferait au grade de sergent, alors que Mermoz, naguère, se voyait officier au terme de ses quatre ans de service. Et il faudrait rempiler avec dans son dossier des notes peu favorables à une carrière réussie. Car Marty n'a pas été le seul à « saler » Jean avant qu'il ne quitte l'uniforme. Le chef de la section d'instruction du régiment, le lieutenant Le Banter, n'y est pas allé de main morte : « Sous-officier manquant de toutes les qualités qu'on demande à ces grades. Mollesse. Insuffisance dans le service, mauvaise tenue. D'autant plus responsable, qu'instruit et intelligent, il aurait pu faire carrière dans l'armée. » Sans revenir sur ces critiques, le capitaine Bignolas, chef du groupe d'escadrilles dont relève Mermoz, a complété ces notes par les siennes, plus laconiques, plus sympathiques, et, en tout cas, mieux au fait de la pensée profonde du sergent Mermoz au moment de son départ : « Sous-officier libérable et n'ayant pas du tout envie de faire du service dans son escadrille. »

*

Dans ses confidences ultérieures, Mermoz a complètement occulté l'épisode de la main tendue par Denain. De même — tout en parsemant ses récits de lourdes erreurs de dates —, il a prétendu que son calvaire de sous-officier dégagé des cadres avait débuté dès son départ du régiment, en mars 1924. La vérité est un peu différente, car, selon l'usage, après être parti en congé le 25 mars, Mermoz doit revenir brièvement à Thionville, le 26 juin, pour rendre son paquetage et pour recevoir son congé définitif. Devoir vite accompli, qui lui donne l'occasion de revoir ses camarades Guillaumet et Fournier. Ils lui font escorte jusqu'à la sortie de la base.

C'est maintenant que l'inconnu débute. Pourtant, contrairement à ce qu'il prétendra plus tard, Mermoz n'est pas alors totalement démuni d'argent. On lui remet près de mille cinq cents francs, le solde de ses primes. Ce n'est pas un pactole, mais, quand même, l'équivalent de trois à quatre mois de traitement — primes comprises — d'un instituteur de l'époque.

Mais voilà, Mermoz ne mène pas une vie d'instituteur. En juin, il ne revient pas seul de Thionville. Il a accepté, pour ce voyage, puis à Paris, la compagnie d'une jeune femme qui veut rejoindre la capitale. Bientôt, elle partage son modeste garni. C'est une compagnie coûteuse. Les primes rapportées de Thionville sont dispersées en peu de temps en restaurants, en dancings. Certes, la jeune femme connaît bien un moyen de gagner sa vie, mais on devine lequel... Voilà qui met Mermoz dans une position des plus ambiguës. Il se voit mal dans la peau d'un « souteneur » même passif, d'un « homme » entretenu. Cela ne cadre ni avec sa morale ni avec ses capacités.

En juillet 1924, notre homme se trouve à la dérive. Il a rompu avec sa conquête, il n'a plus de quoi payer son loyer, ses poches sont vides, ses vêtements râpés. Ses nouvelles demandes d'emploi dans l'aviation ont toutes été rejetées. Il est au bout du rouleau. C'est le moment — et non en mars 1924 — où commence vraiment sa vie de « paria ». Deux mois de galère. Le voici dans un entresol glauque, assis derrière une table crasseuse, à rédiger par mille des enveloppes payées au cent pour le compte d'une officine commerciale douteuse. Le voici qui fait la queue à la soupe populaire, ou encore, ses maigres effets serrés contre lui, réfugié sur la couchette d'un asile de nuit malodorant, entouré de pauvres types dans son genre, mais aussi de gaillards en rupture de ban et à la mine patibulaire.

Quand il trouve les moyens de s'offrir un billet de troisième classe, il monte en train jusqu'à Lille. Il va reprendre du poids et calmer ses esprits chez Maman. On imagine l'ambiance. La mère aimante qui se désespère de l'avenir de son fils, et lui, désabusé, qui tourne et retourne sous ses yeux ses médailles et son brevet de croix de guerre.

*

Et puis, d'un coup, le balancier repart dans l'autre sens. On est au tout début de septembre 1924. Chez « Mangaby », une lettre arrive, des Lignes Latécoère de Toulouse. C'est une promesse d'emploi. Quelques lignes en pur style administratif, signées d'un nom inconnu des Mermoz, Didier Daurat : Jean Mermoz est prié de se présenter le lundi suivant à l'aérodrome de Montaudran, dans la banlieue est de Toulouse, d'où opère la compagnie, pour occuper un emploi de pilote. Est-ce un miracle, ou seulement une aubaine ? En tout cas, c'est pour Jean Mermoz l'heure du grand tournant.

L'AVENTURE
1924-1929

11

Chez Latécoère

Un lundi de septembre 1924, Jean Mermoz se présente devant une barrière grillagée, au bout des faubourgs est de Toulouse : c'est l'entrée de l'aérodrome de Montaudran où sont installées les Lignes Latécoère. Devant lui, une large et longue piste en herbe ; à gauche, des hangars bien ordonnés, et, au-delà, d'autres bâtiments, encore plus hauts et plus larges, qui accueillent une usine d'avions — car Latécoère fabrique aussi des avions. C'est déjà la campagne du Midi. Des nuages pommelés passent dans le ciel chaud. Ici et là, des haies de cyprès. Il règne sur l'aérodrome, sous les hangars, l'activité faussement ralentie, mais méticuleuse, de l'aviation. Des gaillards en cotte bichonnent des avions ; plus loin, sous un hangar, d'autres démontent, baignent d'huile et remontent des éléments de moteurs. De temps en temps, un appareil s'enlève dans les cieux pour un vol d'essai, d'entraînement, de vérification. Les avions sont peints en gris ou en ocre ; les bâtiments ont une armature de métal revêtue de briques roses ou jaunes. Dans leur majorité, les voix qu'on entend sont chauffées par l'accent occitan.

À la grille d'entrée, Mermoz montre au gardien sa lettre de convocation. L'autre lui indique, à un jet de pierre de la piste, un petit bâtiment sans étage, une grosse cabane ocre rouge : le bureau du « directeur de l'exploitation » dont, désormais, dépend son avenir.

Là, il tombe sur un homme dans la trentaine, plus petit que lui, trapu, au visage carré et dur, barré d'une petite moustache, au chapeau comme vissé sur la tête. Il porte un costume et une cravate quelconques, un peu froissés. Entre deux bouffées de sa cigarette, il s'exprime d'une voix paisible, mais forte, avec un reste de l'accent des faubourgs de Paris. Il promène devant lui un regard vague, perdu quelque part au loin : une ruse, car il a l'œil au moindre détail autour de lui. C'est Didier Daurat, celui qui a écrit quelques jours plus tôt à Mermoz pour l'inviter à rejoindre les Lignes Latécoère.

Les deux hommes échangent les paroles d'usage. « Passez par la comptabilité, et puis après, vous irez là-bas, dans le hangar, on vous expliquera votre travail. » Daurat, d'un doigt, fait tourner les pages du carnet de vol de Jean, son sésame, qui résume son expérience et sa bravoure.

Mermoz ne sait pas encore que Daurat est un vrai héros. Sergent d'infanterie sous Verdun, puis officier aviateur, il a payé du prix du sang les huit citations et palmes de sa croix de guerre, et la Légion d'honneur. Démobilisé en 1919, il est devenu, chez Latécoère, un magicien du courrier par avion. D'abord pilote, puis chef d'escale — on dit « chef d'aéroplace » —, il a défriché, aux côtés d'autres durs à cuire de son espèce — Jean Dombray, Louis Delrieu, Raymond Vanier —, les premiers tronçons du trajet qui permet maintenant aux coloniaux de Casablanca, une fois tous les deux jours, de recevoir le courrier, les journaux de France. Cela sous les bourrasques pyrénéennes, sous les rafales de la côte espagnole, et trois fois plus vite et beaucoup moins cher qu'avec les navires les plus rapides.

La Ligne Latécoère est une mécanique d'horlogerie. Trois fois par semaine, en toute saison, le courrier s'envole de Toulouse dans un Breguet. À Barcelone, il change d'avion, un nouveau pilote s'élance vers Alicante. Nouveau changement, soit d'avion, soit de pilote, à Malaga, et, à nouveau, à Tanger. Puis c'est Casablanca. Un trajet de mille huit cents kilomètres. À partir de Perpignan, on vole à vue au plus près des côtes, sous les nuages, dans la pluie ou dans le brouillard. Quand le moteur lâche, quand le temps est trop bouché, quand l'avion prend du retard, le pilote cherche un des terrains de secours — Perpignan, Valencia, Larache — où, à toute allure, on prépare un atterrissage d'urgence.

Bien sûr, il y a aussi les pannes brutales, les assauts de la foudre. Alors, il faut se poser au jugé sur une plage, dans un champ, en évitant de casser du bois — car les pilotes touchent une prime de « non-casse ». C'est alors la course vers un téléphone pour réclamer, dans un espagnol malhabile, au terrain le plus proche un avion de secours, une camionnette, une auto, sans lesquels le courrier reste en panne. Dans la campagne pauvre de l'Espagne, ou au nord du Maroc, trouver un téléphone est, à cette époque, toute une aventure.

Parfois, c'est l'accident tragique, car au passage des Pyrénées, du côté du Perthus, les vents s'acharnent à rabattre les avions vers la montagne. Depuis 1920, onze navigants ont payé de leur vie cette lutte de tous les instants contre les risques. Parfois, la Ligne transporte aussi, en plus du courrier, d'intrépides passagers, ficelés au poste arrière du Breguet, qui partagent avec le pilote les risques du voyage.

*

En 1922, Daurat a monté en grade. Il est devenu directeur de l'exploitation de la compagnie. Il veille sur tout, avions, hommes, ateliers, exactitude du courrier et des escales, et, plus que tout, sur la discipline, aussi dure qu'à bord d'un navire. Il a et le caractère et la tête de l'emploi. Rare de paroles, capable de colères violentes et brèves, aussi exigeant pour lui que pour ses hommes, il porte son éternel chapeau à bords plats et des costumes sombres, toujours un peu fripés, comme il portait naguère le képi et la vareuse. Évidemment, il est toujours le premier, depuis Toulouse ou d'une quelconque escale où il est en inspection, à sauter dans un avion de secours pour sauver ses hommes et, bien sûr, le précieux courrier.

Daurat ne rend compte qu'à deux personnes. À un de ses anciens compagnons de guerre, officier de réserve comme lui, un aristocrate italien quadragénaire, Beppo de Massimi, engagé volontaire sous l'uniforme français dès 1914. Le marquis de Massimi est le directeur général de la compagnie : c'est à lui qu'on doit les contrats postaux, les droits d'escale en Espagne, la surveillance générale de tous les projets et des actes de chacun et de tous. Et puis, Daurat rend compte aussi au « grand patron », Pierre Latécoère, ingénieur de l'École centrale, quarante et un ans en 1924, ami de vingt ans de Massimi. Latécoère est l'homme qui a eu l'idée de la Ligne, qui la finance, qui lui fournit ses avions, qui négocie avec les ministres, les financiers, les organes de presse.

*

Quand Mermoz débarque à Toulouse, une centaine de personnes s'affairent sous Daurat : une vingtaine de pilotes, le double de mécaniciens, autant d'hommes de peine et d'agents de bureaux. Si Montaudran bénéficie d'un équipement moderne, chacun, surtout aux escales, vit dans une austérité qui évoque les avant-postes de guerre.

Un « aéroplace » (aérodrome), c'est, le plus souvent dans un faubourg triste ou en pleine campagne, un hangar à avions, un baraquement préfabriqué pour les bureaux et pour une pièce de repos, des piles de fûts d'essence, un terrain fait d'une herbe plus ou moins pelée où roulent les appareils au départ et à l'arrivée, des phares de balisage alimentés par groupe électrogène, et, depuis très peu de temps, sur les principales bases, un mât avec une antenne de TSF qui permet, en langage « Morse », d'envoyer à l'escale voisine, dans les deux sens, l'indicatif et l'heure de départ des avions qui courent sur la ligne.

Dans les bureaux, de grandes tables à cartes ; sous les hangars, des avions et des moteurs de rechange, des mécanos prompts à servir jour et nuit, en bourgeron, au milieu des odeurs d'huile et d'essence, jamais loin de leurs chiffons et de leurs outils.

Sur la Ligne, les pilotes sont autant de relayeurs. Ils prennent à la minute une machine qui vient de se poser, dont le moteur tourne encore, ou une machine de rechange, dans laquelle — à la place de l'équipier arrière — on jette à l'escale quelques sacs de courrier retirés en hâte d'une machine fourbue ou défaillante. Ils volent, derrière un pare-brise trop court, pleins gaz, vers le relais suivant.

Aux escales, nul confort, aucun lit de repos sinon sous un hangar, avec les mécanos, où des bat-flanc sont glissés entre les établis. Il faut aller à la ville la plus proche, dans la voiture bringuebalante de service — le plus souvent une vieille Ford T —, loger à l'auberge du coin où les équipiers ont leurs habitudes, où on vous fait des prix. Hôtel du *Grand Balcon* à Toulouse, petite auberge sur la plage ou derrière les Ramblas à Barcelone, pensions de famille à Casablanca — la halte d'Alicante est nettement moins réputée. Quand on est rattaché à une escale, on fait popote, seul ou avec un ou deux camarades, dans un appartement quelconque loué à la semaine ou au mois.

Au total, pour les pilotes, c'est une existence exaltante, à quelques conditions : être un fanatique du vol, aimer la liberté entre deux étapes dures, avoir connu la discipline militaire pour supporter les fortes exigences de Daurat et de ses patrons. Et puis il faut aimer les grands espaces de l'Espagne et du Maroc, l'ivresse que donne la maîtrise du paysage ; et enfin, savoir jouir des heures passées entre deux missions, si possible en s'amusant — car on est entre jeunes gens, presque toujours célibataires.

*

Ces réalités, le parfum d'aventure qu'elles charrient, se dévoilent peu à peu à Jean Mermoz. Il a bien été engagé comme pilote. Néanmoins, comme tous ses camarades, il subit d'abord une période de formation. Il apprend à connaître la maison, les machines. Les six premières semaines qui suivent son arrivée, il est privé de pilotage. On lui a donné un bourgeron de mécano ; il passe le plus clair de son temps sous un hangar, à aider les ouvriers plus chevronnés à « dégrouper » — démonter — des moteurs, à les remonter une fois vérifiés, alésés, une fois graissés les pistons et les vilebrequins. Les spécialistes des voilures ou des fuselages lui apprennent leurs « trucs » et lui montrent combien les machines de la Ligne — des Breguet XIV — diffèrent de celles qu'il a connues à l'armée. On les a adaptées. On a installé entre les ailes des réservoirs supplémentaires, et, dans les cockpits, des instruments de navigation, des porte-cartes spéciaux.

Planté au seuil d'un hangar, ses cheveux longs au vent, Mermoz voit passer, chacun à son tour, les avions en service sur la Ligne. En bout de piste, à n'importe quelle heure du jour, il aperçoit toujours la même silhouette massive au regard vissé sur sa montre-chronomètre : c'est Daurat. Mermoz apprend le nom des pilotes actifs, anciens ou presque novices : Émile Lécrivain, Victor Étienne, André Dubourdieu... Eux aussi, entre deux vols, passent des heures dans les ateliers pour vérifier les machines qu'ils chevaucheront demain. On se parle. Comme tous les embauchés des deux dernières années sont passés par Istres, on a des souvenirs à échanger.

D'autres fois, Jean voit s'envoler, au début très pataudes, ensuite mieux assurés, les prototypes d'avions Latécoère conçus dans l'usine de l'Industrielle Latécoère, de l'autre côté de la piste. Des avions qui, quand ils seront au point, entreront en service sur la Ligne et lui permettront d'aller plus vite, plus loin.

Chaque jour, il s'imprègne de l'ambiance de Montaudran, où tous vivent dans une attente permanente : le courrier partant a-t-il parcouru toutes les étapes sans encombre ? Le courrier remontant depuis Casablanca sera-t-il sauf, et à l'heure ? Chacun, à son poste, est ainsi en vigie dans une grande lutte entre les éléments, la distance et les possibilités de la mécanique, celles des hommes qui s'efforcent de maîtriser l'ensemble.

Parfois, Massimi apparaît sur l'aérodrome : un homme pas bien grand, de belle prestance, au regard d'aigle, avec une moustache à la Napoléon III. La silhouette de Latécoère, elle aussi caractéristique — mince et plus grand, crâne d'œuf, lorgnons, parole rare —, toujours annoncée par sa grosse Renault avec chauffeur, n'est pas plus fréquente. À la rigueur, sur le « grand patron » Latécoère, ce sont les pilotes « actifs » qui en savent le plus : quand ils virent vers le sud-est depuis Montaudran vers Perpignan, ils voient nettement à leur droite, sur la colline de Ramonville, l'énorme parc que cet amoureux fou de plantations et de fleurs fait aménager sur des dizaines d'hectares autour de la gentilhommière à pignons du XVe siècle qu'il a rachetée et fait agrandir.

*

Le vendredi 17 octobre 1924, Jean Mermoz entre en service actif, à l'essai. Il gardera plus tard une mauvaise impression de cette première prise de contact avec les Breguet de chez Latécoère. Daurat et ses adjoints l'ont tiré de son hangar et lui ont dit : « Prenez cet avion là-bas, et montrez-nous ce que vous savez faire. » Alors, après un décollage impeccable, il a, en faraud, fait des approches en zigzag au-dessus de la piste au lieu de se comporter en pilote de ligne. Daurat a lâché : « Z'êtes pas fait pour ça, mais je vous laisse une chance. » Dans un carnet de notes rempli plus tard, où les erreurs de dates ne manquent pas, Mermoz note : « eng... magistrale ». Alors il repart pour vingt minutes, et, cette fois, il applique les règles : approche en ligne, atterrissage orthodoxe.

Ça y est, c'est parti. On l'intègre aux équipages. Le surlendemain, un dimanche, il participe à un vol de groupe, une démonstration en l'honneur d'un officiel, le sous-secrétaire d'État à l'Aéronautique, un certain André Laurent-Eynac, un Auvergnat jovial aux grosses moustaches, ancien de l'aviation de 1914-1918, ami de Latécoère, qui est venu visiter l'aérodrome et les usines. C'est le premier contact de Jean avec un « décideur » de l'aviation, une espèce que, plus tard, il fréquentera beaucoup. Les semaines suivantes, il vole quatre à huit fois par semaine, participe à des convoyages d'appareils.

*

Mi-novembre 1924. Comme le racontera plus tard Daurat, c'est pour Mermoz l'immersion totale dans l'atmosphère de la Ligne. Après un voyage de reconnaissance entre Toulouse et Casablanca comme coéquipier, où il est assis à l'arrière du Breguet sur les sacs de courrier, le débutant est affecté sur le tronçon Toulouse-Barcelone. Maintenant, il vole presque tous les jours. C'est un premier accomplissement. Il gagne six cents francs par mois, touche deux cents francs de « prime de dépaysement », et, pour chaque appareil convoyé sans pépin, une prime de « non-casse » de vingt francs.

À Toulouse, il loge, avec d'autres camarades, dans une petite pension établie presque au coin de la place du Capitole ; c'est l'hôtel du *Grand Balcon*, ainsi dénommé parce que son pignon, bien sûr en briques roses, s'orne d'un... grand balcon en fer forgé. L'ambiance y est familiale : un petit salon en bas, un escalier sombre, une salle à manger à l'étage, des chambres sans grand confort au-dessus. La bande de pilotes qui « décompressent » après les heures passées en l'air y partage de joyeux dîners vite légendaires dans le quartier.

Toulouse est une ville accueillante où règne l'atmosphère décontractée d'une métropole de province un peu endormie sur son passé. Les vieilles ruelles du centre sont encombrées de monuments, d'anciennes demeures plus ou moins délaissées, entre lesquels s'intercalent de petites échoppes et, dans les cours fraîches, d'innombrables ateliers. D'un côté la Garonne majestueuse et ses ponts centenaires, de l'autre des boulevards animés, parcourus de tramways, enserrent ce noyau rose et ocre dominé par l'hôtel de ville, le Capitole, et sa majestueuse place à arcades. Entre la place Wilson et les allées Jean-Jaurès, où les grands cafés, les bars, ne manquent pas, se concentre l'animation des fins d'après-midi et du soir.

Au bar *Cintra* du *Grand Hôtel*, on écoute un vague « jazz » francisé, on croise des jeunes femmes peu farouches que font rêver les vestes de cuir, le courage des aviateurs et leur jargon si spécial. Ils sont toujours prêts, entre deux tournées, à conter leurs dernières aventures : pannes, vents violents, frayeur des rares passagers, escales imprévues dans la campagne. Ce sont des histoires de « salade de bielles » (casse de moteur), de « taxi » ou de « zinc » (l'avion) soulevé ou rabattu par le « zef » (le vent), de « pylônes » (atterrissage nez planté dans le sol), d'extase quand on a rencontré un « temps de curé » (un ciel tout bleu).

*

Au début de 1925, on réorganise la Ligne, et Mermoz assure les convoyages sur Barcelone-Alicante, autant que sur Toulouse-Barcelone. Il a déjà une réputation de fonceur, mais d'homme sûr, et, pour lui, cette descente vers le sud et toujours plus de soleil est une sorte de récompense. Il vole toujours autant — en moyenne douze à quinze heures par semaine. Surtout, il découvre l'Espagne. C'est, par avion, l'Espagne des villages à flanc de colline, ramassés autour de leurs clochers, des petites villes ceintes de murailles. Une Espagne pauvre où, dès qu'on se pose aux aéroplaces, en plein champ ou sur une plage, des nuées de gamins se précipitent dans l'espoir d'une pièce. C'est l'Espagne sang et or des grandes plantations d'orangers du Sud, et au nord, plus verte, celle des champs en terrasses de la vallée de l'Èbre.

Mais, surtout pendant l'hiver 1924-1925, particulièrement dur, c'est aussi une lutte fréquente avec le mauvais temps, la pluie, le froid, les rafales de vent qui rabattent les avions vers la côte, avec des atterrissages au petit bonheur dans la brume. Mermoz fait alors des étincelles, note un de ses camarades : « Les qualités de ce dernier s'affirmaient déjà et le pénible hiver que nous venions de vivre les avait mises en relief. » Daurat, dès 1925, donne à son jeune pilote les meilleures notes, pour son courage autant que pour son sens de la discipline. Et il lui fait obtenir, pour sa ténacité et son zèle, une médaille de l'Aéro-Club de France.

Mermoz s'installe à Barcelone, qui le conquiert tout de suite. Après avoir survolé la baie magnifique et le port, on se pose en pleine campagne, sur le mauvais terrain du Prat de Llobregat. À toute allure, sur la route caillouteuse qui va en ville, on traverse des faubourgs pauvres et gris. Puis on se noie dans la foule du centre-ville suspendu au-dessus de la baie et du port. Chaque soir, sur les Ramblas, c'est la même animation, avec ses promeneurs, ses terrasses de café où l'on s'apostrophe et, dans les ruelles de la vieille ville, tout un monde de petits restaurants, de tavernes où l'on dîne tard. Un univers comme taillé sur mesure pour des jeunes gens libres d'attaches.

Il apprend à parler espagnol. Il approfondit aussi, dans ses virées nocturnes, sa sympathie avec Marcel Reine, un gaillard vif et malin, plutôt dessalé, toujours prêt à faire des farces et à lancer des blagues, qui a rejoint la Ligne en janvier 1925. Jean se passionne pour les corridas, au point de suivre la saison de bout en bout et de s'initier, non sans réussite, au maniement de la muleta, auprès de toreros notoires. Il s'inscrit aussi aux courses de taurillons, toujours risquées, où, en pleine course, il attrape la cocarde placée entre les cornes de l'animal.

Enfin, et il l'écrit à sa mère, il est littéralement couvert de femmes et n'arrête pas de « se marier » pour un jour ou quelques semaines. En 1926, émoustillée par ses succès, sa logeuse se met très sérieusement sur les rangs, une situation inconfortable pour cet amoureux du choix et de la liberté ; il envisage dès lors de déménager. Pour emmener amis et conquêtes en balade dans l'arrière-pays, Jean acquiert, au tout début de 1926, une petite Hamilcar d'occasion, deux places plus un « coupé » à l'arrière, un jouet aux roues maigres et hautes qu'il pousse sur les routes à toute allure. Quand il fait le chemin entre l'aéroplace et la ville de Barcelone, ceux qui le reconnaissent s'écartent sur son passage : il conduit avec la même opiniâtreté et la même force qu'il pilote ses avions.

12

Casablanca-Dakar

Au moment où Mermoz est affecté à Barcelone, tout le monde, chez Latécoère, parle déjà de l'extension de la ligne vers le sud, entre Casablanca et Dakar. Ce parcours sauvage a été reconnu par voie de mer et de terre en 1923 par un ancien officier au service de Latécoère, le capitaine Roig. Dans l'idée de Pierre Latécoère, la descente vers le Sénégal fait partie du plan initial de la ligne conçu en 1918, dans lequel Dakar sera le tremplin pour franchir l'Atlantique vers le Brésil et l'Argentine.

C'est d'ailleurs en prévision de cette extension que Mermoz et d'autres, comme Dubourdieu, ont été embauchés à l'été de 1924, et qu'ils sont rejoints en 1925 par Henri Guillaumet, que Mermoz retrouve avec la joie qu'on imagine. En juillet 1924, le gouvernement français a signé avec la compagnie Latécoère un traité qui accorde à celle-ci des subventions plus abondantes, en échange de l'extension de son réseau. Depuis, on s'active pour donner vie au projet.

L'État a fixé la date limite de l'ouverture du tronçon Casablanca-Dakar à juin 1925. Aussi, de mois en mois, aux escales comme à Toulouse, la fièvre se fait plus intense dans l'attente du grand jour. On évoque des déserts sans fin le long d'une côte inhospitalière qui court sur mille trois cents kilomètres depuis Agadir, au sud du Maroc, où la civilisation se réduit à deux fortins espagnols en bord de la mer, Cap-Juby (Tarfaya) et Villa Cisneros (Dakhla). Puis c'est, à peine moins désolé, Port-Étienne (Nouadhibou), aux portes de la Mauritanie française : une presqu'île prolongée d'un long wharf, quelques dizaines de maisons et de hangars, une petite base aérienne française. On franchit alors le fleuve Sénégal d'où s'étend, jusqu'à Dakar, l'Afrique « noire » : des savanes piquées de bouquets d'arbres, des villages de cases, des troupeaux de buffles.

Chacun pressent que le Casablanca-Dakar offrira des dangers sans commune mesure avec ceux rencontrés entre Toulouse et Casablanca. Au-delà du liséré côtier, le relief du Sahara espagnol est en pointillé sur les cartes. Même la côte est pleine d'inconnu. Les reconnaissances de Roig montrent seulement que, devant la barre, violente et dure, s'égrènent de longues plages où l'on peut, ici et là, poser un avion. Du côté de la terre, elles sont prolongées de dunes parcourues par des tribus maures qui vivent des épaves échouées et du parasitage des fortins espagnols. Les pilotes du futur réseau africain devinent sans peine que le détail de ces contrées hostiles, les vents et les brumes qui croiseront leur route ne se dévoileront à eux que vol après vol.

*

Pour rassurer l'opinion et ses équipages, Latécoère ne ménage pas ses efforts. Le 7 février 1925, à l'hôtel de Lassay, résidence du président de la Chambre des députés, il donne une grande soirée-débat sur « La liaison aérienne France-Amérique du Sud », où l'on évoque surtout le tronçon Casablanca-Dakar. Paul Painlevé, savant de premier plan, fanatique d'aviation et président de la Chambre, se met en quatre pour défendre le projet. Aux notables et à la presse réunis, on passe même un film où le roi d'Espagne, Alphonse XIII, débarque à Casablanca sur un avion de la Ligne. L'inamovible sous-ministre Laurent-Eynac et une paire d'académiciens font l'éloge du jalon africain en gestation. Le lendemain, plusieurs journaux étalent la même question impatiente : à quand la liaison Casablanca-Dakar ? Le suspense bat son plein.

De son côté, Massimi négocie pied à pied un droit d'escale à Cap-Juby et à Villa Cisneros avec Alphonse XIII et ses ministres. C'est une partie de « trompe-couillon » où chaque concession espagnole demande du temps et de la salive, parce que le roi et son Premier ministre Primo de Riveira, en conflit permanent, se renvoient l'un à l'autre l'émissaire français.

En arrière-plan de ces palabres, se dessine la rivalité franco-espagnole au Maroc, aiguisée par les défaites à répétition que les insurgés du Rif, derrière Abd el Krim, font subir aux Espagnols depuis 1921. Dans leur Maroc, les Français multiplient les ports, les ponts, les routes, les voies ferrées et, maintenant, les voies aériennes, mais les Espagnols, dans leurs possessions, font figure de colonisateurs sans envergure et sans le sou. Leur dernière fierté réside dans leurs *presides* du Rio de Oro où, depuis Juby et Cisneros, garnisons sans joie de disciplinaires ravitaillées par bateau depuis les Canaries, ils conservent l'illusion de maîtriser d'immenses déserts peuplés de Maures miséreux et pillards. Les ambitions de la Ligne portent donc atteinte à un amour-propre déjà mal en point. Le maréchal Lyautey, résident général français au Maroc, dans une note à Gaston Doumergue, président de la République, a résumé une fois pour toutes la situation : « Par orgueil national, l'Espagne a le vif désir de remplir la mission qu'elle a assumée au Maroc, par instinct, elle sent qu'elle ne possède ni les moyens, ni les hommes, que cette mission exige. » Les Français s'apprêtent donc, au nom du courrier et de l'Empire, à engager leurs avions et leurs équipages dans des zones où les dangers menacent de toute part. Résultat : quand, à partir du 4 mai 1925, les premiers éléments avancés de la Ligne rejoignent Juby par avion, on leur refuse de s'installer. Il faut aux pilotes André Dubourdieu et Léopold Gourp, à leurs hommes, toute une série de ruses pour arracher un droit d'escale, jusqu'au moment où le chef de poste de Juby reçoit l'ordre formel de les laisser s'installer.

Le 1er juin 1925, c'est parti : les premiers courriers Casa-Dakar prennent l'air ; deux avions à la fois, chargés de courrier et de matériel. À raison d'un avion par semaine dans chaque sens, une grande épopée commence.

13

Chez les Maures

Mermoz rejoint en mars 1926 le « Casa-Dakar », parcours le plus mythique et le plus dangereux de la Ligne Toulouse-Dakar. Bien qu'il ne quitte pas Barcelone sans regrets, c'est l'occasion d'échapper pour toujours à son impétueuse logeuse. À cette époque, deux équipes se partagent le convoyage entre, d'un côté, Casa et Cap-Juby, et de l'autre, Cap-Juby et Dakar. À Dakar, on trouve Émile Lécrivain, Edmond Lassalle, Léopold Gourp et Henri Érable. À Casablanca, ce sont Marcel Reine, Georges Pivot et Éloi Ville. Mermoz les rejoint pour faire le quatrième de l'équipe.

Depuis juin 1925, Cap-Juby est l'escale-clé du trajet, car, dans un sens comme dans l'autre, les avions, qui volent toujours par paire, y font escale pour la nuit. Juby est aussi la halte la moins hospitalière qui puisse exister. Avec pour musique de fond le ressac de l'océan, sous le regard d'une soldatesque crasseuse et sous un ciel empesé d'humidité, avec un bout de plage en guise de piste, c'est un hangar et un baraquement tôlés, flanqués de fûts d'huile et d'essence.

*

À Casablanca, Mermoz respire une ambiance cousine de celle qu'il avait connue à Beyrouth. La plus grande ville du Maroc est d'abord, à cette époque, la juxtaposition de plusieurs cités sur une plaine littorale poussiéreuse. Il y a la vieille ville arabe, la « médina », et, la flanquant mais séparé d'elle, enfermé dans de hauts murs, avec des portes qu'autrefois on fermait tous les soirs, un ghetto juif. Et puis, depuis une quinzaine d'années, sur cette côte que balaie l'air humide de l'océan, pousse, autour de grands ronds-points et le long de larges avenues, une ville « européenne » vouée au commerce et aux affaires. Mais ce n'est pas tout. Entre la ville et la mer, de part et d'autre d'une avenue plus large que les autres et jusqu'à un rivage où l'on commence à ériger des villas et des hôtels, s'étend, ponctué de palmiers, le quartier résidentiel d'Anfa, où logent les privilégiés du protectorat et les voyageurs de passage. À Casablanca, en quelques minutes, le piéton passe de l'âge de la lampe à pétrole à celui des néons et des tramways, des carrioles à âne aux voitures américaines importées par Tanger.

Ici comme à Barcelone, les aviateurs ont leurs lieux de prédilection : le *Café Riche* — une enseigne qui peuple aussi la province française —, le *Tabarin*, un *dancing* « comme à Paris » avec entraîneuses, gigolos et jazz. Comme à Toulouse ou n'importe où en France, on sacrifie deux fois par jour au rite de l'apéritif, on entraîne les filles d'un soir au cinéma. On se baigne à Anfa — quand l'Atlantique est à bonne température — entre deux passages au bar du *Grand Hôtel*. On se livre aux emplettes au « souk » ou dans les ruelles du ghetto. On côtoie les Arabes en djellabas, plus rarement en veston européen, dans les petits cafés « maures » des quartiers indigènes. Bref, une vie coloniale facile s'offre aux jeunes pilotes : les « primes de dépaysement » versées par la compagnie sont conséquentes et ils ont besoin, après les longues heures de vol, de se rafraîchir corps et âme. Pivot et Reine, plus encore que Mermoz, incarnent une jeunesse prompte aux distractions faciles. En avril 1926, Daurat doit les rappeler fermement à l'ordre ; il les menace de renvoi. Car « Pivot et Reine amusent le public casablancais par une vie mouvementée se poursuivant certains "jours" du coucher du soleil au lever. Leurs excès nocturnes sont généralement suivis d'excentricités matinales au cours desquelles on peut voir circuler dans les rues de Casablanca quatre pur-sang, loués à prix d'or, montés par Reine et Pivot et deux amazones dont nous éviterons de vous entretenir ». Toute une ambiance...

De temps en temps, on emporte le courrier de Casablanca à Rabat, d'où la Ligne fait partir une antenne vers Oran, dans l'Est algérien. Rabat, cité royale qui abrite le protectorat français, offre une atmosphère différente, à l'ombre de monuments chargés d'histoire : mosquées grandioses, ancien palais royal, avec leurs tours, leurs enceintes ou leurs minarets carrés aux céramiques blanches, bleues et vertes.

*

Le Maroc est une splendeur, mais, à une demi-heure de vol au sud d'Agadir, le métier devient plus dangereux que partout ailleurs. Deux grands peuples maures hantent la côte du Rio de Oro : les Izarguïn et les R'Gueibat. Ces hommes en bleu, qui déplacent en famille, à dos de chameau, leurs tentes, leurs armes et leurs maigres trésors, ne sont pas omniprésents dans le désert. Mais, en cas de panne ou d'accident des aviateurs, ils semblent surgir de nulle part, avertis par le bruit des moteurs, par le nuage de vapeur d'eau qui s'échappe d'un radiateur crevé. Ils convoitent la cargaison et les instruments de bord — avec l'espoir de les revendre — et surtout l'équipage, qui vaut rançon.

Les premières rencontres fâcheuses entre aviateurs Latécoère et Maures remontent à juillet 1925. Les pilotes Henri Rozès et Éloi Ville, agressés en plein dépannage quelque part entre Agadir et Cap-Juby, ne doivent le salut qu'à leur fuite dans celui de leurs avions resté intact, après avoir abattu deux de leurs assaillants. Quand Mermoz arrive sur le trajet Casa-Cap-Juby, cet épisode est déjà entré dans les annales de la Ligne. Les consignes de vol sont devenues très strictes. Les équipages ne sont plus armés. À force de palabres, et contre un tribut annuel, Daurat a conclu la paix avec plusieurs tribus. Pour aplanir les incidents en cas d'atterrissage forcé, chaque paire d'avions embarque un « interprète » maure. À Cap-Juby, on emploie des Maures de passage à de menus travaux, afin d'acheter leur neutralité. Encore quelques mois et, grâce à cette méthode, les Français peuvent compter sur une escale régulière à Villa Cisneros. Pour autant, la menace ne disparaît pas, et, parfois, le survol d'une caravane provoque une fusillade nourrie. Car les plus grands chefs maures ont donné leur parole, mais, sous eux, la plupart des petites tribus n'en font qu'à leur tête.

Deux mois après son arrivée au Maroc, Mermoz fait l'expérience de cette guerre larvée. Le 22 mai 1926, aile à aile avec son camarade Éloi Ville qui a embarqué le courrier, il convoie vers Juby un interprète maure, Ataf. En cours de route, Jean s'égare dans la brume, les deux appareils perdent le contact, Ville continuant sur Juby. Pendant trois heures, l'avion erre, sans repères, entre la mer et le désert, jusqu'à la panne définitive. Mermoz se pose au plus près de la côte. Alors, le cauchemar vécu en Syrie quatre ans plus tôt semble se renouveler.

Les deux hommes sont perdus. Sont-ils au sud, ou au nord de Cap-Juby ? Quelle direction prendre pour s'en rapprocher, avec l'espoir qu'un avion de recherche les retrouve ? Pendant presque deux jours, les deux hommes vivent sur leurs maigres provisions de bord, sous les assauts des vents de sable, à proximité de leur avion, seul indice de leur présence. Le 24, ne voyant rien venir, ils prennent à pied la direction du sud, sous un soleil de plomb. Au bout de quelques heures d'une marche épuisante, Juby n'est pas en vue, et les deux égarés rebroussent chemin, pour passer la nuit à l'abri de leur Breguet. Ils sont presque parvenus au bout de leurs réserves d'eau et de nourriture quand, le 25, ils décident de repartir, cette fois vers le nord, avec dans leur bidon un peu d'eau du radiateur souillée du sable qui s'immisce partout.

C'est alors qu'ils sont interceptés par des Maures en armes. Capturé sans ménagement, entravé, Mermoz est traîné d'abri en abri, tandis que son interprète sert de guide à ses ravisseurs, partis piller l'épave du Breguet. Il est à peine nourri, tout juste abreuvé. Il passe toute la journée du 26 mai dissimulé par ses gardiens dans les creux d'une falaise côtière, cible de jets de pierres à chaque tentative de sortie. Le 27, il est enfermé dans une tente, d'où il entend passer tout près les avions de Juby, ceux du courrier et un autre, qui le recherchent en vain. Pendant ce temps, par ses ravisseurs, il apprend qu'on négocie sa libération. Elle survient dans la nuit du 27 au 28 mai, quand, quelque part dans le désert, après force marches et contremarches à dos de chameau, il est remis à un cavalier en échange d'une rançon de mille pesetas. Dans un rapport remis à Daurat, il note sobrement : « Après être avancé une heure environ dans cet équipage, j'entrevois le fort de Juby dans le jour naissant. »

C'est un Mermoz hirsute, barbu, amaigri, aux traits tirés, aux vêtements sales et chiffonnés, auquel ses camarades font bientôt fête dans le petit baraquement de Juby qui sert à la fois de bureau, de popote et de salle de repos. Un accueil simple et fraternel, qui prélude à un séjour de repos à Casablanca où le rescapé se remet de ses émotions.

*

Cette mésaventure grave est sans commune mesure avec les tourments vécus entre Villa Cisneros et Cap-Juby, le 11 novembre suivant, par les deux équipages Léopold Gourp-Lorenzo Pintado et Henri Érable-Ataf. Le premier des Breguet tombe en panne ; le second vient le secourir, mais Érable le casse en se posant. Des Maures surgissent. Ils tuent Érable et Pintado, mais, calmés par Ataf qui leur fait miroiter tout le bénéfice d'une rançon, ils préservent la vie de Gourp, blessé par balle, qu'ils prennent en otage. Pour l'aviateur commence un calvaire de huit jours. Il est bringuebalé comme un paquet à travers le désert, pendant que les palabres s'éternisent pour fixer le montant de la rançon. Désespéré, au bout de sa souffrance, Gourp s'empoisonne avec de la teinture d'iode. Quand ses camarades Edmond Lassale et René Rigueille le récupèrent le 21 novembre, il est déjà agonisant. Il décède finalement à l'hôpital de Casablanca, le 5 décembre. Dans les recherches lancées depuis Juby pour retrouver les pilotes perdus, Mermoz s'illustre une nouvelle fois : parti en duo avec Éloi Ville à la recherche de ses camarades, il sauve ce dernier, tombé à son tour en panne dans le désert.

Cet épisode tragique — trois morts, un courrier perdu, une rançon extorquée en échange d'un moribond — marque tous les navigants de la Ligne, et particulièrement Mermoz. Il ne se console pas de la disparition d'Érable et Pintado, morts sans sépulture, dépouilles abandonnées aux bêtes du désert. Il ressasse pendant des mois les circonstances de leur fin misérable. Au début de l'été 1927, cette obsession lui suggère un geste symbolique. Aux commandes de son avion, Mermoz vole jusqu'au théâtre de l'assassinat d'Érable et Pintado, à la recherche de leurs dépouilles. Là, il ne trouve, dans les pierres et les sables du désert, au milieu de quelques débris, qu'une poignée de la chevelure d'Henri Érable. Pieusement, il la recueille et la rapporte à Juby, pour qu'on la renvoie à la famille du mort.

*

Dévouement, bravoure et coups d'éclat ont un prix : quand Jean Mermoz prend, à l'été 1926, des vacances à Lille auprès de sa mère, on doit le soigner pour une otite double et pour une sinusite chronique. On ne vole pas douze à quinze heures par semaine entre mer et désert sans payer de sa personne. Encore ces maux ne traduisent-ils qu'imparfaitement les souffrances du métier. À piloter des heures durant dans la chaleur moite du Sud marocain et de la Mauritanie, sous un soleil de plomb ou dans les tempêtes de sable, on est, parfois, victime d'hallucinations. Où est la ligne de partage entre la mer et le désert ? Ces étendues miroitantes, sous l'aile de l'avion, sont-ce des dunes, ou de l'eau ? Cette brume lointaine, est-ce une nuée qui vient du large, ou un vent de sable venu de l'intérieur des terres ? La sauvegarde de l'avion, du courrier et de l'équipage dépendent de la réponse que le pilote, les yeux brûlés par le soleil et le vent, apporte à ces questions, sans cesser d'ajuster sa route, de surveiller son moteur et les instruments rudimentaires de sa planche de bord, que la chaleur dérègle.

Didier Daurat a déjà reconnu en Jean Mermoz le premier de ses équipiers à vouloir prendre l'air, quels que soient les dangers de l'étape. Avec plus de cent vingt mille kilomètres parcourus par an, soit huit cents heures de vol, il se hisse par son opiniâtreté au premier rang des pilotes de la compagnie. Cette énergie n'a d'égal que sa bonne humeur : toujours prêt pour toutes les missions, Mermoz est aussi un grand sportif plein d'humour, entre deux missions, qui entraîne ses camarades dans les jeux les plus inattendus. Parfois de vraies blagues de collégiens : on joue à s'enterrer dans le sable, on mime une corrida. Bref, on se détend comme on peut, surtout à Cap-Juby. Mermoz est pour ses camarades, pilotes et mécaniciens, un vrai boute-en-train. Selon l'expression en vogue chez les militaires : il « soutient le moral des troupes ». Selon une expression qui devient familière sur la Ligne, il a, plus que d'autres, la « religion du Courrier ».

Cette attitude et cette énergie ne lui valent pas seulement les félicitations de Didier Daurat. Chaque année, le secrétaire d'État à l'Aviation civile distribue une poignée de croix de la Légion d'honneur entre les navigants les plus méritants des compagnies aériennes. C'est un geste patriotique qui désigne à la Nation ceux des aviateurs qui portent haut la renommée du drapeau français et l'illustrent sur les terres lointaines. Mermoz fait partie de la promotion de l'été 1927, pour ses qualités de pilote et d'entraîneur d'équipages. Il n'a encore que vingt-cinq ans : en temps de paix et à cet âge, être chevalier de la Légion d'honneur, c'est une distinction exceptionnelle.

14

Bientôt, l'Amérique

La décoration la plus prestigieuse récompense un jeune homme auquel les dirigeants de sa compagnie assignent, dès l'été de 1927, un avenir brillant. Cet avenir, c'est aussi le leur. Car, depuis le printemps 1927, la Ligne change de dimension. De nouveaux enjeux, de nouvelles missions se profilent à l'horizon. Elle part à la conquête de l'Amérique.

Tout a commencé deux ans plus tôt, à peine ouvert le tronçon Casablanca-Dakar. Latécoère a alors dépêché au Brésil ses premiers émissaires pour reconnaître le terrain et négocier des accords postaux avec le gouvernement fédéral, tandis qu'à Paris, avec son ami Massimi, il faisait le siège des missions diplomatiques sud-américaines. En novembre 1926, Latécoère prend même le paquebot jusqu'à Rio de Janeiro, pour faire avancer le dossier sur place, pour y nouer des contacts politiques et financiers.

Mais au début du printemps de 1927, tout est remis en cause. Les gouvernements brésilien et argentin bloquent les contrats postaux de la compagnie, et les dizaines de millions à dépenser pour s'installer en Amérique latine excèdent les possibilités du seul Latécoère. Il lui faut trouver un ou plusieurs partenaires. À Rio, il a rencontré un Français qui a bâti là-bas un empire dans les travaux publics et les chemins de fer, Marcel Bouilloux-Lafont. Homme d'âge mûr, énergique, aussi carré à tous points de vue que sa fortune est ronde, il dispose d'un riche carnet d'adresses et compte maints obligés dans les sphères gouvernementales latino-américaines. Il apparaît vite comme le partenaire idéal d'une entreprise aussi audacieuse. En France même, où son frère Maurice, député, est bien placé dans les milieux politiques du centre droit, Bouilloux-Lafont a l'image d'un homme aux reins assez solides pour supporter l'extension de la Ligne en Amérique.

Devant ces réalités, Latécoère vend à Marcel Bouilloux-Lafont, le 11 avril 1927, la majorité des actions de la Compagnie générale d'entreprises aéronautiques — nom officiel de la Ligne. Sur le papier, lui et Massimi demeurent associés à la nouvelle gestion, et l'Industrielle Latécoère reste le fournisseur privilégié des avions de la compagnie. Mais Bouilloux-Lafont dispose de ses hommes et de ses réseaux, et la gestion change de mains en peu de temps.

*

Le nouvel élan est tout de suite sensible. De mai à septembre 1927, les obstacles qui retardaient la signature des contrats postaux avec le Brésil et l'Argentine sont levés et, au cours de l'été de 1927, tout le long de la côte brésilienne, depuis Natal au nord jusqu'à Rio de Janeiro au sud, commencent à pousser une série d'« aéroplaces ». Encore quelque temps, et le ministère français de l'Industrie et du Commerce débloque pour 1928 plus de trente millions de subventions en faveur du nouveau réseau sud-américain. La Ligne change de nom. Elle devient la Compagnie générale aéropostale ; pour tout le monde, c'est l'Aéropostale.

L'Aéropostale naît au cœur d'une vive compétition entre des entreprises étrangères, soutenues par leur gouvernement, pour le contrôle des lignes aériennes en Amérique latine. Outre les Français, les Espagnols et les Allemands sont sur les rangs. Les Espagnols, forts de leur passé colonial, promettent depuis des années à Buenos Aires et à Montevideo de les relier à la Péninsule ibérique grâce à des hydravions qui feraient, d'îlot en îlot, une série de sauts de puce à travers l'Atlantique. Ou bien, ils proposent une ligne méridienne transaméricaine irriguant les deux versants des Andes, qui serait raccordée au réseau naissant des États-Unis, en correspondance avec les grandes lignes de paquebots transatlantiques.

Ces projets mirifiques ont donné lieu à des vols de démonstration, plus ou moins réussis, continentaux ou transocéaniques, organisés par l'aviation militaire espagnole et par son chef le commandant Franco — le frère du futur dictateur. Mais les Espagnols n'ont pas plus les moyens d'entretenir ces projets qu'ils n'ont ceux de maintenir l'ordre dans leur zone du Maroc et au Rio de Oro. Pour le matériel, ils dépendent entièrement de fournisseurs étrangers, en premier lieu des constructeurs allemands Junkers et Dornier.

Aussi, derrière les projets espagnols, se profilent ceux des Allemands, soutenus avec énergie par leur gouvernement. La compagnie aérienne Lufthansa et des compagnies de navigation de Hambourg poussent leurs filiales locales comme autant de pions. Les projets d'hydravions Junkers et Dornier capables de longues étapes, et demain, de traversées océaniques depuis les Canaries ou les îles du Cap-Vert soulèvent l'enthousiasme. La société Zeppelin, de Friedrichshaffen, sur le lac de Constance, a repris depuis 1926 la construction de grands dirigeables, abandonnée depuis l'armistice de 1918. On parle déjà d'eux comme de futurs « paquebots des airs ».

La concurrence espagnole joue sur la solidarité entre nations latines des deux rives de l'Atlantique. Les ambitions allemandes s'appuient sur les émigrés de l'ancien Reich établis dans les États méridionaux du Brésil et en Argentine. En face, les Français disposent surtout d'atouts moraux : le prestige que le pays a acquis depuis la victoire de 1918 et la réussite sans pareille de la Ligne sur le long trajet Toulouse-Dakar.

La victoire remportée au printemps et à l'été de 1927 par la future Aéropostale dans les deux plus grands pays d'Amérique du Sud est donc aussi patriotique que commerciale. C'est un succès de la France tout entière, face à ses rivaux européens et, bien sûr, face à l'« ennemi héréditaire », l'Allemagne. C'est pourquoi le gouvernement français appuie la création de la nouvelle compagnie avec d'importants crédits, avec le soutien des diplomates en poste de Rio à Buenos Aires. L'aéropostale naissante, consciente de représenter d'emblée la France et les Français au plus loin, s'emploie dès lors à pousser son avantage initial, et à faire ses preuves en Amérique.

15

Premier grand raid

Pleine d'enthousiasme, la nouvelle compagnie confie à Jean Mermoz, à la fin de septembre 1927, une mission exceptionnelle qui donne un coup de pouce à son destin. Grâce au Latécoère 26 (on dit alors « Laté 26 »), un monomoteur à cabine fermée, plus puissant et plus fin que ses prédécesseurs, l'Aéropostale veut montrer sa maîtrise des grandes distances. Assisté d'un camarade, Élysée Negrin, Mermoz est chargé de survoler toute la Ligne en une seule étape, jusqu'au Sénégal : un défi de plus de vingt heures de vol.

Il ne s'agit pas seulement de prestige ou de gloire. L'époque est friande de grands raids qui effacent les distances d'un seul coup d'aile et démodent les sauts de puce qui soulignent trop crûment la lutte difficile entre l'avion et la distance. Charles Lindbergh a montré l'exemple le 21 mai 1927, quand il a surgi dans la nuit du Bourget au terme d'une envolée sans escale de trente-trois heures depuis New York, dans un petit monomoteur transformé en réservoir volant. Les constructeurs du monde entier se bousculent pour promouvoir leur matériel à coups de raid : c'est devenu une composante normale de la concurrence.

Courant septembre, l'avionneur Breguet, de Vélizy, près de Paris, annonce qu'un de ses nouveaux appareils, spécialement adapté, conduit par Dieudonné Costes et Joseph Le Brix, s'envolera bientôt pour tenter un Paris-Dakar sans escale et, s'il réussit, pour essayer de franchir l'Atlantique sud, premières étapes d'un audacieux tour du monde. C'est marcher sur les brisées et de la Ligne et de Latécoère qui, depuis deux ans, remplace peu à peu sur Toulouse-Dakar les anciens modèles de Breguet par ses propres créations. Daurat prend donc les choses en main et fait de Mermoz son champion.

Le départ de Costes et Le Brix est fixé au 10 octobre, depuis le terrain du Bourget. Le même jour, à l'aube, mais avec l'avantage d'un départ de Toulouse, le Laté 26 gorgé d'essence de Mermoz et Negrin s'envole pour Dakar. Ainsi commence une équipée de vingt-trois heures, où l'avion pointe successivement au-dessus de tous les terrains de la Ligne. Le plus audacieux est de voler de nuit, le nez au vent, au-dessus de la côte mauritanienne, avec pour seul instrument une boussole. Au matin du 11 octobre, l'avion, au bout de ses réserves, et l'équipage, à bout de forces, arrivent au-dessus du terrain de Saint-Louis-du-Sénégal. Le Laté se présente devant la piste de l'aérodrome, commence à se poser, et, tout à coup, il capote sur le mauvais terrain. Les officiels rassemblés là dans l'attente d'un exploit imminent se précipitent vers l'appareil endommagé, d'où les pilotes s'extraient tant bien que mal. Le représentant de l'administration se précipite vers Mermoz et le félicite : il croit qu'il a devant lui Dieudonné Costes, et s'adresse à lui sous ce nom...

Pour Mermoz, cette première historique est un demi-succès. L'avion est trop endommagé pour pouvoir repartir. Pour lui et pour Daurat, c'est une occasion manquée. Si l'avion s'était posé sans encombre à Saint-Louis, il aurait pu repartir pour franchir l'Atlantique jusqu'à Natal, au nord du Brésil. C'étaient trois mille deux cents kilomètres de plus à franchir, après une première étape de trois mille huit cents kilomètres... Un exploit que Mermoz et Negrin doivent abandonner à Costes et Le Brix, bientôt acclamés en triomphateurs dans tout le Brésil.

Cette tentative n'est pas tout à fait vaine. Elle provoque dans l'esprit de Mermoz le désir durable d'une traversée transatlantique qui serait signée de son nom. Et, pour la compagnie, ce vol confirme que Mermoz est l'un de ses meilleurs pilotes, voire le meilleur. Le 1er novembre 1927, l'Aéropostale inaugure le service postal en Amérique latine entre Natal et Rio. Seule l'Amérique semble offrir désormais un cadre à la mesure du talent de Mermoz. Les choses vont aller très vite : le 6 novembre, il prend le paquebot pour Rio.

16

En Amérique

Le lundi 28 novembre 1927, après vingt-deux jours de traversée, le paquebot *Groix* jette l'ancre en rade de Rio, par un temps d'été chaud et lourd. Avec Julien Pranville, « patron » du réseau en Amérique du Sud, une équipe de l'Aéropostale est venue accueillir Jean Mermoz et les deux Laté 26 transportés en caisses dans les cales du navire. Mermoz, qui s'était embarqué avec un autre pilote, a mené à bord une vie végétative, interrompue seulement par l'escale de Dakar : il a beaucoup mangé, beaucoup dormi et laissé filer le temps, comme si toutes ces semaines de navigation n'étaient qu'un intermède forcé entre deux périodes d'aventures.

À Rio, tout est plus grand, plus neuf qu'en Europe. Les chantiers d'hôtels et de résidences se succèdent le long de la plage de Botafogo. À Copacabana, se dresse, tout neuf, le premier d'une série de palaces en chantier, qui fait penser à la Côte d'Azur. Les faubourgs escaladent les collines, revêtues d'un côté d'énormes villas serrées dans leur parc, de l'autre de constructions précaires où s'entassent les plus humbles. Matériaux, vitrines, éclairages électriques, voitures américaines, tramways, ici, la modernité enserre à toute vitesse les restes déjà fanés du vieux Brésil colonial. C'est le Nouveau Monde. Pour quelque temps encore, le Brésil vit dans la surchauffe d'une prospérité entretenue par les exportations de café et de coton, par des libéralités monétaires et bancaires qui entraînent dans leur sillage une fièvre de construction généralisée.

*

Les hommes de l'Aéropostale nourrissent cette fièvre et Jean Mermoz a été envoyé ici pour remplir une mission précise : établir les lignes de l'Aéropostale en Argentine. On lui demande d'abord de se familiariser avec le pays, en parcourant les étapes brésiliennes de la Ligne entre Rio et Natal. Ensuite, il s'installera à Buenos Aires, comme chef pilote et chef d'escale. Sa mission est simple, mais grandiose. Il doit créer et établir les trajets de la Ligne du nord au sud de l'Argentine, et, depuis Buenos Aires, explorer l'intérieur du pays pour baliser le chemin entre la capitale et le piémont des Andes. Une fois ce programme rempli viendra, le moment venu, une autre étape de la conquête du continent par l'avion : le franchissement des Andes, vers le Chili. Mermoz est nommé chef pilote le 1er décembre 1927. Le 9 décembre, jour de ses vingt-six ans, aux commandes d'un des Laté 26 embarqués sur le *Groix*, il atterrit à Buenos Aires, sur le terrain militaire de Palomar. Comme d'habitude, tout est à créer. Mais cette fois, Mermoz dirige le mouvement.

Cette promotion donne à Jean Mermoz, sous l'habit civil, un rang et une position qu'il avait recherchés dans l'armée. Moins de quatre ans après sa déconvenue, c'est pour lui plus qu'une revanche. Un accomplissement. Dans l'immédiat, il se traduit par une meilleure paie, des primes plus confortables, en partie réglées en pesos, une monnaie de compte qui bénéficie d'un change très avantageux. Pour la première fois de sa vie, Jean Mermoz peut envisager d'améliorer les fins de mois de sa mère, et même de mettre de l'argent de côté.

Dès son arrivée à Buenos Aires, le jeune homme se coule d'emblée dans son rôle de chef. D'abord par l'apparence. En public, il adopte alors un style qui devient chez lui une seconde nature, et un comportement qu'il n'abandonnera plus par la suite. C'est maintenant un homme à la parole brève et ferme quand il donne des ordres, fraternel quoique sans mollesse quand il prodigue ses conseils et organise le travail de ses collaborateurs — mécaniciens, radios, techniciens de piste et de hangar. Il prend le temps de surveiller, jusqu'au dernier, tous les détails de la préparation d'une machine, d'un vol, toutes les procédures de sécurité. Ce qui n'exclut pas des colères brèves et violentes, vite légendaires, quand les choses ne tournent pas rond.

Il prend aussi l'allure d'un patron. Au sol, frappent sa décontraction faussement nonchalante, son visage détendu, souriant, sous les cheveux toujours aussi longs, mais mieux disciplinés. Mermoz arbore le visage de celui qui maîtrise le cours des choses, et qui met autrui en confiance. Aux commandes d'un avion, ce visage laisse la place au masque concentré et dur d'un homme engagé tout entier dans l'effort, aux prises avec la machine et la nature, qui bande ses forces et fait jouer ses réflexes pendant des heures, en silence, entouré du vacarme du moteur. Ce silence et ce masque s'expliquent aussi par sa confiance dans la capacité de l'équipage, du mécanicien ou du radio, du navigateur, à faire au mieux et à calquer leur attitude sur la sienne.

L'apparence extérieure, elle aussi, change. Le Mermoz d'Amérique du Sud laisse bientôt derrière lui l'image qu'il avait donnée si souvent d'un grand gaillard débraillé. Il adopte partout — sauf aux commandes et à la plage — de stricts costumes faits sur mesure, clairs ou sombres selon la saison ou les circonstances, des cravates discrètes, le plus souvent unies, et, à partir de 1928, fréquemment noires ou noires à pois blancs — ce qu'il appelle « porter le deuil de nos camarades morts ». Mieux : quand, à partir de 1929, les avions Laté 28 à cabine fermée apparaissent sur la Ligne, Mermoz adoptera pour tenue de vol le blouson sport enfilé par-dessus le costume de ville, à la place des grosses vestes de cuir et du vieux pantalon de travail traditionnels.

*

Sans doute l'affirmation de ce style traduit-elle la manière rapide et franche avec laquelle notre homme entre, dès les premiers jours, dans son rôle officiel d'entraîneur d'hommes. Elle correspond aussi à sa nouvelle position dans l'organisation de la filiale argentine de l'Aéropostale, et dans le groupe tout entier. Buenos Aires a vocation à devenir la tête de ligne de la compagnie vers la Terre de Feu, vers le Paraguay et le Brésil, et un jour vers le Chili. Mermoz occupe donc un poste-clé, qui le met en contact fréquent et direct avec les gros bonnets de la compagnie. Ainsi l'élégant Almonacid, directeur du réseau argentin, le polytechnicien Julien Pranville, patron de tout le secteur sud-américain, ou encore un autre polytechnicien qu'il a déjà rencontré entre la France et le Sénégal, Édouard Serre, bientôt responsable de l'organisation TSF sur les deux réseaux, l'ancien (Toulouse-Dakar) et le nouveau (l'Atlantique et l'Amérique). Enfin, à son poste, Jean Mermoz est conduit à recevoir directement des instructions de la part des « grands patrons » qui dominent désormais la vie de la compagnie à la place de Massimi ou de Latécoère : Marcel Bouilloux-Lafont lui-même, et ses conseillers directs, dont son fils André — encore un polytechnicien.

Mais cette hauteur dans le rôle, cette maîtrise de soi viennent aussi de ce que Mermoz comprend, très vite, que la dimension, et même la nature, des opérations de la compagnie ont changé, depuis qu'elle est devenue l'Aéropostale et qu'elle est partie à l'assaut d'un continent. De Toulouse à Dakar, on effleurait le paysage. Les avions traçaient un fil de vitesse sur presque quatre mille kilomètres. Ils se posaient à peine sur le sol d'Espagne, en Mauritanie. La vie profonde de la Ligne n'avait, hors de France, que trois vrais points d'ancrage : Barcelone, Casablanca, Dakar. Chacune à sa manière, c'étaient des villes de province. Les étapes d'Alicante, de Malaga, de Cap-Juby, de Villa Cisneros ou de Port-Étienne n'ont qu'une vocation d'escales rudimentaires rendues obligatoires par l'incapacité des avions à franchir de longues étapes en toute sécurité.

Or, déjà, tout change : avec un Laté 26, on fait franchir au courrier, et à quelques passagers installés dans une cabine fermée, plus de mille kilomètres d'un coup d'aile, deux fois et demie la capacité des anciens Breguet...

En Amérique, les projets des Bouilloux-Lafont, de l'Aéropostale et de l'Aeroposta Argentina sont d'emblée plus grandioses. Les nouveaux dirigeants de la compagnie ne veulent pas seulement établir une ligne, mais bâtir un vrai réseau à l'échelle du continent. Marcel Bouilloux-Lafont a, dans la première période de sa carrière, conquis le Brésil utile — celui de la côte — à travers de prestigieuses entreprises de travaux publics. Fortune faite, il s'intéresse à l'arrière-pays continental, là où doivent se construire des réalités uniques, par-dessus les frontières entre les États — chaque république sud-américaine est farouchement nationaliste — et les cultures — lusitanienne au Brésil, espagnole ailleurs, créole ou mulâtre un peu partout, indienne dans les pays andins.

La Ligne se démultipliera vers les capitales, qui sont autant de villes-champignons, immenses et populeuses, où se superposent l'héritage de l'Europe et les créations de l'Amérique. On monte en « cable-car » au sommet du Corcovado, le mont qui domine la baie et la ville de Rio. À Buenos Aires, le parlement argentin est une copie du bâtiment du Congrès de Washington. Les maîtres de la pampa sont des « cow-boys » latins, qui descendent faire la fête sur les rives du rio de la Plata comme leurs homologues des grandes plaines des États-Unis vont la faire à Saint Louis, Missouri. Ici, on compte par millions les têtes de bétail, les plants de café et de coton, les pépites et les onces de pierres précieuses. À côté des Andes, les Pyrénées ou l'Atlas marocain font figure de montagnes naines, et, quand on construit à Rio, à Buenos Aires ou à Sao Paulo, on pense « buildings ».

*

Au service du projet américain de l'Aéropostale, Bouilloux-Lafont dispose d'un instrument : sa principale entreprise, la Sud-Américaine de Travaux publics — en abrégé la Sudam. À l'été 1929, il en fera la Compagnie générale d'Aviation (CGA), dont l'Aéropostale deviendra la filiale. Dès 1927, néanmoins, la Sudam est l'outil qui transforme le paysage américain au service de la Ligne. Grâce à elle, sur les traces des installations préparées sous Latécoère, les principales escales brésiliennes ont été complétées en quelques mois, juste avant l'arrivée de Mermoz. C'est Natal, puis Recife, puis Maceio, puis Bahia (Salvador), puis Vitoria, puis Rio de Janeiro, capitale du pays. Un trajet plus long que celui qui conduit de Toulouse à Dakar.

Au-delà, tout est en pointillé. Mais la Sudam est prête pour équiper les étapes qui balisent le trajet entre Rio et Buenos Aires — deux mille quatre cents kilomètres : Santos, Florianopolis, Porto Alegre et Pelotas au Brésil, puis Montevideo en Uruguay. La conquête de l'Argentine est devenue d'actualité : encore des milliers de kilomètres à parcourir et à reconnaître, et des aérodromes à installer. Et après, avec le franchissement des Andes, l'Aéropostale unira dans un même mouvement de courrier et d'hommes — comme le font les Nord-Américains par-dessus les Rocheuses — l'Amérique atlantique et l'Amérique pacifique.

*

Mermoz se trouve donc, dès son arrivée, associé, dans une fonction de direction, à une mission grandiose : compléter le réseau côtier Natal-Buenos Aires, et prolonger la ligne dans toute l'Argentine, un pays immense dans un continent immense. Il sera ainsi, en Amérique, un successeur et un émule au sens plein de Daurat qui, naguère, pour bâtir le réseau vers l'Afrique, eut les responsabilités qui, aujourd'hui, lui échoient sur la moitié de l'Amérique du Sud.

Mais son rôle ne s'arrête pas là. Car l'autre ambition de Bouilloux-Lafont est d'installer sur les parcours américains les innovations techniques qui commencent à être expérimentées sur l'ancien réseau. Il s'agit notamment de la TSF — les émissions radio en morse à longue distance, qui combinent ondes longues et ondes courtes. À partir de ce maillage d'ondes, on pourra à tout moment suivre la course des avions en vol, les guider, malgré les nuages, les grains, et, bien sûr, les faire voler de nuit. Les équipages feront connaître leurs avaries, lanceront au besoin des SOS. On ira sans délai à leur secours.

Une révolution se prépare. Elle suppose de nouveaux avions, équipés de TSF et à plus long rayon d'action, des équipages réorganisés, avec un navigateur qui calcule la route du pilote et un radiotélégraphiste qui fait connaître sur les réseaux hertziens le sort de l'équipage, de l'avion et de sa cargaison. Elle suppose que les aéroplaces se garnissent de générateurs plus puissants, de mâts d'émission prolongés de longues antennes. Elle suppose aussi que la compagnie s'installe dans le trafic général des messages en Morse, où, pour l'instant, l'essentiel des nouvelles provient des navires de commerce ou de guerre, caboteurs ou de grand large.

Et quand tout cela sera installé sur la terre, sur les côtes, sur trois continents — l'Europe, l'Afrique de l'Ouest, l'Amérique —, il ne restera qu'une étape à franchir : installer, avec un matériel idoine, l'emprise de l'avion sur l'océan. Pour l'instant, l'Aéropostale envisage le transport du courrier par mer, sur des navires rapides, entre le Sénégal et Natal. Car même si Mermoz et Negrin avaient réussi, en octobre 1927, à franchir l'Atlantique sud, c'eût été un nouveau record, une première à sensation, mais pas une réussite commerciale : leur Laté 26 bourré d'essence aurait été bien incapable de transporter le moindre sac de courrier.

Mais demain ? Chez Latécoère, on étudie des prototypes d'hydravions capables de franchir d'un coup d'aile les trois mille deux cents kilomètres qui séparent le Sénégal du Brésil. Des machines qui n'ont rien d'utopique. Après tout, sur un Laté 26, certes « gonflé », Mermoz et Negrin n'ont-ils pas déjà parcouru en octobre 1927 une distance supérieure, entre Toulouse et le Sénégal ? Costes et Le Brix n'ont-ils pas franchi l'Atlantique sud — certes sur un avion de raid incapable de porter du courrier ? Tout semble possible.

*

Pour Mermoz, une nouvelle vie s'organise à partir de Buenos Aires. Il partage bientôt avec son camarade Victor Étienne un appartement au sommet d'un immeuble du centre-ville, non loin du *building* de l'avenue Reconquista qui accueille les bureaux de l'Aéropostale. Les jours de repos s'écoulent pour partie à El Tigre, sur une des plages de Buenos Aires que baigne le rio de la Plata, en amont du centre-ville et du port. Les pilotes de l'Aéropostale ont le couvert toujours mis dans une sorte de pension très fréquentée par les Français, en raison de ses qualités gastronomiques. Pour l'apéritif, la préférence de Mermoz va au *Richmond's bar*, une adresse à la mode de la calle Florida, une des artères les plus chics de la capitale. Plus tard, le *Tabaris* impose les néons de son *dancing*. Selon un proche de Mermoz, toutes les entraîneuses de l'endroit seraient folles de Jean...

Peu à peu, au fur et à mesure qu'il s'habitue au pays, Jean apprend à goûter d'autres loisirs : cheval dans les grandes *haciendas* de l'intérieur, élevage, sur un petit terrain qui jouxte l'aérodrome de la compagnie, d'une invraisemblable ménagerie qui finira par compter un sanglier et un perroquet rouge rapportés du Paraguay, une perruche du Brésil et Charlot, un pingouin de Patagonie nourri de sardines à l'huile en boîte...

Tout le reste est création. La filiale argentine de l'Aéropostale, qui emploie Mermoz, dispose comme tête de pont d'un aérodrome créé de toutes pièces à la fin de 1927, à Pacheco. C'est à quarante kilomètres du centre-ville, dans la pampa. On y a un avant-goût du paysage qui s'étend sur des centaines de kilomètres à l'intérieur des terres et vers le sud depuis Buenos Aires : une plaine faite d'herbe courte et raboteuse complétée de taillis et, ici ou là, de bouquets d'arbres qui forment à peine de petits bois, ponctuée de fermes isolées et de troupeaux, sous un ciel sans fin parcouru de grands convois de nuages.

L'année 1928 est, pour l'essentiel, occupée à des voyages d'implantation du réseau, de ses escales. Aux commandes des Laté 25 ou 26, Mermoz montre le mouvement. Il faut d'abord rendre définitive et stable la liaison esquissée depuis novembre 1927 entre Buenos Aires et Rio de Janeiro. Montevideo, capitale de l'Uruguay, presque en face de Buenos Aires, sur le rio de la Plata, offre un terrain partagé avec les militaires. À Pelotas, dans l'État brésilien du Rio Grande do Sul, on est perdu au milieu d'une grande plaine sèche, presque une steppe, où le hangar et les baraquements de l'aéroplace, au carrefour de deux mauvais chemins, n'occupent guère plus de place que les bâtiments d'une quelconque *estancia*. À Porto Alegre, on baigne presque dans un grand lac ; à Florianopolis, l'installation est aussi frêle que la plupart des constructions du bourg. Enfin, à Santos, dans l'État plus ou moins irrédentiste de Sao Paulo, on se pose sur la plage. Une fois encore, l'aventure est donc au rendez-vous. Comme en Afrique, les pilotes se battent avec les vents côtiers, avec les brumes descendues du continent vers la mer. Ici, n'existe pas la menace des Maures pillards. En revanche, en cas de panne, tantôt l'équipage se trouve face à un relief côtier inhospitalier, tantôt au milieu d'épaisses forêts, tantôt sur des aires d'atterrissage éloignées de toute agglomération humaine. Grâce aux nouveaux avions, l'ancien système de relais d'aéroplace en aéroplace est abandonné. Le même pilote, parfois accompagné d'un mécanicien de bord outillé pour réparer le moteur en plein vol, parcourt sans être remplacé l'ensemble du trajet Buenos Aires-Rio ou retour. On entre dans une nouvelle ère de l'aviation postale : celle de l'endurance et du convoyage au long cours.

*

Les mots d'ordre de vitesse et de fluidité du trafic sont devenus encore plus impérieux depuis le 1er mars 1928. Ce jour-là, l'Aéropostale a inauguré son service postal continu depuis Toulouse jusqu'à Rio. Le courrier file par avion jusqu'à Dakar. Là, les hommes de peine transbordent les sacs scellés et étiquetés sur un aviso, un navire mince, facilement chahuté par la houle de l'Atlantique, qui traverse l'océan jusqu'à Natal en quatre jours et demi. À Natal, à la pointe nord-est du Brésil, l'avion reprend ses droits. Bien sûr, le même jour, le parcours inverse, Rio-Natal-Dakar-Casa-Toulouse, est aussi inauguré. On gagne ainsi six jours sur le transport maritime en échange d'une modeste surtaxe acquittée avec un timbre spécial apposé sur l'enveloppe... Certes, tout ne va pas toujours aussi vite : les avisos de l'Aéropostale, rachetés d'occasion à la Marine nationale, sont sujets à des pannes fréquentes. Mais c'est déjà le début d'une révolution.

Une révolution où l'apport de la TSF est essentiel, parce qu'elle permet le contrôle du trafic des avions, mais aussi la poursuite des vols une fois la nuit tombée. Mermoz apporte donc sa pierre à la conquête de la vitesse par le courrier quand, le 16 avril 1928, il effectue le premier vol de nuit entre Buenos Aires et Rio. Les deux capitales, aussi distantes sur une carte que le sont, en Europe, Paris et Moscou, sont reliées en moins de douze heures... Par bateau, du « Pain de sucre » au rio de la Plata, on met, au mieux, presque trois jours...

*

L'essentiel de la population brésilienne ou argentine suit ces aventures à travers les entrefilets des principaux journaux — qui ne manquent jamais d'annoncer la date et l'heure prévues du départ ou de l'arrivée des courriers de l'Aéropostale —, avec un sentiment exacerbé de fierté nationale. Les aviateurs qui parcourent le continent en tous sens, bien qu'étrangers, sont perçus par la population des grandes villes comme des magiciens qui aident chaque nation à découvrir l'immensité des terres à sa disposition et les trésors d'aventure que recèle leur exploration. L'aviation postale est un ferment du patriotisme local, et même du nationalisme.

Quand Costes et Le Brix avaient traversé l'Atlantique sud en octobre 1927, ils avaient été reçus comme des rois dans toutes les grandes villes du Brésil. Leurs portraits avaient fait la une des journaux ; à chaque escale, des dizaines de milliers d'enthousiastes s'étaient pressés autour de l'avion et de son équipage, dans une atmosphère proche de l'émeute. Au point que l'ambassade de France à Rio, qui, selon un témoin, trouvait que Costes était « un gros monsieur bouffi d'orgueil » et Le Brix « un petit officier de marine sournois et haineux », n'avait pu éviter de donner en leur honneur un grand dîner d'apparat avec toasts et discours. À son tour, Mermoz profite de l'enthousiasme patriotique des Argentins pour les exploits aériens. Lors de son vol transbrésilien d'avril 1928, il a pris deux journalistes à bord de son Laté 26. Résultat : l'exploit est raconté dès le lendemain dans les principaux journaux de Rio, et Mermoz commence à être sur le continent une figure populaire.

17

Au péril des airs

Cette ambiance, comme l'énergie avec laquelle l'Aéropostale est dirigée, sont de puissants leviers à l'expansion du réseau de la compagnie. Le 19 août 1928, Mermoz, avec à bord Collenot, son mécanicien préféré, et Julien Pranville, reconnaît le parcours aérien entre Rio de Janeiro, le Paraguay et la Bolivie. À cette occasion, il signe, sur Laté 26, la première traversée du Brésil d'une seule traite, en onze heures de vol, entre Rio et Porto Suarez, par-dessus le Mato Grosso.

Après l'escale de Porto Suarez, à la frontière bolivienne, Mermoz a pour mission de redescendre vers la capitale du Paraguay, Asuncion. Pour l'essentiel, le trajet doit s'effectuer au-dessus d'une forêt dense, coupée de marécages. C'est là que le moteur du Laté tombe en panne, victime d'une huile de mauvaise qualité. Mermoz parvient à poser l'avion au milieu d'une palmeraie, sans trop de dégâts. Mais il faut partir à la recherche de secours, dans une contrée inhospitalière. Collenot est laissé à la garde de l'appareil, Mermoz et Pranville, à pied, partent à la recherche d'une maison, d'un village. Les deux hommes pataugent dans les marécages. Le salut vient d'un village indien, où, après quelques palabres en espagnol, on leur prête une petite escorte et une sorte de char à bœufs. Dans cet équipage, ils retournent à l'avion, chargent le char de leurs bagages et, accompagnés de Collenot, s'en vont à la recherche du bourg le plus proche, situé sur le rio Paraguay.

Ils tombent alors sur une colonie minière allemande et un fortin paraguayen, où, malgré les dénégations de Mermoz — le seul à parler espagnol —, les trois Français sont pris pour des espions boliviens qui auraient franchi en douce la frontière. Que font-ils ici en pleine nuit ? Il faut des heures de palabres, l'intervention d'un directeur de la mine qui reconnaît Mermoz pour l'avoir croisé à Buenos Aires, pour qu'enfin on se décide, par télégraphe, à vérifier l'identité des trois hommes auprès de la légation française d'Asuncion. Alors le directeur de la mine part avec les prétendus espions pour Asuncion. Une vraie expédition : cinq jours, sur le rio Paraguay, en bateau à moteur, au cœur de la forêt, au milieu des tribus d'indiens.

Finalement, à Asuncion, tout semble s'arranger, grâce à la légation de France. On commande un moteur de rechange, des mécanos pour réparer l'avion. Trois jours plus tard, Collenot et Mermoz remontent le fleuve en sens inverse, avec leur moteur et leurs aides. C'est à nouveau une vraie expédition, car la chaudière ne fonctionne qu'au bois. Tous les cinquante kilomètres, il faut s'arrêter et faire provision pour ravitailler le navire, un vrai « sabot » selon Mermoz. Une semaine s'écoule ainsi. Cinq jours sont encore nécessaires pour que les mécanos changent le moteur, fassent la mise au point. Pendant ce temps-là, Mermoz, hôte d'une *estancia* voisine, se mue en personnage du Far West : à cheval, carabine en bandoulière, pistolet à la ceinture, il chasse le gibier local. Auprès de l'avion, on improvise d'énormes festins de viande. Il capture aussi le perroquet et le sanglier qui seront les hôtes de sa petite ménagerie, sur l'aérodrome de Buenos Aires.

Enfin, l'aventure s'achève. Après avoir fait tailler une piste entre les palmiers par les paysans du crû, on s'envole pour Asuncion, puis pour Buenos Aires. En souvenir, outre ses animaux, Mermoz rapporte d'énormes piqûres de moustiques, et les peaux de deux panthères abattues à la carabine. L'aviateur n'a pas été refroidi par son expédition involontaire dans la forêt tropicale. Trois jours plus tard, il est à nouveau dans les airs, entre Buenos Aires et Asuncion ; un jour encore, et il effectue la reconnaissance du trajet direct Asuncion-Rio.

*

Les mois s'écoulent, et chacun attend avec impatience que l'Aéropostale s'attaque aux Andes. Depuis des siècles, l'énorme massif montagneux, avec ses sommets qui culminent à sept mille mètres et ses cols à plus de quatre mille, défie la circulation des hommes entre le versant atlantique et le versant pacifique de l'Amérique du Sud. À la fin des années 1920, une seule voie de passage troue le massif, qui dévale à l'ouest vers l'océan et qui, depuis l'Argentine et la Bolivie, se dresse comme un mur au-dessus des plaines ou des sierras : celle, acrobatique, du chemin de fer transandin, qui serpente lentement de col en col entre Mendoza et Santiago du Chili.

Depuis le 10 avril 1928, par un contrat conclu avec le gouvernement chilien, l'Aéropostale a obtenu le monopole du transport du courrier et des messageries depuis l'Argentine jusqu'au Chili. À une condition : que les avions de la compagnie parviennent à ouvrir une liaison transandine avant la date fatidique du 10 août 1929. Plus les mois passent, et plus la pression s'accroît sur la compagnie française : tout occupés qu'ils sont à la consolidation du réseau sur le versant atlantique du continent, ne délaisse-t-elle pas son engagement ? Et pourtant il faut agir, être les premiers : en 1921, la première traversée aérienne des Andes, miraculeuse, ne fut-elle pas l'œuvre d'une Française intrépide, Adrienne Bolland ?

D'autres intérêts que celui du courrier poussent aussi à agir. L'attaché militaire français au Chili, le lieutenant-colonel Blaizot, inonde le ministre de l'Air français, André Laurent-Eynac, et son chef de cabinet, Louis Couhé, de notes sur les progrès accomplis, de ce côté-ci des Andes, par la concurrence étrangère, en particulier allemande et américaine. Depuis les États-Unis, *via* le Mexique et le Venezuela, il s'agit de créer une ligne méridienne qui, par le Pérou et la Bolivie, porterait le courrier international jusqu'à Santiago du Chili. Le 15 février 1929, Blaizot signale encore au ministre « le retard inexplicable apporté par la Compagnie générale Aéropostale à l'organisation du service entre Buenos Aires et Santiago ».

*

« Retard inexplicable » : facile à dire. Encore faut-il franchir les Andes, avec des avions dont le plafond ne dépasse guère les quatre mille mètres, par surcroît chargés de cent à cent cinquante kilos de courrier. Effet ou non des récriminations de Blaizot, à la mi-février 1929, l'Aéropostale prépare déjà des traversées d'essai. Reste à savoir par où passer.

Quel est, dans la perspective de l'exploitation d'une ligne régulière, le lieu idéal où franchir les Andes ? En novembre 1928, Mermoz a tenté une première traversée, qui a réussi. Mais il a dû contourner les Andes centrales et effectuer un détour de plus d'un millier de kilomètres. Pour base de départ, du côté argentin, le choix est limité à Mendoza, ville située au pied de la partie la plus étroite de la chaîne andine, où existe un aérodrome militaire bien équipé sur lequel l'Aéropostale, depuis octobre 1928, jouit d'un droit d'escale. De Mendoza à Santiago, en ligne droite, il n'y a que deux cents kilomètres à parcourir.

Mais voilà : la ligne droite est impraticable, sauf à passer entre deux sommets, El Plomo et El Tupungato, qui culminent, l'un à 6 050 mètres, l'autre à 6 570 mètres... Et, entre les deux sommets, il n'y a qu'une barre rectiligne de montagnes glacées où s'affrontent les vents opposés qui remontent chacun des versants de la Cordillère. Il faut donc chercher un ou plusieurs passages, en remontant les gorges du torrent Mendoza jusqu'à quatre mille mètres d'altitude, et en cherchant ensuite une voie vers le versant chilien en longeant, par le sud, les flancs du massif géant de l'Aconcagua, dont le sommet frôle les six mille mètres.

À moins qu'il faille renoncer à passer au plus étroit des Andes, et chercher une ou plusieurs routes, plus au sud ou plus au nord, là où la montagne est plus large, mais moins haute. C'est ce que tente à nouveau Jean Mermoz le 2 mars 1929. Avec Collenot pour mécanicien, il était parti en reconnaissance, trois jours plus tôt, au-dessus de la Patagonie. Là, il fait escale dans un petit port, San Antonio Oeste, où sa route croise celle du comte Henri de La Vaulx, président de la Fédération aéronautique internationale, l'autorité qui contrôle tous les records, toutes les performances accomplis par les pilotes du monde entier. La Vaulx est en tournée en Amérique latine. Partout, on le reçoit avec les égards dus à un ministre en voyage officiel.

*

L'idée naît-elle de la rencontre entre La Vaulx et Mermoz, ou bien ce dernier a-t-il reçu des instructions de la direction de l'Aéropostale ? En tout cas, les deux hommes décident de frapper l'opinion en partant, le 2 mars, à l'assaut des Andes. Mermoz a choisi de les franchir bien au sud de Santiago, selon une route de nord-ouest qui, au bout de la vallée du rio Negro, doit permettre à l'avion de franchir le massif dans un secteur où les sommets ne dépassent pas trois mille mètres, à la latitude du port chilien de Conception. C'est une échappée de mille kilomètres sans escale, avec, en fin de voyage, la perspective de la descente vertigineuse des Andes vers la mer, face aux vents qui remontent depuis l'océan. C'est à ce moment que survient une panne de carburateur. Il faut, en catastrophe, poser l'avion sur une étroite bande de terrain en déclivité, à quinze cents mètres d'altitude. Atterrissage réussi, sur moins de deux cents mètres. Mais la pente entraîne l'avion vers un ravin de sept cents mètres.

Mermoz a alors un réflexe, proprement héroïque, qui sauve l'avion et l'équipage : « ... j'ai pu, raconte-t-il plus tard à un ami, sauter en bas d'un bond et m'arc-boutant à la queue le faire dévier et le mettre en travers de la pente. Issue fatale en cas de non-réussite. » Cet exploit herculéen accompli — le Laté 25 en état de vol pèse environ deux tonnes —, l'équipage s'emploie à réparer le carburateur défaillant. La chose faite, il reprend sa route jusqu'à Conception, repérant, ici ou là, d'éventuels terrains où poser plus tard les courriers de l'Aéropostale.

À Santiago, le lendemain, La Vaulx et Mermoz sont accueillis en triomphateurs. La presse multiplie leurs portraits, et des récits, plus ou moins fantaisistes, circulent déjà, malgré eux, sur la panne survenue au débouché des Andes. Mais, pour Mermoz et Collenot, ces festivités improvisées ne sont qu'une pause dans un voyage encore long. Ils ont une mission à accomplir : reconnaître, sur les minces plaines littorales du Chili, d'autres sites pour y implanter des terrains d'atterrissage. Pendant six jours, ils explorent ainsi l'essentiel du Chili, jusqu'à leur ultime escale, Copiapo, un gros bourg au pied des Andes, à neuf cents kilomètres au nord de Santiago.

*

C'est de là que, le samedi 9 mars 1929, Mermoz et Collenot s'élancent pour trouver une nouvelle voie dans la Cordillère, par une route sud-sud-est qui, une fois passée la montagne, leur ouvrirait la route de San Juan, au nord de Mendoza.

Mais l'expédition tourne court, et prend très vite un tour tragique. Face à la muraille glacée des Andes, Mermoz, dont l'avion plafonne à quatre mille deux cents mètres, parvient après plusieurs approches à utiliser les vents porteurs montés du Pacifique pour franchir un col d'environ quatre mille cinq cents mètres. Il peut alors croire les Andes vaincues. Hélas, il n'en est rien. À peine franchi le col, le vent rabat l'avion vers les parois rocheuses scintillantes de neige. C'est le choc avec une plateforme caillouteuse et en pente, cernée de ravins vertigineux. L'avion fini par s'immobiliser, le nez tourné vers le ciel et la montagne, dans un concert de bruits peu réjouissants.

Au sol, les deux hommes ne peuvent que constater les dégâts : train d'atterrissage faussé et affaissé d'un côté, moteur, béquille et queue endommagés. Pour Collenot, il n'y a rien à faire. Voici le pilote et son mécanicien pris au piège : il fait entre moins dix et moins quinze degrés, il sont à quatre mille mètres d'altitude, à des lieues de toute vie humaine. Pour comble de malchance, ils ont laissé leurs vivres de secours à Copiapo.

Ils envisagent d'abord de rejoindre à pied la vallée par laquelle ils ont escaladé les Andes, au milieu des glaces et des rochers qui forment autant d'obstacles à leur progression. Projet illusoire : au bout d'une heure, les deux hommes ont franchi seulement quelques centaines de mètres. Ils respirent mal. Ils n'y arriveront jamais. Ils retournent à l'avion. Une seule solution : tenter de le réparer, et de repartir.

Pendant deux jours, jusqu'au 11 mars, malgré le froid mordant et la faim qui les tenaille, s'arrêtant parfois quelques heures pour dormir, serrés l'un contre l'autre dans la cabine du Laté, les deux hommes s'affairent pour réparer. Collenot puise dans toute sa science, et de la mécanique, et du bricolage, pour improviser des solutions. On consolide le train et la béquille avec des bouts de tissu et de caoutchouc. On répare le moteur et le radiateur avec d'autres rafistolages. Pour alléger l'avion en vue d'un redécollage, il est vidé de tout ce qui fait poids : réservoirs vides, tubulures inutiles, installation de la double commande, essence en excédent, sièges des passagers.

Au matin du troisième jour, épuisés, les deux hommes espèrent repartir. Encore quatre heures d'efforts, et le moteur démarre. Mais, tout de suite après, les tubulures du radiateur, remplies d'eau gelée, crèvent ; l'eau s'échappe de partout. À nouveau, ce sont des heures passées à colmater les trous, avec du fil de fer, de la colle, du vernis à peinture, des bouts de tissu, un peu du cuir des sièges. Pendant ce temps, Mermoz étudie le terrain. Car comment repartir : l'avion est encore trop fragile pour décoller sur le peu de terrain qui sépare l'endroit où il est posé du précipice. Il faudrait le hisser en haut de la pente où il s'est posé, au pied des pics, puis le retourner dans le sens de la pente, et enfin, compter sur celle-ci pour qu'il prenne assez de vitesse et puisse voler. Sinon, ce sera la chute, l'avion et l'équipage fracassés au fond du ravin.

Huit heures passent, jusqu'à la tombée de la nuit, à remonter l'avion. On s'aide du moteur, on pousse. Enfin, les cinq cents mètres de la pente sont parcourus. Mais, de nouveau, les tubulures du radiateur ont éclaté. C'est la nuit. On verra demain. Le quatrième jour de calvaire des deux aviateurs débute donc par une nouvelle séance de réparation du moteur de leur Laté.

Et puis, vers midi, vient l'instant fatidique : il faut tenter un décollage. Encore une affaire périlleuse : ils ont eu beau dégager la pente des cailloux qui pourraient faire capoter la machine, celle-ci est traversée de deux crevasses, l'une de six mètres de large, l'autre plus grande encore. Pour les passer, il faudra lever l'avion au-dessus de chaque obstacle et rebondir ensuite sur le sol — sans casser le train fragilisé quatre jours plus tôt. Mais Mermoz et Collenot ont-ils le choix ? Avec au ventre l'inquiétude qu'on imagine, Mermoz lance sa machine, l'œil rivé sur la piste improvisée. Et, par deux fois, il passe l'obstacle. Parvenu au bord du ravin, l'avion est pris dans un courant ascendant. Il vole. Il vole vers la paroi montagneuse d'en face ; un virage sur l'aile, et l'obstacle ultime est évité. La machine tient assez pour que le pilote retrouve le passage entre deux pics emprunté quatre jours plus tôt. Direction Copiapo. Trente minutes de vol, et, de nouveau, le radiateur casse. Le Laté rejoint finalement la plaine en vol plané.

Quelques jours plus tard, le 18 mars, après avoir rejoint Santiago, Mermoz et Collenot repartent pour la traversée des Andes, avec leur avion vraiment réparé. Cette fois, plus question de rechercher un passage inédit. Ils empruntent, au sud de l'Aconcagua, le trajet du chemin de fer transandin vers Mendoza. Ce sera désormais la voie de prédilection des aviateurs pour passer d'un côté à l'autre de la barrière rocheuse.

*

La réapparition, sains et saufs quoique « sonnés », des deux aviateurs perdus dans la montagne les hisse au rang de héros. La presse chilienne et argentine s'empare de leur aventure, la monte en épingle, au prix d'exagérations qui ne doivent rien à Mermoz et à Collenot. Par confusion entre la mésaventure du 2 mars et celle du 9 mars, on dépeint Mermoz arrêtant d'un coup de reins son avion emporté vers un ravin. La presse française s'y met à son tour.

Ces hommages flattent Mermoz, mais, sauf par un franc sourire sur les photos officielles, il n'en laisse rien paraître. Bien sûr, il accepte avec plaisir la médaille que les Argentins lui offrent pour le récompenser de ses exploits. Mais il garde la tête froide. Quelques semaines plus tard, dans une lettre à un ami, il résume sobrement ses multiples aventures dans la Cordillère : « beau voyage sportif de 8 000 kilomètres », et conclut : « vais repartir d'ici peu pour Copiapo puis probablement La Paz en Bolivie. Beaux voyages encore en perspective ».

*

L'Aéropostale tire sans délai les leçons des mésaventures andines de Mermoz. Le 11 avril, une lettre de Marcel Bouilloux-Lafont informe le ministre de l'Air à Paris que la compagnie a passé commande en France de plusieurs avions Potez 25 à moteurs Lorraine-Dietrich, capables de traverser les Andes grâce à leur plafond de vol de sept mille quatre cents mètres. « Aussitôt les Potez arrivés en Argentine, nous pensons entreprendre quelques vols de reconnaissance qui nous fixeront sur certains détails d'itinéraire sur lesquels nous sommes encore indécis. Nous pensons pouvoir, aussitôt après, entreprendre une exploitation régulière. » Le 4 mai, le chef de cabinet du ministre, Louis Couhé, informe l'Aéropostale, *via* l'attaché militaire français au Chili, que l'achat de quatre de ces appareils est autorisé par l'administration. Le temps de les acheminer et de les préparer, et voici les pilotes à l'entraînement sur ce modèle, bien connu des aviateurs militaires mais pas des pilotes civils.

Enfin, le 14 juillet 1929, une date qui n'a pas été choisie au hasard, c'est le grand jour : partis de Mendoza, Jean Mermoz et Henri Guillaumet, sur un des Potez, acheminent le premier courrier de la Ligne jusqu'à Santiago du Chili. Ils ont très exactement vingt-sept jours d'avance sur la date limite fixée à l'Aéropostale par le gouvernement chilien. Envolés de Mendoza entourés d'un parterre d'admirateurs, c'est au milieu d'une foule de reporters, d'officiels et d'amateurs enthousiastes qu'ils font atterrir le courrier à Santiago.

18

L'amitié, l'amour et l'aventure

Les péripéties du séjour sud-américain de Mermoz se déroulent dans une atmosphère empreinte d'amitié. Une amitié née des gestes quotidiens du métier, du partage des dangers et des joies des étapes, de la découverte commune de paysages terribles, grandioses et merveilleux, que les navigants de l'Aéropostale, souvent, sont les premiers à contempler depuis le ciel. En Amérique, Mermoz a retrouvé de vieilles connaissances : les pilotes Vanier ou Étienne, de nombreux mécaniciens. Mais les transformations de la compagnie et son expansion ont multiplié les emplois, et donc provoqué nombre de recrutements. Entre anciens et nouveaux, les amitiés sont sélectives. Au gré des convoyages, des pannes, des coups durs, les hommes se choisissent. Le plus souvent, autour de lui, Mermoz, par son ardeur et sa bravoure, fait lever l'admiration. Parfois, il cultive l'amitié vraie, profonde, indissoluble.

C'est le cas avec son mécanicien Collenot, un gaillard carré et calme, un technicien hors pair. Il n'a fallu que peu de semaines à Mermoz pour l'adopter comme compagnon de vol préféré, et, entre eux, l'amitié se cimente, en peu de mots, à travers les journées et les nuits passées en commun dans la carlingue. Il y a aussi les amitiés entre pilotes. De ce point de vue, le séjour de Mermoz en Amérique latine est celui de retrouvailles exceptionnelles, quoique tardives, avec deux camarades d'Afrique.

Le premier d'entre eux est Henri Guillaumet. Au début de 1929, il rejoint, avec son épouse, le réseau d'Amérique du Sud. Depuis l'époque où, sous l'uniforme, il partageait en célibataire la chambrée de Mermoz, il n'a guère changé — à peine s'est-il empâté. C'est toujours le même pilote réfléchi et prudent, aussi adversaire des risques extrêmes — surtout des risques mécaniques — que Mermoz les cultive au point de les défier, en poussant sa machine à fond. C'est toujours le même homme calme à la vie personnelle rangée, bon mari aux opinions modérées. Mermoz, le bouillant, et Guillaumet, le sage. Deux hommes complémentaires. C'est donc sans surprise qu'au printemps de 1929 Mermoz insiste pour que Guillaumet le rejoigne à l'Aeroposta Argentina. Il le veut à ses côtés pour lancer la ligne des Andes. Et, à partir de l'été, une fois la ligne en place, Guillaumet remplace Mermoz. Selon la formule qui circule parmi le personnel de la compagnie : « Mermoz défriche, Guillaumet laboure. »

Et puis, il y a Antoine de Saint-Exupéry. Le grand gaillard au regard de rêveur qui balance sur les terrains d'aviation sa silhouette faussement pataude est entré à la compagnie Latécoère en octobre 1926 — plus de deux ans après Mermoz, pourtant son cadet de dix-sept mois. Il a d'abord fait son apprentissage sur le tronçon Toulouse-Casablanca, sous la houlette de Guillaumet, alors que, déjà, Mermoz officiait entre Casablanca et Cap-Juby. Ils se sont alors parfois rencontrés. Tout de suite, Saint-Ex a admiré Mermoz, sa fougue, sa vigueur, sa simplicité dans l'action, sa modestie après l'exploit. Il a aimé converser avec lui, à Casablanca, à l'occasion de quelques « dégagements » entre pilotes de la compagnie, où le fils de la Thiérache a impressionné l'aristocrate bien élevé.

Ils se sont croisés à nouveau au début d'octobre 1927, quand Saint-Exupéry a été nommé chef d'escale à Cap-Juby, au moment où Mermoz achevait son temps sur l'« ancien réseau » et où, déjà, il devenait un aviateur recordman. En Amérique, leur éphémère rencontre a scellé pourtant une complicité irréversible. Saint-Ex, récent auteur d'un *Courrier Sud* composé à Cap-Juby et salué par la critique, débarque à Buenos Aires, à l'automne 1929, pour se préparer à prendre la succession de Mermoz comme « chef d'aéroplace ». Saint-Ex doit poursuivre, sur les traces de Jean, le défrichement de l'immense Patagonie, jusqu'à Rio Gallegos, dernier bourg planté dans la steppe australe avant la Terre de Feu.

*

En Amérique, s'il cultive l'amitié, Mermoz rencontre aussi l'amour. À l'été de 1928, il est en villégiature à Bahia (Salvador de Bahia), ses maisons multicolores accrochées sur les pentes de la ville, sa plage du *Jardim de Alà* ornée de cocotiers — une vraie carte postale, avec sable jaune et fortes vagues —, ses spécialités culinaires épicées marquées par la tradition africaine. Mermoz incarne une sorte de Tarzan aux cheveux clairs, au torse et à la taille pris dans un maillot qui met en valeur sa carrure exceptionnelle.

On lui présente une jeune fille d'une famille française établie à Recife, Gilberte Chazottes. Elle a tout juste dix-huit ans. De taille moyenne, parfaitement éduquée, elle est fine, brune et sportive, avec de grands yeux vifs. Sa fraîcheur et sa simplicité attirent Jean. Gilberte est, d'emblée, fascinée par la beauté, la gentillesse, la modestie de Mermoz. De rencontre en rencontre, une tendre inclination se noue entre la jeune fille et l'aviateur d'à peine vingt-sept ans. Puis, dès ses lettres de 1929, Mermoz confie son amour à sa mère. Il a trouvé la jeune fille qui lui convient, dont il sent qu'elle peut le rendre heureux. Elle ne doute pas qu'elle a rencontré l'homme de sa vie, fort, audacieux, rassurant, drôle et tendre à la fois. Officieusement, des fiançailles sont scellées. Quand il quittera l'Amérique du Sud en janvier 1930, Mermoz sera lié à Gilberte Chazottes par une promesse de mariage.

*

Enfin, depuis Buenos Aires, Mermoz cultive une amitié qui l'entraîne à concevoir de nouvelles aventures, plus grandioses encore que celles qu'il connaît au service de l'Aéropostale. Sur le *Groix*, en novembre 1927, il a rencontré un Russe émigré, de quelques années son aîné, Vsevolod de Martinoff — dit Vova.

De taille moyenne, trapu, le visage rond au-dessus d'un menton volontaire, le front déjà dégarni, le regard franc et vif, Martinoff est un officier des grenadiers de la Garde impériale qui, à la chute des tsars, en 1917, a continué le combat comme capitaine au 1er régiment d'infanterie de la Légion étrangère. Puis il a refait sa vie. Il vient en Amérique pour affaires, et sa destination finale est Buenos Aires. Pendant l'escale de Dakar, Mermoz et Martinoff font connaissance, et entrent en sympathie. Sur le

Groix, entre deux siestes de Mermoz, ils poursuivent ensuite des conversations au long cours. Séparés lors du débarquement à Rio, ils se retrouvent bientôt à Buenos Aires où ils partagent, chaque fois que leur métier le leur permet, journées à la plage et soirées au restaurant et en boîte de nuit.

Martinoff est depuis toujours un fanatique d'aviation et, encouragé par Mermoz, il apprend à piloter en aéro-club. Bientôt, Mermoz s'ouvre à lui, et des regrets qu'il conserve du semi-échec de son équipée d'octobre 1927 avec Negrin, et du désir, toujours aussi vif en lui, de tenter une grande traversée transatlantique qui consacrerait son nom et le ferait entrer dans la gloire. Peu à peu, entre les deux amis, prend forme l'idée d'un projet commun, d'une grande traversée dont ils partageraient les risques et les dangers : un Paris-New York, le premier au monde, qui, aussi, servirait les intérêts et le prestige de la France.

À la fin d'octobre 1928, Vova de Martinoff s'embarque pour la France sur le paquebot *Massilia*. À Paris, il devient l'ambassadeur du projet. Il cherche un avion et des appuis financiers et administratifs. Le contexte est favorable. Le ministère de l'Air créé en septembre 1928 a décidé de subventionner les constructeurs qui fabriquent des avions de record et de raid, et de primer largement — jusqu'à un million de francs dans certains cas — les équipages qui établiront, sous les couleurs françaises, des records mondiaux.

Dès les premiers jours de décembre 1928, Martinoff soumet à Mermoz, par lettre aérienne, les offres reçues d'une petite marque, la Société des Avions Bernard (SAB). Chez Bernard, on vit de séries limitées d'avions de transport commandés par la compagnie qui dessert l'Europe centrale et orientale, la CIDNA (Compagnie internationale de navigation aérienne), et de prototypes civils ou militaires achetés, pour voir, par les autorités militaires.

La firme vivote, trop au large dans ses installations de La Courneuve, en banlieue parisienne, parce qu'on y construit peu. Mais ses ingénieurs ne manquent pas d'idées. Ils ont sous la main un exemplaire d'une petite série prototype, le Bernard 91 GR (GR pour « grand raid »), un monoplan pas encore tout à fait au point, mais prometteur. Ils sont prêts à le confier à l'équipage qui saura le prendre en main, et qui financera les préparatifs d'un raid spectaculaire : achat de l'avion, du moteur, installation des équipements de bord.

Mermoz est tout de suite enthousiaste. Dès le début de décembre 1928, il envisage de tout plaquer en Amérique — il parle de démissionner de l'Aéropostale — pour rejoindre Martinoff et préparer un Paris-New York sur le Bernard. Mais les obstacles restent nombreux. Même si Mermoz se fait fort d'obtenir chez Hispano-Suiza et à Radio-Industrie, gratuitement, le moteur adapté et la TSF, encore faut-il trouver l'argent pour préacheter l'avion. Mermoz estime pouvoir emprunter cent mille francs qu'il est sûr, une fois le record accompli, de rembourser avec la prime promise par le ministère de l'Air.

Néanmoins, au début de 1929, en dépit des conversations menées avec le constructeur, les choses traînent. Pendant ce temps, Mermoz, ainsi qu'il l'écrit à Martinoff, retarde ses projets de traversée des Andes avec l'espoir qu'on l'appellera bientôt à Paris pour un nouveau destin. Dans l'intervalle, il multiplie les lettres de demande de soutien au ministre de l'Air, Laurent-Eynac, et se fait recommander par l'attaché militaire français en Argentine, le commandant Loubignac. Et il recommande à Martinoff de se spécialiser dans l'art de la navigation. Ils formeraient ainsi, à eux deux, un vrai équipage : le pilote qui tient la machine en main, le navigateur qui calcule la route et vérifie le tableau de marche.

En mars 1929, Mermoz met à profit sa rencontre avec Henri de La Vaulx, la plus haute autorité internationale en matière de sport aérien, pour défendre son projet. Car les nouvelles de Paris sont mauvaises. Le ministre de l'Air est de plus en plus réticent à autoriser des pilotes français à tenter de grands raids, considérés comme trop dangereux pour les équipages. Or, l'actualité, à ce moment, lui donne raison. Presque en même temps, partis chacun de son côté pour tenter un raid Paris-Saïgon, Le Brix et Costes (avec Paul Codos et Maurice Bellonte) échouent lamentablement, le premier au-dessus de la Birmanie, le second au décollage, à Dugny, au bout du terrain du Bourget. Dès lors, le ministre interdit officiellement toutes les tentatives de raid.

Entre deux vols au Paraguay, Mermoz, à peine remis de ses émotions andines, garde un temps l'espoir que La Vaulx, de retour en France, pourra infléchir le ministre en sa faveur, mais Martinoff, à Paris, évalue une proposition alternative. Les dirigeants des Avions Bernard, qui disposent de leur propre équipage d'essai, autour de Jean Assolant, ont réfléchi au moyen de tourner l'interdiction ministérielle : pourquoi ne pas réaliser le raid transatlantique dans l'autre sens, des États-Unis vers la France ? Il suffirait à Mermoz et à Martinoff de se joindre à Assolant. Pas question, tranche finalement Mermoz : ce ne serait qu'une réédition, deux ans après, de l'exploit de Lindbergh. Et puis, dans le sens Ouest-Est, la traversée n'aurait pas de sens d'un point de vue français, patriotique, celui que soutiennent les autorités.

Enfin, Mermoz, dont les récentes traversées de la Cordillère ont assuré la renommée, ne voit aucun intérêt à partager la gloire d'une première transatlantique française avec un confrère. Il se sent assez riche d'expérience pour être seul maître à bord, et imposer seul son nom et son talent.

Les deux amis renoncent. Finalement, Assolant, accompagné de Lefebvre et de Lotti, convoie clandestinement son Bernard par bateau jusqu'en Amérique, après l'avoir piloté sans autorisation jusqu'en Angleterre. D'une plage près de Boston, le 13 juin 1929, l'équipage décolle en direction de l'Europe, pour un vol de vingt-cinq heures qui, à défaut d'atteindre la France — par manque d'essence —, les conduit sur la plage cantabrique de Comillas, au nord-est de l'Espagne, à cinquante kilomètres à l'ouest de Santander. À ce moment, tous les projets de traversée France-États-Unis demeurent en suspens, comme autant de vols en pointillé.

Mermoz n'a perdu aucune de ses chances pour l'avenir. Comme il l'avait déjà écrit à Martinoff en mars, « je préparerai *de toutes façons* quelque chose cet hiver lors de mon retour en France » (pour congé). Jean a donc pris, déjà, rendez-vous avec l'avenir.

LA GLOIRE ET L'AMITIÉ

janvier 1930-mars 1931

19

Le grand projet

Le 20 janvier 1930, Jean Mermoz s'embarque pour la France sur le paquebot *Lutetia*. Devant lui s'ouvrent quelques semaines de congé. Il revoit sa mère, abreuvée de nouvelles depuis deux ans par ses nombreuses lettres, mais à qui il a encore tant à raconter. Il a laissé en Amérique une fiancée, des amis, mais ce n'est qu'un au revoir, car la compagnie lui réserve une mission de prestige, la première traversée par avion du courrier entre l'Afrique et le Brésil. C'est moins spectaculaire que réussir Paris-New York sur un avion de records — un exploit défendu — mais, si Mermoz franchit l'Atlantique dans les deux sens avec un équipage ordinaire et le courrier de tous les jours, la suprématie de l'Aéropostale sera établie pour longtemps.

Le moment est venu de surpasser des concurrents qui ne rendent pas les armes. Depuis l'été 1929, les échos, toujours plus insistants, se multiplient de la construction à Friedrichshaffen, sur le lac de Constance, d'un nouveau dirigeable géant Zeppelin, avec lequel les Allemands espèrent bien brûler la politesse aux Français du Brésil à l'Argentine. Ce projet a souffert de contretemps multiples, mais ses promoteurs affirment qu'ils seront prêts au printemps ou à l'été de 1930. Penché sur les cartes, chacun a fait le même calcul : si le Zeppelin en service postal a les mêmes performances qu'en vol d'essais, il reliera l'Allemagne au Brésil en six jours. Même quand ses avisos ne souffrent d'aucun retard, l'Aéropostale met au moins huit jours pour parcourir la Ligne jusqu'à Buenos Aires. Les éléments d'une compétition aiguë entre machines et équipages sont ainsi réunis, avec pour toile de fond les traditionnelles rivalités patriotiques.

C'est le genre de défi que Mermoz est toujours prêt à relever au nom de la France. Après son demi-échec d'octobre 1927 à Dakar puis l'annulation de sa traversée nord-atlantique, il lui offre aussi l'occasion d'une revanche sur le destin. Pour lui, qui préfère être son maître et diriger plutôt que n'être qu'un rouage, c'est une chance inespérée de graver pour toujours son nom sur les tables d'airain des « grandes premières » aériennes. Une chance inespérée car, en avançant d'emblée le nom de Mermoz, Daurat et Bouilloux-Lafont ont fait grincer bien des dents parmi les pilotes plus anciens qui pensaient que l'honneur devait leur revenir en premier. À l'heureux élu, désormais, de se montrer à la hauteur de la tâche.

*

En février 1930, voici donc Mermoz revenu à Toulouse-Montaudran, dans le petit bureau enfumé de Didier Daurat. Sur une table s'étalent les cartes de la traversée, des notes d'experts, des croquis d'avion qui résument les données du pari. Les techniciens de l'Aéropostale ont perdu patience devant les échecs ou les retards de tous les projets d'hydravions transatlantiques mis en chantier avec l'argent de l'État. Même chez Latécoère, fournisseur privilégié de la compagnie, les ingénieurs tâtonnent. Non pas qu'ils soient incapables. Mais les paramètres à prendre en compte pour réussir un gros hydravion sont innombrables, et se concilient mal entre eux. Il faut inventer des fuselages-coques très légers mais résistant aux houles les plus violentes, construire des ailes à grande portance mais à traînée réduite, trouver des propulseurs assez puissants et réguliers pour emporter l'ensemble, tout en consommant le moins possible. Tout est nouveau, tout doit être calculé et essayé maintes fois, et, à chaque échec, repensé et reconstruit de bout en bout.

En revanche, depuis quelques mois, l'Aéropostale reçoit de Latécoère, un par un, une série du dernier-né de ses avions à roues, le type « 28 ». C'est un monoplan équipé au départ d'un moteur Renault ou Hispano-Suiza de cinq cents chevaux, qui peut emporter jusqu'à huit passagers et le courrier, à plus de deux cents kilomètres à l'heure. Les équipages estiment déjà cette excellente machine, aisée à piloter, solide, qui brûle les étapes et met en confiance.

Alors, une idée a germé au sein de l'Aéropostale. Pourquoi ne pas remplacer les roues du Laté 28 par une paire de flotteurs, et doubler son rayon d'action en remplaçant ses passagers par de l'essence ? Avec des flotteurs, l'appareil répondrait plus ou moins à la réglementation française qui n'autorise les longues traversées maritimes qu'avec des hydravions. Certes, l'idée de mettre des flotteurs sur le Laté est une astuce technique parce que, normalement, seuls sont autorisés en pleine mer les « vrais » hydravions, dont le fuselage imite la coque d'un navire. Sur le Laté, les flotteurs seront implantés par des mâts sous le fuselage. On aura une sorte de gros avion à skis. Pour compenser leur poids et celui du carburant, on prévoit un moteur plus puissant, le dernier-né d'Hispano, qui donne six cents chevaux. Pour surpasser les concurrents, on s'achemine donc vers une formule technique bâtarde, en se disant que, bien vite, les hydravions-coques « normaux » prendront le relais du Laté 28 sur l'Atlantique.

Mais, pour la navigation, les solutions les plus novatrices seront utilisées. L'hydravion sera guidé par TSF à intervalles rapprochés, grâce à une série d'émetteurs-récepteurs basés à terre ou sur les avisos de la compagnie qui navigueront sous lui. Autres jalons : les phares et balises des îles du Cap-Vert au large de l'Afrique, de l'île de Fernando de Noronha et du rocher de Saint-Paul au large du Brésil. Daurat et Serre prévoient même que les navires de l'Aéropostale tourneront sur zone à l'approche de l'avion. En cas d'amerrissage forcé, ils se porteront sans délai au secours des aviateurs et du courrier. Dernier élément de sécurité : les navires de guerre ou de commerce qui sillonnent la mer en permanence, et qu'on préviendra. Le raid programmé de Mermoz n'a donc plus rien à voir avec le saut dans l'inconnu qu'il avait voulu tenter deux ans et demi plus tôt.

Néanmoins, des inconnues subsistent. Ainsi, le temps et les vents qu'on rencontre en l'air entre les îles du Cap-Vert et celle de Fernando de Noronha. C'est un « trou » de deux mille kilomètres — au moins douze heures de vol — dans lequel l'équipage devra s'engager avec pour seule arme la foi des conquérants. On sait seulement qu'au large du Brésil existe en permanence une vaste formation orageuse, riche en grains violents, haute de plusieurs milliers de mètres, au cœur de laquelle les boussoles s'affolent, où les postes de TSF crachotent en vain. Les marins l'appellent le « pot au noir ». Chaque fois qu'ils le peuvent, ils le contournent. Mais le « pot au noir » se déplace au-dessus de la mer. Pour les hommes de l'Aéropostale, il reste une énigme. Ils attendent de l'équipage Mermoz l'invention d'une route qui, dans l'avenir, permettra de déjouer ses périls.

*

Quels que soient les risques de la traversée, encore faut-il que le Laté 28.3 à flotteurs soit en mesure de l'entreprendre. C'est un prototype construit en peu de mois : sera-t-il à la hauteur des ambitions de ses créateurs ? Mars se passe en mises au point et en essais. L'appareil répond bien, mais il faut aussi persuader le ministère de l'Air que le voyage annoncé n'est pas trop téméraire. Des essais complémentaires sont imposés : on ne laissera partir l'équipage que si l'hydravion peut, en survolant des terres connues, franchir plus que les trois mille deux cents kilomètres qui séparent le Sénégal du Nordeste brésilien. Sinon, il faudra laisser le champ libre au Zeppelin.

Ce défi est relevé. Les 11 et 12 avril 1930, au-dessus de l'étang de Berre, tout près de la base d'Istres où Mermoz souffrit tant naguère, le Laté 28.3 parcourt en circuit fermé, sans se poser, plus de quatre mille trois cents kilomètres. Aux commandes, Jean Mermoz ; pour navigateur, Jean Dabry, un ancien de la Marine ; à la TSF, Léopold Gimié. Ils ressortent de l'avion épuisés, mais ravis. Par surcroît, ils viennent d'établir un nouveau record international. Quatre jours plus tard, le Laté est confié à un équipage officiel de la Marine, composé du lieutenant de vaisseau Paris et du maître principal Hébert. Ils volent sur quatre mille deux cents kilomètres en deux jours, avec cinq cents kilos de lest dans les soutes, plus qu'une charge normale de courrier.

Les derniers doutes de l'administration ainsi levés, l'équipage Mermoz, Dabry, Gimié se consacre aux derniers préparatifs. Il faut aussi baptiser l'avion, comme on le ferait d'un navire. Comme le président de la Fédération aéronautique internationale a perdu la vie en mars dans un accident, près de New York, on peint son nom en lettres d'or sur la carlingue rouge. Désormais, pour le monde entier, Mermoz est chef pilote du *Comte de La Vaulx*.

20

Histoire et fait divers

Les ultimes mises au point s'effectuent sous la pression de la presse et de l'opinion, car depuis que Guillaumet et Mermoz ont convoyé le premier courrier transandin, l'Aéropostale est devenue une grande cause française. En août 1929, la dernière émission d'obligations de la compagnie, renfort indispensable des recettes commerciales et des subventions publiques, a rencontré un succès immense. Les grandes banques et les épargnants se sont rués sur les bons d'emprunt. L'Aéropostale réalise ainsi sur son nom l'alliance de l'élan français outre-mer et d'une « confiance » portée au paroxysme. Elle incarne les dernières « Années Folles », et les meilleures heures de la politique rassurante du dernier gouvernement Poincaré.

La presse de centre droit et de droite s'est faite le héraut de la compagnie et de ses défis. Certes, le gros budget publicitaire de l'Aéropostale — plus de quatre cent mille francs par an — maintient le moral des journaux au beau fixe. Mais l'engouement pour « la Ligne » dépasse l'influence de l'argent sur certaines rédactions. Bien des journalistes sentent la charge émotionnelle contenue dans l'aventure de la Ligne, et sont conscients de ses composantes : du patriotisme (voire du nationalisme), de l'exotisme, du danger, de la technique et du sport — tout ce qui tient le public en haleine.

Cette ferveur renvoie aux réalités profondes de la France de 1930. On se plaît à voir les hommes de l'Aéropostale « en pleine bagarre » contre leurs rivaux étrangers — d'abord ces Allemands qui « relèvent la tête ». Ils sont aussi, de Casablanca à Port-Étienne, aux avant-postes de l'aventure coloniale, la fierté officielle du pays depuis la victoire « éternelle » de 1918. Leur fraternité face à des dangers lointains et imprévisibles prolonge le culte quotidien que le pays rend aux « poilus » de « la der des der ». À l'égal des cyclistes du Tour de France, ils luttent « contre la montre » sur chacune des « étapes » du parcours Toulouse-Santiago du Chili. En eux s'incarnent les valeurs viriles de l'effort, du dépassement de soi, propres aux sportifs d'exception.

Bientôt, la presse « populaire » en quête de grands tirages (*Le Matin, Le Journal*, le nouveau *Paris-Soir*) prend le relais des campagnes de la presse d'opinion (*Le Figaro, L'Ami du peuple, L'Echo de Paris*). Avec ses ventes millionnaires, elle diffuse dans la France profonde une mythologie cocardière résumée en quelques phrases par l'académicien Henri de Régnier dans *Le Figaro* le 14 janvier 1930 : « Le “courrier”. Écoutez les pilotes de l'Aéropostale en parler, et en parler avec une conviction impérieuse et mystique. Ils ont pour lui un de ces dévouements collectifs invincibles à un emblème, à un symbole, à une idole. Le “courrier est sacré” dit l'un deux, et il représente pour eux le devoir, le point d'honneur, une sorte de divinité mystérieuse à laquelle ils se dévouent corps et âme et qui fait d'eux des héros attachés jusqu'à la mort à leur consigne. »

L'Aéropostale est déjà un sujet littéraire. En janvier 1929, le jeune et prolifique journaliste Joseph Kessel, ancien aviateur de la Grande Guerre, se rend en reportage sur le parcours Casablanca-Dakar. Il a souhaité partager la vie quotidienne des hommes de la Ligne, depuis l'aube froide de Montaudran jusqu'aux berges torrides du fleuve Sénégal. Au cours de son équipée, il a partagé, épaule contre épaule, les carlingues des pilotes et les dancings des escales. Il a rapporté maints souvenirs émus, et des petits faits tantôt tragiques, tantôt drolatiques. De ce matériau « vécu », il tire d'abord une sorte de roman-feuilleton de gare au titre accrocheur, *Chez les fils du désert — récits d'aventures en pays maure*, une transposition du récit imagé, mi-écrit, mi-oral, que le pilote Marcel Reine et l'ingénieur radio Edouard Serre lui ont confié d'une longue captivité chez les Maures de juin à septembre 1928. Le dessin de couverture précise la tonalité de l'ouvrage : au bivouac, une danseuse du ventre prodigue son art devant une bande de Maures enturbannés et armés, réunis devant un feu de camp...

Puis, en août 1929, planté sur les falaises du cap Gris-Nez, à deux pas du rivage d'où, en 1909, Blériot s'envola pour la première victoire sur la Manche en avion, « Jeff » Kessel termine un second récit, *Vent de sable.* Dans un style imprégné d'une émotion sincère, il conte son Toulouse-Saint-Louis, et, mieux encore, les hommes et les lieux que la Ligne a placés sur sa route. L'ingénieur télégraphiste Edouard Serre, le pilote Émile Lécrivain (« Mimile » pour les copains, « Milou » pour les petites femmes de Casa), le mécanicien homosexuel et alcoolique « Toto », croqués au jour le jour, donnent du corps et de l'âme à une aventure où la mort rôde sans relâche. Les étendues du Rio de Oro, les escales de Juby, de Villa Cisneros, l'aérodrome pelé de Port-Étienne sont le théâtre de plein air et sans coulisses d'une guerre quotidienne contre les hasards de la panne, contre la fourberie des Maures et la lâcheté de certains Espagnols. Jeté au milieu des hommes de la Ligne, Kessel revit à leur contact la camaraderie « d'une escadrille de guerre », avec ses grandes heures et ses petites hontes. « Ils ne portaient pas d'uniforme, chacun était vêtu à son goût et selon ses moyens... Mais les différences avec ceux qui vécurent en escadrilles les années de guerre étaient toutes superficielles. Le même signe était sur eux, la même insouciance, la même habitude du danger et la même simplicité... Leur travail périlleux achevé, ils étaient nets de tout souci, hors celui de s'amuser. Et je ne sais quelle noblesse qui vient de fréquenter la mort et qui se grave sur les visages les plus frustes leur en donnait le droit, les distinguait des fêtards ordinaires qui les entouraient. »

Promis à un public plus restreint, mais plus relevé, par la prestigieuse couverture blanche à filet rouge de la NRF, le premier roman d'Antoine de Saint-Exupéry, qui fut « chef d'aéroplace » à Cap-Juby, est publié par Gallimard en juin 1929, quand Kessel peaufine son *Vent de sable.* Rédigé pour l'essentiel en 1928, donc avant le reportage de Kessel, *Courrier Sud* ne relate guère, sauf dans ses premières pages, la vie et les sensations *in situ* des hommes de la Ligne, même si le héros, l'aviateur Bernis, appartient à ses équipages. Il s'agit plutôt d'un récit psychologique. En son cœur se trouve néanmoins le désenchantement de la vie sociale « normale » éprouvé par le pilote revenu en France. Il est incapable d'aimer comme de satisfaire la femme qui l'attendait, à laquelle il n'avait cessé de penser, là-bas, aux escales du désert. À la fin du récit, Bernis connaît enfin la paix avec lui-même et l'accomplissement de son vrai destin, payé au prix le plus fort : le sacrifice de sa vie au service du courrier.

Parce que *Courrier Sud* suggère un arrière-plan empreint d'une mystique de l'aventure, l'ouvrage, bien que vendu seulement à six mille exemplaires en 1929-1930, provoque l'intérêt d'un public cultivé pour les « aventuriers » de la Ligne. Aristocrate mondain et introduit, Saint-Exupéry, lors de ses passages dans les cénacles parisiens, sait aussi, en vrai conteur, évoquer pour ses hôtes, entre la poire et le fromage, les figures de ses camarades.

*

Dès lors, tandis que Mermoz et ses compagnons s'échauffent pour la grande traversée, la France est prête à communier dans leur tentative, et à applaudir à leur exploit éventuel. Fidèle à lui-même, Mermoz, conscient de la charge qui repose sur lui dans ces jours de tension croissante, se plonge parmi ses proches. Il se confie longuement à sa mère, et, quelques jours avant le départ, il court en auto à Mainbressy pour quelques heures auprès de ses grands-parents Gillet. Comme s'ils sentaient d'avance venir l'exploit, les aéro-clubs sud-américains multiplient à ce moment même les hommages à distance au *vainqueur des Andes*. Un concours dans les journaux plébiscite son nom pour baptiser une marque de cigarettes...

Mermoz s'amuse de cet engouement, plus qu'il n'en tire gloire. Il est vrai, son esprit est retenu ailleurs. Il pèse le pour et le contre de la promesse faite à Gilberte, sa bien-aimée de Recife, de l'épouser au plus vite. Il se sent obligé d'envisager de voler moins quand il sera marié. Or toute sa vie est dans son métier. Alors, au détour de ses lettres à « Mangaby », il s'épanche, lui demande son avis...

*

Le destin envoie aussi à l'équipage quelques signes contraires. Selon Kessel, juste avant de quitter Paris, Mermoz aurait traversé malgré lui un drame intime. Maintenant qu'il est fiancé à Gilberte, et qu'il repart pour l'Amérique, il a voulu rompre avec la plus récente de ses maîtresses en titre. Ils ont épuisé leur dernière soirée, leur dernière nuit, en mots d'adieux et en ultimes étreintes. Mais, au petit matin, c'est un corps sans vie que Jean aurait trouvé auprès de lui, la jeune femme ayant préféré se donner la mort pendant qu'il dormait... Dans les lueurs vagues de l'aube, l'affaire aurait trouvé sa conclusion au commissariat du quartier où Max Delty, le vieil ami de la famille, assiste l'aviateur. Le jour même, Jean quitte Paris pour le Midi, où l'attendent son avion et ses équipiers.

Au même moment, une sinistre nouvelle se répand sur la Ligne, par le canal de la radio : pris dans une tempête, Élysée Negrin, naguère compagnon de Mermoz dans leur tentative avortée de traversée d'octobre 1927, et Julien Pranville, le « patron » de la Ligne en Amérique, ont fait naufrage le 28 avril au-dessus du rio de la Plata, alors qu'ils s'apprêtaient à atterrir à Montevideo. Ils se sont sacrifiés pour laisser leur minuscule canot de sauvetage à leurs passagers. Pendant quarante-huit heures, on a cru à un miracle, comme toujours en ces cas. Puis il a fallu se rendre à l'évidence. Alors, descendu à Saint-Louis dans le même avion que Mermoz et ses compagnons, Daurat a imposé à tous les employés de la Ligne, avec sa rugosité coutumière, une consigne absolue : pas un mot à l'équipage qui doit franchir l'Atlantique. Mermoz, Gimié et Dabry doivent s'envoler pour Dakar, certains que Pranville, de l'autre côté de l'eau, prépare le comité d'accueil.

*

La presse française et coloniale respecte la consigne. Pour autant, les ultimes préparatifs du Laté 28.3 et de son équipage n'échappent pas aux journalistes. Le 1er mai 1930, le chroniqueur de *Paris-Soir*, Gaston Raffalovitch, anticipe déjà sur le résultat de la tentative : « La Compagnie générale aéropostale rend une fois de plus un immense service à l'humanité en supprimant les distances et en rapprochant les peuples. »

Le 3 mai, quand Mermoz et ses équipiers — Jean Dabry et Léopold Gimié — s'envolent de Marignane, les chroniqueurs de *L'Ami du peuple* et du *Figaro* relèvent leurs escales hâtives à Casablanca, à Port-Étienne, puis à Saint-Louis. Le suspense s'accroît dans les jours suivants, pendant lesquels il ne se passe rien, ou à peu près. Logés dans une modeste auberge, les aviateurs attendent le prochain courrier pour prendre l'air ; ils attendent la nouvelle lune, sur laquelle ils comptent pour éclairer leur traversée nocturne de l'Océan. Pour alimenter sa rédaction en « papiers », le spécialiste de *L'Ami du peuple*, Marcel Reichel, en est réduit à broder sur les progrès récents du dirigeable Zeppelin et sur les paris ouverts, dans « les milieux anglais et américains » sur les chances respectives de l'avion et du dirigeable.

Une dimension de l'aventure échappe aux échotiers : l'immense optimisme et la foi en sa mission qui animent Jean et, selon le témoignage direct de Dabry, qu'il communique à ses équipiers, deux solides gaillards réputés pour leur sang-froid comme pour leur exactitude dans le travail.

21

La victoire sur l'Océan

Le lundi 12 mai, à 10 h 48, heure locale — une heure de plus à Paris —, la grande aventure commence. On a transbordé dans les flancs du *Comte de La Vaulx* les sacs du courrier expédié de Toulouse le dimanche à l'aube. Le canot qui a conduit l'équipage à l'hydravion ancré au milieu du fleuve Sénégal regagne la berge. À bord, après les derniers gestes d'adieu, un des équipiers verrouille la porte de la carlingue. À travers les vitres du poste de pilotage, on voit nettement Mermoz qui prend place aux commandes. Contact, derniers réglages et test du moteur. Sur la terre ferme, les spécialistes radio de l'hydrobase décryptent déjà les signaux envoyés par Gimié, qui règle ses appareils.

Puis le Laté 28.3 s'ébranle, alourdi à cinq tonnes et demie par ses réserves d'essence. Porté par le courant du fleuve, il court sur l'eau pendant plus d'une minute, jusqu'à ce que les flotteurs déjaugent. Il s'élève alors pesamment, franchit dans un grondement le grand pont qui barre l'estuaire, et vire enfin vers le large, sous le regard expert de Daurat, posté sur la berge, mégot au bec, chapeau en arrière, les mains tassées au fond de ses poches. Bientôt l'avion rouge rapetisse à l'horizon, devient un point quelconque entre la mer et le ciel. L'écho du moteur s'éteint. L'aventure commence ; elle durera vingt et une heures et trente-huit minutes.

*

Mermoz a laissé de ce vol un récit officiel sobre, excessivement modeste, où même la traversée du « pot au noir », relatée en termes d'aviateurs, prend les traits d'une simple péripétie. Mais quelques-uns de ses exposés ultérieurs, et le souvenir des témoins, éclairent plus crûment les dangers de la traversée. Les îles du Cap-Vert sont d'abord franchies sans encombre, et la route de l'avion, qui vole à cent cinquante mètres seulement au-dessus des flots, se poursuit sans encombre pendant six heures, guidée par l'émetteur de Saint-Louis, puis par celui du navire *Phocée*, survolé presque au ras des mâts.

Puis le soir vient. Des nuées plus hautes et denses contraignent maintenant l'équipage à voler à moins de cinquante mètres au-dessus d'une houle toujours plus forte. Commence alors, à une vitesse réduite, une navigation à l'estime, corrigée au sextant chaque fois que la lune veut bien se montrer entre les nuages. Relayé depuis le siège parisien de l'Aéropostale par les stations de la compagnie, Mermoz reçoit en plein vol un télégramme de sa mère. Comme toujours, c'est un message d'amour et de confiance. « J'en ai eu les larmes aux yeux... on se sent tellement protégé par la pensée de sa maman », confiera Jean quelques jours plus tard.

Vers vingt-deux heures GMT, après douze heures de vol, l'avion entre dans un grain si violent que la pluie inonde la carlingue par les interstices de l'habitacle et des vitres. C'est le « pot au noir ». Tout autour de lui, s'installe une obscurité sépulcrale. Le ventre de l'appareil frôle les vagues, une antenne radio, déroulée sous l'avion, est arrachée. Mermoz doit faire des détours. Il cherche comme à tâtons une autre route qui le libérerait de l'emprise du danger. Dans l'habitacle, les hommes sont englués dans une moiteur de serre chaude. De temps en temps, ils puisent dans leurs réserves de liquides ; l'eau et les jus de fruits y passent, puis ils doivent entamer une caisse de champagne, embarquée pour fêter l'arrivée.

Pendant presque deux heures, tandis que Mermoz tient un cap de nord-ouest pour contourner la tempête, le radio Gimié émet sans relâche en quête d'un signal en réponse, qui viendrait de la terre ou d'un navire. Mais ses messages se perdent dans l'éther. La solitude des aviateurs est absolue. Ils frôlent des flots noirs et glauques, prêts à les engloutir. Au-dessus, oppressante, c'est l'énorme masse des nuages qui crèvent en grains dont les gouttes rapides cinglent les tôles de la carlingue. Leur crépitement, mêlé au puissant ronflement du moteur, rend tout dialogue impossible. Les trois hommes échangent de brefs messages crayonnés par leurs mains en sueur.

Le visage tendu vers le mur de nuages, l'œil rivé sur l'éclairage orange des jauges et des indicateurs, comme arrimé aux commandes de direction et de profondeur, Mermoz sent, d'heure en heure, s'infiltrer en lui les vibrations de la machine, ses soubresauts face aux éléments. Il devine derrière lui le travail méticuleux de Dabry et Gimié, à demi dénudés à cause de la chaleur, penchés, l'un sur ses cartes et ses compas, l'autre vers les cadrans de ses émetteurs-récepteurs d'où sourdent des sifflements discontinus. Il perçoit aussi leur ombre, quand ils manœuvrent les pompes à main avec lesquelles, de temps en temps, ils amorcent la vidange d'un réservoir supplémentaire dans la « nourrice » du moteur.

L'air épais est saturé de relents d'huile chauffée, d'essence, et de l'odeur caractéristique de la tôle tiède. Par intervalles, le moteur subit des baisses de régime inquiétantes : la pluie diluvienne mouille les manches à air du carburateur, où l'on a omis de placer des grilles filtrantes. Une fois au moins, il manque de s'étouffer, puis reprend.

Enfin, le second navire balise, le *Bemtevi*, mouillé sous le rocher de Saint-Paul, reçoit les appels de l'avion et lui envoie sa position exacte, un peu dérivée par rapport au plan de vol initial. Encore une heure et demie de route et, dans la nuit noire, le *Comte de La Vaulx* survole l'îlot perdu dans l'Atlantique où scintillent les feux rouges et verts des balises et des navires. L'équipage est en l'air depuis quatorze heures. Un tiers de la distance reste à franchir.

C'est alors que les nuées se déchirent, sous la poussée d'un vent qui prend l'avion par travers arrière. Bientôt surgit la pleine lune, qui baigne l'habitacle d'ombres plus longues et d'une lumière grise. L'équipage recalcule son cap. Maintenant, le moteur tourne parfaitement. Les pupilles du pilote, agrandies par la veille nocturne, scrutent les indications du tableau de marche préparé avec soin avant le départ. Dabry fait le point au sextant. L'aube s'annonce à peine quand l'avion survole l'île inhospitalière de Fernando de Noronha, les bâtisses lourdes de son bagne, son phare immense. À sept heures trente, les nerfs se détendent un peu, car maintenant l'équipage reçoit les signaux radio de Natal : la terre ferme est à sa portée. Il faut bander ses dernières forces, tenir encore les commandes malgré la fatigue, ne pas trop penser à la fuite d'huile qu'on vient de découvrir et qui pourrait tout remettre en cause.

Enfin, dans un petit matin chatoyant, après l'ultime virage, Mermoz pose en douceur l'avion sur le rio Potengui, qui longe la ville et le port de Natal. Les flotteurs rejettent un double sillon d'eau vers les rives. L'hydravion est rapproché d'une berge. Le moteur est coupé. Le silence s'installe dans l'habitacle ; les trois compagnons se congratulent ; leurs regards fatigués brillent. Ils ont un ultime regard vers les cadrans éteints, vers les cartes marines froissées, vers les bouteilles de champagne éclusées jusqu'à la dernière pour combattre la soif.

Mais déjà, de grandes vedettes surmontées de dais en toile se rapprochent de l'appareil. Ils ouvrent la porte de la carlingue, dans laquelle se précipitent, portés par la brise du rio, des effluves tièdes et les cris mêlés des oiseaux de la rive. Sous leurs jambes alourdies par des heures de tension, les trois hommes sentent onduler l'eau calme qui baigne mollement les flotteurs de l'avion.

Ils sautent dans une des vedettes, encombrés de leurs petits bagages, la chevelure en désordre, les traits tirés. Mermoz, dans l'ouverture de sa combinaison de mécano froissée, a déjà, sur sa chemise blanche, renoué sa cravate noire. Comme ses camarades, il est pressé de questions par le comité d'accueil. Mais ce ne sont pas les questions auxquelles s'attendaient les héros du jour. Pour l'instant, ils doivent répondre à l'interrogatoire de la douane et de la police : d'où venez-vous, que transportez-vous à bord ? Enfin, une fois la rive rejointe, avec en arrière-plan la ville de Natal étagée sur sa montagne, le malentendu se dissipe.

Déjà, on décharge le courrier que, depuis le terrain de Natal, à quelques kilomètres de là, Raymond Vanier doit conduire jusqu'à Rio. Les regards des vainqueurs de l'Atlantique cherchent, au sein du petit groupe qui les entoure, la figure familière de Pranville, qui aurait dû préparer leur arrivée. Bientôt, il faudra tout leur dire. On leur parle déjà de repartir, depuis Natal, avec un autre avion, car Marcel Bouilloux-Lafont s'apprête à quitter Rio pour Montevideo et, à coups de télégrammes, met la dernière main à une tournée triomphale des aviateurs. Tandis que les cent trente kilos de lettres et de journaux convoyés depuis la France poursuivent leur chemin vers Buenos Aires, Rio et Santiago du Chili, il faut faire connaître à tout le continent que les Français sont, désormais, les maîtres du courrier entre l'Ancien et le Nouveau Monde.

22

La ferveur populaire

Mermoz et ses compagnons jouissent de quelques heures de liberté. Après s'être rafraîchis dans un hôtel de Natal, ils éprouvent un premier délice. C'est un déjeuner en petit comité et à la bonne franquette, au bout de l'estuaire du rio Potengui, dans la paillote d'un émigré français aux coudées franches, supposé être un ancien relégué du bagne de Cayenne, qui honore leur présence d'un drapeau tricolore planté sur son modeste toit et d'une *Marseillaise* crachotée par le pavillon de son phonographe.

Le lendemain, après une réception officielle à Natal, la grande tournée commence, sur un nouvel avion. Mermoz a juste le temps de faire une brève escale à Recife où il retrouve sa fiancée, Gilberte Chazottes, qui a vécu la grande traversée dans l'émoi qu'on imagine. La rencontre est brève, car Gilberte est sur le départ. Avec sa mère, elle doit s'embarquer sans retard sur le paquebot *Mendoza*, en direction de la France. Les fiancés renouvellent leurs vœux ; on évoque la date du mariage, qui devrait se faire en France. Les amoureux échafaudent aussi un plan selon lequel, aux commandes du *Comte de La Vaulx*, Mermoz ferait le voyage de retour de manière à rejoindre Dakar au moment même où le *Mendoza* viendrait mouiller devant la capitale du Sénégal. Ainsi Jean et Gilberte communieraient-ils, l'une sur les flots, l'autre dans les airs, dans la même passion du voyage. Mais à peine formulé, le projet prend l'eau : un télégramme officiel, arrivé le jour même de Paris, ordonne que les aviateurs attendent pour rentrer la prochaine nouvelle lune, c'est-à-dire le début de juin.

Il ne reste à Mermoz qu'à se laisser entraîner dans le tourbillon des hommages et des fêtes. Elles sont magnifiques. À Rio de Janeiro, le ban et l'arrière-ban de l'aviation brésilienne, et une foule compacte, accueillent les aviateurs sur un terrain survolé en tous sens, en rase-mottes, par des insensés du manche à balai. La presse locale couvre l'équipage de dithyrambes : « triomphateurs », « merveilleux héros », etc. Les médailles d'honneur, les décorations pleuvent. À chacun et à tous, il faut, sans cesse, répéter l'histoire d'un vol que, pour sa part, Mermoz juge très satisfaisant, presque sans histoire. Puis c'est Montevideo. Mermoz pilote maintenant en manteau de cuir, parce qu'on descend chaque jour un peu plus vers le sud, où déjà sévit l'hiver. Sur les clichés, ses traits semblent creusés par la fatigue accumulée à force de fêtes et d'heures de vol.

Au pied de son avion, dans la capitale de l'Uruguay, il est accueilli par Marcel Bouilloux-Lafont, qu'entoure la cohorte de ses adjoints. Le grand patron, d'ordinaire un vrai bloc de marbre, est terriblement ému. Il rayonne. Il ne doute plus que Mermoz est un fils supplémentaire et inattendu que la Providence lui a donné pour accomplir ses desseins.

Les aviateurs doivent se prêter à de nouvelles cérémonies. À Montevideo, on remet sur-le-champ à Mermoz une décoration dans un grand écrin ; il doit alors improviser un petit discours, un exercice où il n'excelle guère, car il n'aime pas parler de lui et donner l'impression de se mettre en avant. Il lui faut pourtant s'exécuter ; le voici, dans son grand manteau de cuir, les mains encombrées du présent, qui remercie tout le monde (ses équipiers, les techniciens de la compagnie), tel un de ces coureurs cyclistes qui, victorieux à l'étape, ne savent que dire « j'essaierai de faire mieux la prochaine fois ».

Cette corvée, à la demande de Bouilloux-Lafont, est suivie d'un séjour de cinq jours à Buenos Aires, au cours duquel il faut se montrer sans cesse à la presse. L'exploit des aviateurs français, leurs portraits, sont partout à la une, y compris dans *La Nacion*, l'organe officieux des milieux d'affaires, et dans la mouture locale du *Herald Tribune*. Dans l'unanimité des éloges, les initiés reconnaissent le savoir-faire du capitaine Almonacid, un Argentin engagé dans l'aviation française de 1914-1918, ami de Beppo de Massimi et directeur de l'Aeroposta Argentina.

Mais la ferveur de la presse est aussi l'écho d'un engouement plus général qui emporte la population de Buenos Aires. Partout où Mermoz apparaît — dans les halls d'hôtel, dans les restaurants — c'est la cohue des coureurs d'autographes, mais aussi des simples passants qui, l'ayant reconnu d'après les portraits de presse, tiennent à lui serrer la main, à le serrer contre eux, à échanger avec lui un regard ; c'est enfin, dans le regard des femmes, des jeunes filles, ces lueurs de velours où se lit sans peine l'hommage muet qu'elles rendent à la virilité du vainqueur de l'Océan. Des sculpteurs se proposent pour figer les traits du héros dans la glaise, en attendant le marbre ou le bronze. Une souscription circule pour demander l'édification d'un monument dédié aux aviateurs français.

Ces hommages et ce battage dépassent les ambitions publicitaires de l'Aéropostale, mais viennent à point nommé : comme l'avoue Mermoz lui-même, Marcel Bouilloux-Lafont, en bon chef d'entreprise, veut absolument effacer l'impression négative laissée en Argentine par la disparition récente de Negrin et Pranville. Mermoz figurait déjà, à travers le continent latino-américain, le héros intrépide. Désormais, il entre dans la gloire et devient un personnage de légende. Plus que l'entreprise qui l'emploie, plus que la présence française sur le continent, il symbolise pour le grand public l'aventure au quotidien qui s'incarne dans la puissance mécanique de l'avion, et qui colle avec l'image de pays ouverts et modernes que les républiques latines d'Amérique entretiennent d'elles-mêmes.

*

L'émotion indescriptible qui s'est emparée des âmes d'outre-Atlantique a son écho dans le retentissement rencontré en France par l'exploit des 12 et 13 mai 1930. Le ministre de l'Air André Laurent-Eynac, Auvergnat jovial et cocardier, a suivi la traversée heure par heure grâce à la TSF. Aussitôt informé de son succès, il se fend d'un télégramme ému de « chaleureuses félicitations » au « valeureux équipage » pour le « premier magnifique voyage commercial au-dessus de l'Atlantique » : « j'applaudis de tout cœur succès éclatant dû brillantes qualités professionnelles », conclut le ministre.

L'Ami du peuple et *Le Figaro*, qui appartiennent tous deux au magnat des parfums, François Coty, un « fana » d'aviation, sont, à Paris, les quotidiens les plus empressés à afficher l'exploit à leurs unes barrées d'énormes titres, soulignées de photos de

Mermoz. Pour *L'Ami du peuple*, c'est « une grande date dans l'histoire de la conquête de l'air », et même « une date impérissable ». Le rédacteur Marcel Reichel salue la réussite d'un « appareil français », d'« une compagnie française », alors que, dans d'autres domaines, la France, « toujours en tête du progrès scientifique... s'est si souvent laissé devancer dans le domaine des réalisations pratiques et commerciales ». Pour *Le Figaro*, « Jean Mermoz vient de réaliser un exploit commercial qui aura dans le monde entier un immense retentissement ». « La liaison établie par Jean Mermoz est aujourd'hui une promesse » car bientôt « ce voyage foudroyant de quelques messages de Paris pour les cités ensoleillées de l'Amérique du Sud sera d'ordre courant ». Pour Georges Raffalovitch, le chroniqueur de *Paris-Soir*, il faut, « chers lecteurs », « mettre chapeau bas » devant Mermoz, Dabry et Gimié — ce dernier qualifié néanmoins de « mécano » alors qu'il est radiotélégraphiste... Un des plus gros tirages de Paris, *Le Matin*, fait revivre à ses lecteurs chaque épisode de la traversée, grâce aux copies de quelques-uns des télégrammes échangés par l'avion et les émetteurs de l'Aéropostale.

Une fois passée l'heure des « scoops », les journalistes s'attardent, pendant plusieurs jours, sur les détails techniques de l'équipée ; ils vantent sans restriction l'avion Latécoère ou le « magnifique » moteur Hispano-Suiza.

Pour toute la presse, désormais, une question demeure en suspens : quand pourra-t-on, de Dakar à Paris, fêter les héros de l'Atlantique sud ? Les rédacteurs pressent l'équipage de revenir au plus vite aux commandes de son avion et de leur faire revivre, au Bourget, les moments de liesse intense qui, vingt-six mois plus tôt, avaient accompagné l'atterrissage de Charles Lindbergh. Au milieu de ce concert de louanges, ils en oublient presque, le 18 mai, de souligner le départ du dirigeable Zeppelin pour sa première croisière. Par avance, Mermoz n'a-t-il pas déjà battu l'engin qui symbolise l'esprit « revanchard » des vaincus de 1918 ?

23

Les limites de l'exploit

Pour mériter pleinement le triomphe qu'on leur promet à Paris, Mermoz et ses camarades doivent franchir un dernier obstacle : parcourir, aux commandes du *Comte de La Vaulx*, la distance de retour, entre Natal et Dakar. Car la grande traversée de mai, au-delà de l'exploit — ce n'est pas la première fois qu'on traverse l'Atlantique sud en avion —, n'acquiert tout son sens qu'à une condition : être, selon la formule de *L'Ami du peuple*, la première édition « d'un service régulier officiel que les avions et les hydravions de la Compagnie générale aéropostale effectueront désormais toutes les semaines ». Mermoz en est le premier persuadé.

D'où sa volonté initiale, dès l'amerrissage à Natal, d'en finir avec les mondanités publicitaires et de préparer le Laté à sa croisière de retour. Il se conforme là à une superstition répandue chez ceux qui font de l'aventure un métier : quand la bonne fortune passe à portée de main, il faut, non seulement la saisir, mais aussi la retenir. D'où son mécontentement, qu'il confie par lettre à sa mère, quand, le lendemain même de son exploit, on lui a interdit de s'élancer sur l'océan avant le retour favorable de la nouvelle lune, quelques semaines plus tard. Puis, dans l'équipée qui l'a conduit jusqu'à Buenos Aires de triomphe en triomphe et de fête en fête, il n'oublie pas son rendez-vous avec la lune, fixé au vendredi 8 juin.

Il sait aussi qu'en réalisant la traversée de retour il signera un double exploit. Celui, « commercial », du transport du courrier de retour, que chacun attend de lui ; mais aussi un autre, plus « sportif » : car aucun aviateur n'a, à ce jour, réussi à traverser sans escale l'Atlantique sud dans le sens Amérique-Afrique.

À double exploit possible, double responsabilité. Et celle-ci est encore accrue par le dynamisme de la compagnie. À Marignane, près de Marseille, l'Aéropostale a réuni une grosse équipe technique sur son « hydrobase », l'étang de Berre. Aiguillonnée sans relâche par Daurat, venu de Toulouse tout exprès, elle poursuit la finition et la mise au point d'une première série de cinq hydravions à flotteurs du type Laté 28.3. Cette ardeur mécanique n'a qu'un but : dès que Mermoz aura réussi sa croisière de retour, le service aérien régulier sur l'Atlantique sud pourra démarrer, à raison d'un vol dans chaque sens par semaine.

*

Le *Comte de La Vaulx* — « l'hydravion terrestre », comme l'appellent les journalistes, faute de vocable mieux approprié — est resté à Natal, où on l'a hissé sur un berceau protecteur et remisé dans un hangar. Mermoz et ses équipiers rejoignent Natal et le rio Potengui dans les derniers jours de mai. Une équipe de mécanos est déjà sur place, avec du matériel, une vedette et des automobiles. Au programme : révision de détail et essais approfondis du Laté, dans la fournaise du climat équatorial. Mermoz surveille le chantier de très près, en bon chef de bord. L'impatience gagne toute l'équipe, mais les essais de décollage à charge réduite, tous réussis, soutiennent l'optimisme.

Le 8 juin à sept heures et demie du soir, l'équipage du *Comte de La Vaulx* voit atterrir sur l'aérodrome de Natal l'avion conduit par Éloi Ville, qui apporte le courrier en route pour la France. Le temps qu'une camionnette apporte les précieux sacs postaux jusqu'au plan d'eau où l'hydravion attend, et les derniers préparatifs sont bouclés.

Viennent alors les gestes coutumiers d'un départ : contact, essais du moteur au point fixe, et puis Mermoz actionne la manette des gaz, les gouvernes calées pour appuyer l'avion sur le vent. Mais il faut vite déchanter : l'appareil refuse de décoller. Pire : les flotteurs restent au point mort dans le fil du fleuve, comme si l'avion était trop lourd, et Mermoz, d'une manœuvre habile, évite le chavirage au moment où le flotteur gauche s'enfonce dans l'eau. Pour le pilote, c'est un incident mineur ; il sent bien que le vent joue contre l'avion, mais il estime aussi qu'il parviendra quand même à l'enlever. Mais rien n'y fait. À deux heures du matin, après huit tentatives, l'avion est toujours encalminé au milieu du rio Potengui.

C'est le début d'un interminable feuilleton, d'une suite d'échecs où le vent contraire, le courant trop faible du fleuve, la température de l'air et l'humidité, et bien sûr la malchance, se liguent contre le départ de l'avion rouge au capot doré. Dès le 9 juin, à cinq heures du matin, tout le monde se remet au travail, vers midi, on en est à seize échecs ; douze heures plus tard, alors que la nuit est déjà avancée, Mermoz échoue dans sa vingt-troisième tentative. Le 10 juin à seize heures, après son trente-cinquième essai, Mermoz renonce. Pourtant, il a tout essayé : décollage dans le sens du courant, à l'envers, en travers, depuis l'amont de l'estuaire, ou presque en mer, avec des réservoirs pleins ou après les avoir allégés. Rien n'y fait. « La mort dans l'âme et dans l'incapacité absolue de faire quoi que ce soit d'autre », selon ses propres termes, Jean laisse le courrier partir pour Dakar par l'aviso.

Pour lui, ce n'est là que partie remise. Il a établi son diagnostic : l'avion lui-même est parfait, c'est le plan d'eau qui ne convient pas. Il passe la matinée du 11 juin à chercher un lieu plus propice au départ. Il trouve une lagune à soixante kilomètres au nord de Natal, où le clapotis lui semble favorable au déjaugeage des flotteurs de l'hydravion et où la brise dominante est de nord-est, l'idéal pour décoller. Sans délai, le *Comte de La Vaulx* et le matériel nécessaire sont transportés là, l'un par la voie des airs, les autres par la route. Le calendrier lui semble favorable. Le prochain courrier doit quitter l'Amérique le 16 juin. D'ici là...

À ce moment, tout se complique. Alerté par de menus incidents survenus sur les appareils de la même série que celui de Mermoz au cours d'essais à Marignane, le ministère de l'Air, depuis Paris, interdit tout décollage. Il exige une modification préalable des flotteurs. Pas question de passer outre : un avion dépourvu d'autorisation de vol n'est plus assuré contre aucun risque. Daurat, prévenu de son côté, fait l'impossible. Mais il faut quand même attendre l'aube du 15 juin pour qu'un ingénieur, Pierre Larcher, muni de l'équipement nécessaire, saute dans un avion pour Dakar, puis s'embarque en urgence sur le premier aviso de la Ligne appelé à traverser la mer. Le rendez-vous du 16 juin est donc complètement manqué. On rapporte l'hydravion, le matériel et l'équipe sur l'hydrobase du rio Potengui.

Comme la traversée jusqu'à Natal prend une centaine d'heures, Larcher, l'ingénieur miracle, ne rejoint que le 20 juin l'équipe Mermoz, où règne une atmosphère à couper au couteau. Tout le monde a les nerfs à vif. De plus, Mermoz ne croit pas aux vertus des modifications qu'on impose à l'avion ; forcé de les accepter, il ronge son frein, et attend. Ces journées pénibles, où tout le monde travaille d'arrache-pied pour hâter le grand départ, ont pour cadre un décor sinistre. Afin de gagner du temps, on renonce à loger à Natal. L'équipe occupe une maison misérable en bordure du fleuve, où le mobilier se réduit à quelques caisses et à des hamacs, et où, dans un air étouffant, on lutte chaque nuit contre les moustiques.

*

La veille de l'interdiction de vol du Laté lancée par Paris, une nouvelle angoissante est venue, par la TSF, épaissir davantage l'atmosphère : Henri Guillaumet a disparu dans les Andes. La veille, le chef pilote avait, comme chaque semaine, pris l'air à Santiago pour convoyer le courrier vers Rio. Une tempête le force à délaisser l'itinéraire convenu qui suit la ligne du chemin de fer transandin. Il oblique vers le sud et, de vallée en vallée, franchit le cœur de la Cordillère au sud du volcan Maïpu, cent kilomètres au sud de la route normale. Un courant rabat alors son biplan en bois vers une longue mer de neige et de glace, la Laguna Diamante.

L'avion capote et se retourne à 3000 mètres d'altitude. Sonné, mais sauvé grâce à une chute amortie par la neige, le pilote attend les secours, forcément avertis par son retard à Mendoza. Mais ceux-ci, que Saint-Exupéry dirige depuis les airs, ne voient pas le pilote en détresse et qui, pour échapper au désert glacé, entreprend un périple surhumain en direction de la vallée. Il erre six jours et endure tout : le froid, la fatigue, les chutes sur la neige gelée, et, comme il a perdu ses provisions, la faim et la soif. À demi mort, il est sauvé le 19 juillet par des paysans, après avoir parcouru des dizaines de kilomètres. Le même jour, Saint-Exupéry le rapatrie en avion à Mendoza.

L'équipe qui attend sur le rio Potengui, tenue en haleine par la radio du Laté et par les messages captés par l'hydrobase de Natal, a partagé d'abord l'angoisse, puis le soulagement de ces journées. Mermoz ne peut rien faire pour l'ami qui souffre à sept mille kilomètres de là. Tout au moins peut-il, dans une lettre, lui communiquer sa peur de le perdre, et la joie de le savoir sauvé de la montagne : « Je savais bien que tu nous reviendrais... Il faut que notre fraternelle amitié nous unisse encore longtemps. Tes efforts et les luttes futures ne sont pas terminés... Sois prudent. »

*

Les modifications de l'hydravion sont effectuées en moins de quinze jours — un temps record —, mais Mermoz reste sur des charbons ardents, car il lui faut maintenant patienter jusqu'à la « remontée » du courrier depuis Santiago, Buenos Aires et Rio. C'est Barbier qui l'apporte à Natal dans la nuit du 6 au 7 juillet, et, au petit matin, chacun est enfin paré à son poste pour le grand voyage de retour. Mais il faut bien se rendre à l'évidence : avec ou sans modification des flotteurs, le *Comte de La Vaulx* est incapable de décoller du rio Potengui, comme l'attestent, dans la seule journée du 7 juillet, onze tentatives infructueuses de départ.

Épuisé, en sueur, Mermoz tente alors le tout pour le tout. Il décide de transporter toute l'équipe sur la lagune repérée quelques semaines plus tôt, là où il a vu l'eau s'ourler de rides propices au déjaugeage, sous l'effet d'un vent bien orienté. Mais, ici aussi, la malchance rôde. Voilà que le vent se met à tourner du sud-est à l'ouest ; pas de quoi « s'accrocher » pour partir, puisqu'on aura le vent dans le dos. Et puis, cette fois-ci, la lagune présente une surface huileuse, sans vagues, peu propice au déjaugeage des flotteurs. Pourtant, Mermoz pense à sa mission et il donne l'ordre du départ. Dans la matinée du 8 juillet, il fait six tentatives de départ. Six échecs de plus, soit cinquante-deux en un mois...

Prévenue par TSF, la direction technique de l'Aéropostale souhaite arrêter les frais ; elle fait envoyer à Mermoz, par la voie hiérarchique, l'ordre de remettre le courrier au bateau. Cette nouvelle parvient à l'équipage par Gimié, qui a capté en douce le message sur le poste de bord de l'hydravion. Pour toute l'équipe, c'est un déchirement. Mermoz comprend qu'il va devoir lui aussi regagner la France par la mer, car il doit rejoindre à Paris sa fiancée et « Mangaby » : il doit se marier, on l'attend là-bas avec impatience.

Mais, dans l'après-midi du 8 juillet, le vent change et se remet au sud-est. Alors Mermoz décide de partir quand même, sans attendre qu'on lui remette en mains propres le télégramme qui veut l'arrêter. Et, comme par miracle, à sa cinquante-troisième tentative, le *Comte de La Vaulx* prend l'air en soixante-dix secondes. Cap à l'est, vers l'Afrique. L'honneur est sauf, les trente jours passés au milieu des moustiques semblent effacés.

À nouveau, c'est l'ambiance tendue et concentrée du poste de pilotage, les regards qui surveillent les jauges et les cadrans, le profil du pilote qui suit sa route par la vitre ouverte de l'habitacle. Le temps n'est pas bon, mais qu'importe, car tout va bien à bord. Pourtant, il pleut fort, la lune se dérobe, et Mermoz, gêné par les flammèches rouges jaillies des pots d'échappement, doit renoncer à chercher sa route au-dessus de la mer en mettant le nez à la fenêtre.

Avant minuit, dans une succession de grains encore plus violents qu'à l'aller, le « pot au noir » est déjoué, le ciel s'ouvre, c'est la nuit noire. Au-dessus d'une mer apaisée, l'avion contourne le rocher de Saint-Paul, puis frôle la masse illuminée d'un paquebot en fête. Un seul petit détail cloche : le pare-brise se couvre peu à peu de projections d'huile.

Comme le moteur « répond » bien, Mermoz croit, des heures durant, que l'incident est sans importance. Mais, peu après six heures du matin, le jour se lève et, comme le notera Mermoz, « l'aube me fit entrevoir toute l'importance du désastre ». La fuite est considérable, les projections d'huile ont même envahi l'habitacle. Les hommes transvasent un bidon de secours, mais il est devenu impossible, tant la fuite est large, de rejoindre Dakar, qui est encore à sept ou huit heures de vol.

Alors, à travers le poste de Léopold Gimié, un dialogue télégraphique haletant s'établit avec le *Phocée*, le navire de secours le plus proche qui, à toute vapeur, vient à la rencontre de l'avion. À dix heures, les aviateurs aperçoivent le panache de fumée de l'aviso ; le sauvetage va commencer.

L'hydravion survole l'étroit navire secoué en tous sens par

une mer démontée. Les marins ont mis à l'eau des embarcations de secours. Jouant des vagues et allant contre le vent dans le même sens que le navire, Mermoz parvient à amerrir sans casse le petit hydravion. Des filins sont jetés entre une chaloupe et les équipiers du *Comte de La Vaulx*. On s'arrime, on transvase le courrier, non sans, chaque fois, risquer d'être englouti par les vagues énormes. Une aile de l'hydravion commence à s'enfoncer dans la houle, parce que l'attache d'un flotteur a fléchi dans l'amerrissage. Les filins tractent l'appareil pour le mettre bord à bord du navire. Mermoz, perché sur le flotteur intact, évacue l'appareil le dernier. Et voici les trois hommes hissés sains et saufs sur le *Phocée*. Ils contemplent alors l'hydravion qui prend de la gîte, assailli par les vagues trop puissantes. Ils doivent se résigner à le voir chavirer, puis sombrer.

*

Malgré l'échec de leur traversée de retour, Mermoz et ses camarades sont fêtés à Dakar, puis à Paris. On honore en eux les navigateurs assez téméraires pour avoir tenté un voyage réputé impossible, mais aussi les rescapés d'un naufrage où l'habileté des sauveteurs du *Phocée* et une chance inouïe sont venues en renfort de leur sang-froid pour leur faire échapper à la mort. Fin juillet, Mermoz est promu officier de la Légion d'honneur, Gimié et Dabry sont fait chevaliers. Mais si la France officielle tient à saluer avec ferveur l'équipage du *Comte de La Vaulx*, cette fois, la presse française éprise d'aviation commente sobrement, et les péripéties de l'envolée, et son échec. Avant même que Mermoz ne réussisse enfin à faire décoller sa machine, certains quotidiens ont donné à son retard des motifs fantaisistes. Ils invoquent tour à tour une « météo exécrable », puis « une hélice faussée », à nouveau le mauvais temps. Bien sûr, les journalistes ne peuvent sans dérouter leurs lecteurs imputer un si long retard aux caprices de la brise, à des flotteurs défaillants, à une malchance chronique. Ils avaient, en mai, clamé haut et fort que la traversée du *Comte de La Vaulx* inaugurait une ligne commerciale régulière. Il leur est maintenant impossible de se déjuger et de présenter l'aventure pour ce qu'elle était : un pari hasardeux lancé à la limite des possibilités de la technique et des hommes.

24

Amitié et amours

Le 12 juillet, Jean Mermoz regagne la France où l'attendent « Mangaby » et Gilberte. Quelques jours après son arrivée, un faux hasard lui fait rencontrer Joseph Kessel. Fidèle à une œuvre où il s'implique volontiers, l'écrivain n'a cessé, depuis *Vent de sable*, de partager des soirées bien remplies avec quelques-uns des pilotes de l'Aéropostale côtoyés jadis sur la Ligne. Cette fidélité lui vaut un jour d'être présenté à Mermoz, à l'occasion d'un dîner d'aviateurs dans un restaurant du côté de Montparnasse.

Kessel aime transformer ceux qu'il rencontre en légendes littéraires, et, en Mermoz, il devine tout de suite l'incarnation d'un idéal. Cela relève du coup de foudre : « Ses traits, sa stature m'étaient inconnus. Mais... comment était-il possible de ne pas reconnaître sur-le-champ sa nature et sa fonction. Ce n'était pas un homme ni un pilote comme les autres. Il portait sur lui le reflet des éléments de l'espace. Il semblait oint par l'huile et poudré par le pollen du monde. » Kessel s'emploie tout de suite à placer sous le charme de ses mots « ce vainqueur, ce conquérant, cette apparition mythologique ». Il lui parle des hommes de la Ligne qui furent jadis ses camarades d'une semaine, mais qui, depuis des années, sont pour Mermoz comme des frères.

C'est comme s'il avait fait jouer un sésame chez le timide Mermoz. Les confidences, les anecdotes du métier coulent de sa voix « sérieuse, voilée, hésitante ». Il raconte son « évasion des Andes » avec Collenot, quatorze mois plus tôt. On se donne rendez-vous dans quelques jours, entre deux vols d'essais.

Le dîner de la rue Falguière inaugure une série de soirées et de nuits blanches passées à communier dans le culte de la bonne chère et des boissons fortes, au milieu de personnages féminins bienveillants. Des habitudes se créent très vite, qui sont un des levains de leur amitié : apéritifs à la terrasse du *Wepler*, place Clichy, et dîners à la *Brasserie Lorraine* de la place des Ternes, lieux où se mélangent des hommes de plume ou de loi, des journalistes d'aventure, et aussi quelques spécimens du « milieu ». Ce sont aussi, plus près des Champs-Elysées, des soirées au *Bœuf sur le toit*, alors rendez-vous du « gratin » avant-gardiste, où, dans un décor « modern style » chauffé par le jazz, on peut dîner à deux tables du cénacle esthète de Jean Cocteau, ou s'inviter à celle de vedettes du music-hall ou de l'écran.

Dès juillet 1930, Kessel initie aussi Jean à l'ambiance sans pareille du *Caveau caucasien* de la rue Montmartre, où les rejoint volontiers Martinoff. Là, « Jeff » commande à la file des flacons de vodka frappée, aussitôt sifflés cul-sec entre amis. Les verres brisés selon le rite jonchent le sol. Les chants des Tsiganes, les danses des tireurs de sabre, ombres de la vieille Russie accostées à Paris, emportent les âmes et les corps. Kessel découvre les aspects « bachiques » d'un Mermoz que nul ne peut arrêter avant l'aube dans ses débordements. C'est, note Kessel, une « inoubliable descente aux enfers ».

*

Le samedi 23 août 1930, Jean Mermoz épouse Gilberte Chazottes sous les ors de la mairie du XVe arrondissement de Paris. Le surlendemain, le mariage est consacré à l'église Saint-François-Xavier, à cinq cents mètres des Invalides. Le marié arbore sa « rosette » toute neuve au revers de son habit. Il donne le bras à son épouse, revêtue d'une robe-sac blanche et d'un chapeau-turban. Les mariés sourient aux anges. Ces deux-là s'aiment avec une candeur juvénile. Les invités font cortège sous l'œil du « suisse » de service. Marcel Bouilloux-Lafont, témoin de Jean, confirme par sa mine épanouie la protection toute paternelle qu'il étend sur lui. Derrière, réunis pour l'occasion, viennent « Mangaby » et Jules Mermoz. Toujours aussi massif, le père de l'aviateur, qui va sur ses cinquante-neuf ans, a maintenant les cheveux blancs comme neige. « Mangaby » a l'air fatigué ; son visage, naturellement rond, est maintenant empâté. Comme toujours sur les photos où figure son fils, son sourire demeure plein de retenue.

Pour « Mangaby » autant que pour Jean, une nouvelle vie commence. Elle est revenue à Paris pour se rapprocher de lui, mais aussi parce que, malade, elle doit prendre soin d'elle et donc travailler moins qu'elle ne l'a fait à Lille pendant tant d'années, en femme de devoir. Entre Mermoz et sa mère, le pacte demeure inchangé. Jean a promis de venir en aide à « Mangaby ». Il lui fait une pension. Il gagne désormais largement sa vie — et une prime de trente mille francs vient encore de récompenser son vol Saint-Louis-Natal. Il est fier de pouvoir rendre à sa mère un peu de tout ce qu'elle lui a apporté quand il débutait si durement dans la vie.

Mermoz a aussi promis à Gilberte de voler moins, et ainsi de remplir pleinement auprès d'elle son rôle d'époux. Il aura vingt-neuf ans en décembre ; elle a un peu plus de vingt ans. Le voici donc tout autant protecteur que mari d'une jeune femme qui souhaite d'abord partager les soucis et les joies d'un homme célèbre épris de son métier, et, bien sûr, fonder pour eux un vrai foyer, et demain, pourquoi pas, une famille. Séjourner à Paris ne fait qu'ajouter un agrément à une ambition qui, en 1930, est celle de milliers d'autres Gilberte, élevées sans histoire au sein d'une famille d'honnête bourgeoisie. Alors que mariés, témoins et famille se congratulent autour du gâteau de mariage, deux question restent en suspens. Comment vivront, si proches les uns des autres, Jean, « Mangaby » et Gilberte ? Mermoz sacrifiera-t-il, au moins en partie, son ambition d'être au premier rang de l'aventure aérienne à l'équilibre d'une vie matrimoniale ?

25

L'impossible Paris-New York

La cérémonie nuptiale a été une parenthèse, la lune de miel est des plus brève. Quatre jours après son mariage religieux, on retrouve Jean Mermoz à Toulouse, où il reprend un entraînement entamé dès son retour d'Amérique. L'Aéropostale l'a détaché chez Latécoère, son principal fournisseur. Il s'est attelé à une tâche à sa hauteur : tester une nouvelle version du Laté 28 que le constructeur et la compagnie aérienne veulent lancer sur l'Atlantique nord.

Le projet a mûri à la fin du printemps quand l'aviateur rongeait son frein du côté de Natal. C'est une réponse à une série de défis. Tout autour de Paris, pullulent les constructeurs, les uns éprouvés, les autres novices, qui se vantent d'avoir en chantier un avion « de grand raid » qui leur apportera la fortune et la gloire. Parmi ces prétendants figurent les ateliers Breguet de Vélizy. Or, nul n'est mieux placé qu'eux pour emporter la palme sur Paris-New York. Breguet est un des avionneurs les plus réputés d'Europe, celui des Français qui a le plus exporté dans le monde. N'est-ce pas aussi avec des Breguet fabriqués chez lui sous licence que Latécoère avait d'abord fait marcher la ligne Toulouse-Dakar ? De plus, Breguet vient d'accueillir de nouveaux actionnaires. Le plus notable est René Fould, une puissance du monde des affaires, patron des chantiers navals de Saint-Nazaire-Penhoët qui construisent des paquebots transatlantiques, et l'un des plus gros actionnaires de la Compagnie générale transatlantique (dite aussi « Transat ») qui les fait naviguer, ainsi le célèbre *Île de France*. Si Louis Breguet et René Fould unissent leurs efforts, c'est pour rattraper puis devancer l'Aéropostale et son constructeur préféré, Latécoère, sur les routes atlantiques.

Tout indique qu'à la faveur d'un « coup » publicitaire Fould et Breguet veulent lancer une nouvelle compagnie, ravitaillée en matériel par Breguet et Penhoët, soutenue par la puissance commerciale et technique de la Transat maritime. Breguet est aussi un des piliers d'Air Union, qui dessert Londres, et de sa récente filiale Air Orient, qui étudie le trajet France-Indochine. Quant à la Transat, elle a créé une « société d'études », la Transatlantique aérienne, qui a inventé en 1927 le catapultage d'hydravions depuis des paquebots. Lancés de l'*Île de France*, ils propulsent à terre, un jour avant l'arrivée du navire, les nouvelles fraîches vers leurs destinataires impatients.

La légende récente de l'Aéropostale et de sa Ligne est fondée sur les nobles incertitudes du danger. Breguet et Fould s'apprêtent à lui opposer leur propre légende, plus ancienne, celle du luxe et de l'aisance technique incarnée par les grands paquebots, mais revivifiée par la renommée d'un avionneur mondialement connu. Déjà, les affiches multicolores de la Transatlantique aérienne superposent la silhouette d'un navire et d'un hydravion qui, de concert, se rapprochent de la terre. On sait aussi que l'avion Breguet du raid Paris-New York serait piloté par Dieudonné Costes. En octobre 1927, Costes a déjà été le premier à traverser l'Atlantique sud sans escale ; puis il a conclu au printemps 1928, sans changer d'avion, un tour du monde palpitant et réussi. Il a aussi, en 1929, franchi le premier d'un seul coup d'ailes la distance Paris-Tombouctou. Il est alors, parmi les aviateurs français, sans doute le plus titré. Entre ses mains, le Breguet « Grand Raid » a toutes ses chances.

Enfin, le projet Breguet n'est pas dépourvu de soutien politique. Les Breguet sont proches parents de Philippe Berthelot, le secrétaire général du Quai d'Orsay, homme-orchestre de la diplomatie française et animateur de l'amitié franco-américaine. Penhoët et la « Transat » ont l'oreille du ministère de la Marine, comme celle des Postes & Télégraphes, car ses paquebots font la malle-poste entre Le Havre et New York, et sont autant d'émetteurs-relais des télégrammes officiels de la France.

L'association récente Breguet-Penhoët-Transat est d'autant plus redoutée de l'Aéropostale qu'un peu auparavant Bouilloux-Lafont et Fould avaient cherché à s'associer. À la fin de 1929, le patron de l'Aéropostale avait acquis la moitié des actions de la Transatlantique aérienne, et on avait vu René Fould entrer au conseil de l'Aéropostale. Encouragée par le ministère de l'Air, cette association avait bénéficié de subventions publiques. Et puis, en juin 1930, Fould a choisi de changer de partenaire. Les causes exactes de ce divorce restent obscures. En revanche, ses conséquences sautent aux yeux. Jusque-là très en avance sur ses concurrents français, l'Aéropostale se trouve désormais talonnée par des rivaux opulents et énergiques. Elle doit à nouveau se surpasser, et vaincre l'adversité.

Or, en juillet 1930, le ministère de l'Air change de titulaire. Le sortant, Laurent-Eynac, un proche de Latécoère, était un farouche adversaire des records de distance en ligne droite — sauf quand ils avaient un motif « postal », ainsi la traversée de Mermoz en mai 1930. Son successeur, Paul Painlevé, grand mathématicien, sexagénaire distrait, « fana » d'aviation depuis la Belle Epoque, maintient officiellement la doctrine héritée de son prédécesseur. Mais, très vite, tout le monde comprend, dans les bureaux du ministère de l'Air et donc chez les constructeurs, que cette doctrine pourra le cas échéant souffrir des exceptions.

*

Le revirement de Painlevé obéit aussi à sa volonté d'accroître les chances des Français dans la compétition internationale. Pour le ministre — mais aussi pour ses directeurs — l'émulation entre Français augmente les chances du pays face à ses rivaux. Et, quoi qu'en disent certains journaux, la « première » accomplie par Mermoz en mai 1930 n'a en rien changé la donne. Les Zeppelin poursuivent leurs essais au-dessus de l'Europe, en attendant mieux. Une alliance se dessine entre les compagnies allemande Lufthansa et hollandaise KLM, avec pour alliés Madrid et Londres, pour fonder partout des escales qui tourneront les positions françaises. Les Zeppelin affrétés par la Lufthansa passeraient par les Canaries pour aller ensuite à Bathurst, en Guinée britannique, juste en dessous de Dakar. De là, ils s'élanceraient vers Recife, au cœur du Brésil, d'où des avions amis distribueraient le courrier à travers le continent sud-américain. Une variante ferait de Paramaribo, en Guyane hollandaise, l'autre port d'attache américain des dirigeables allemands. Ce programme est appuyé par des compagnies intérieures brésiliennes, qui doublent déjà l'Aéropostale sur le trajet Recife-Rio Grande do Sul, tout en lui louant ses terrains. Mais ces compagnies sont des paravents, leurs dirigeants officiels sont des hommes de paille. Leur matériel est allemand, la plupart de leurs pilotes sont des Allemands ou des descendants d'émigrés allemands.

*

L'Aéropostale doit maintenant lutter sur deux fronts : en France même, et face à des alliances internationales. Se lancer avec succès sur Paris-New York lui semble, à l'été 1930, le moyen idéal à la fois d'écarter son concurrent français et de couper l'herbe sous le pied au pool « anglo-saxon » en cours de formation. Dans ce pari considérable, il y a plus à perdre qu'à gagner. Les moyens investis sur l'Atlantique nord ne pourront l'être sur l'Atlantique sud, où les mésaventures survenues à Mermoz en juin-juillet démontrent que la Ligne manque encore de mise au point. Et, sur l'Atlantique nord, tout reste à faire. Certes, les Français, depuis 1929, peuvent profiter d'accords de « ciel ouvert » signés entre Paris et Washington, et aussi d'un droit d'escale obtenu par le Quai d'Orsay aux Açores. Mais de là à mettre en service un hydravion postal entre Paris et New York, il y a loin... Il faut croire qu'au siège de l'Aéropostale, sur les Champs-Élysées, règne un sentiment d'urgence car, pour l'instant, tout cède devant le pari du Paris-New York.

*

En ces derniers jours d'août 1930, Mermoz est donc placé au cœur d'une vaste partie d'échecs où il n'est en apparence qu'un pion, mais un de ces pions décisifs grâce auxquels il arrive qu'on mette l'adversaire échec et mat. Il est sous-entendu qu'après avoir mis au point la nouvelle version du Laté 28 à flotteurs, il la conduira sur l'Atlantique nord. L'urgence de la situation requiert d'autant plus le concours d'un Mermoz que l'appareil a été construit en toute hâte, pour rattraper Breguet. On attend du pilote que sa vaillance et son coup d'œil aident les techniciens à résoudre en peu de jours des problèmes de finition et de mise au point qui, avec un autre pilote, demanderaient sans doute des mois. C'est pourquoi, le 30 août, Mermoz s'élance une fois de plus dans le ciel toulousain sur la nouvelle machine, pour des tests de résistance.

Après bien des tours au-dessus de la plaine garonnaise, l'avion vole enfin à 4000 mètres d'altitude. Soudain, pour une raison inconnue, son fuselage se désarticule. Pour la première fois depuis le jour de son brevet de pilote, Mermoz est en perdition, victime d'une machine incontrôlable. La destruction de l'avion l'arrache de son siège. La terre se rapproche sous lui à grande vitesse. Par bonheur il a, juste avant le départ et non sans ronchonner, pris le parachute que Daurat, toujours prudent, lui a mis de force dans les mains.

Jean n'a pas sauté en parachute depuis sa période militaire. Il faut bien s'exécuter, enfiler l'engin, le déclencher. Mais l'aviateur est dans un mauvais jour. D'abord la lanière se coince, lui déchire le flanc puis, en se tendant d'un coup, elle claque sur son visage et lui entaille la lèvre. Ensuite, tandis qu'il tente de gouverner son parachute, la toile se déchire sur un bon mètre, la descente s'accélère. Dès lors peu contrôlable, le parachute emporte son passager vers une vigne aux grappes prometteuses, mais hérissée de piquets acérés.

D'en bas, on a suivi la scène. Comme par miracle, et malgré la brutalité de sa rencontre avec le sol, les témoins voient l'aviateur se relever, avant de s'effondrer comme une masse. Les sauveteurs improvisés se précipitent. Ils ramassent un Mermoz inconscient et ensanglanté, mais vivant. Quand il reprend connaissance à l'hôpital, il a les jambes en partie paralysées, une déchirure de la plèvre, plusieurs fractures ; et les piquets de vigne l'ont lacéré de plaies sanglantes. Cette fois, il doit accepter plusieurs semaines de repos forcé. Chez Latécoère et à l'Aéropostale, se dissipe le mirage d'une victoire sur l'Atlantique nord.

*

Un mirage plutôt qu'une promesse, car la tentative venait trop tard. Depuis son lit d'hôpital, Mermoz apprend l'exploit qui tient la France en haleine les 1er et 2 septembre 1930 — moins de trois jours après son accident. Sur un Breguet 19 sans charge commerciale, mais bourré d'essence et bien pourvu en instruments de vol, son vieux rival Dieudonné Costes et son équipier Maurice Bellonte ont volé sans escale de Paris à New York. C'est la traversée dont Jean rêvait depuis 1928, dont, en 1929, il avait dressé le plan avec son ami Martinoff, et à laquelle, la mort dans l'âme, il avait dû déjà renoncer.

Après la traversée sud-atlantique d'octobre 1927, Costes lui brûle la politesse pour la deuxième fois et fait la une des plus grands journaux dans le monde entier : il a donné la réplique à l'intouchable Lindbergh. Partout est reproduite sa silhouette un peu lourde, encore arrondie par l'épais blouson de vol, son sourire bon enfant dans un visage jovial surmonté de cheveux plaqués, raie au milieu, par une bonne couche de gomina. Même si Costes, qui affectionne l'argot, l'accent « populo » et le style « café du commerce », est aux antipodes du type humain d'un Lindbergh ou d'un Mermoz, il est plus que jamais le héros des grandes foules. À Paris, sa vogue est d'autant plus intense que l'envol vers New York de son avion de raid, le *Point d'interrogation*, a profité des largesses du parfumeur François Coty, l'homme du *Figaro* et de *L'Ami du peuple*. Les dithyrambes à répétition de ces deux quotidiens déclenchent bien sûr chez leurs concurrents une guerre des superlatifs élogieux. Les Parisiens noctambules peuvent voir le nom de Costes clignoter en lettres de lumière sur la Tour Eiffel.

New York accorde aussi aux héros français les honneurs exceptionnels accordés naguère à Charles Lindbergh. C'est une grandiose réception d'apparat au City Hall, et une « grande parade » sur la 5e Avenue et sur Broadway, où, juchés sur une automobile, Costes et Bellonte sont inondés d'une pluie de serpentins et de confettis multicolores largués à pleines mains par les employés des gratte-ciel. Au cœur de Manhattan, où commence la construction des énormes buildings du Rockefeller Center, on décide de consacrer aux héros du jour la galerie d'un « French Corner », ornée d'une plaque commémorative et d'une vitrine contenant un modèle réduit de leur avion.

26

Nuages sur l'Aéropostale

Après quelques semaines, Mermoz a recouvré la santé, son appétit d'ogre et sa passion de piloter. L'automne arrive. Courant septembre, la Pan Am et ses alliés complètent leur ligne Miami-Kingston-Paramaribo-Buenos Aires par hydravions et avions. On y transborde courrier et passagers venus d'Europe à New York par paquebot, puis conduits à Miami par les lignes intérieures américaines.

Du côté de l'Aéropostale, on est au point mort, la Ligne fait toujours le trajet Afrique-Amérique sur ses vieux avisos à vapeur. L'hydravion-coque commandé voilà déjà deux ans chez Latécoère n'est toujours pas prêt. Chaque soir, les néons suspendus en façade de son immeuble des Champs-Élysées continuent d'éclairer une carte lumineuse du réseau de la « plus grande compagnie aérienne du monde ». Mais on ne parle plus de lancer le courrier par hydravion sur l'Atlantique sud. Lot de consolation : les reconnaissances d'Antoine de Saint-Exupéry installent la Ligne au sud de la Patagonie, où, dans la nuit des escales proches de la Terre de Feu, il bâtit un récit qui deviendra un jour *Vol de nuit.*

*

Les déboires rencontrés par Mermoz depuis juin sont-ils les signes avant-coureurs d'un revers de fortune pour l'Aéropostale ? Les événements du dernier trimestre 1930 tendent à le prouver. En Amérique du Sud, la grande dépression, apparue en

1929, fait maintenant des ravages, et la faveur de la compagnie vacille. Les rapports des postes diplomatiques français soulignent un affadissement rapide de la cote d'amour qui bénéficiait jusque-là aux intérêts français. Ces trois pays n'ont plus d'argent depuis que leurs exportations majeures — guano du Chili, viande et laine d'Argentine, café brésilien — sont en chute libre. Malgré le revers de ses banques, Wall Street demeure la seule place financière susceptible d'aider ces pays à éponger leurs déficits publics et privés. Comme rien n'est gratuit, Washington et New York imposent leurs conditions : ouvrez-nous vos marchés, et nous vous aiderons. Sous-entendu : n'attendez rien des Français et, y compris en matière de transports, changez d'amis. Surgit alors une faveur inédite pour les avions, les équipements radio *made in USA*.

Le cycle profrançais, héritage de la victoire de 1918, parvient à son terme. Au Brésil, cette évolution est soulignée d'un coup d'État qui a porté au pouvoir un populiste à poigne, Getulio Vargas. Dans l'aventure, les réseaux d'influence du groupe Bouilloux-Lafont se délitent, au moment même où les affaires les mieux ancrées du Français — ports, chemins de fer — voient leurs recettes laminées par la crise. La situation est assez grave pour qu'en décembre 1930 Bouilloux-Lafont fasse une tournée des grandes banques parisiennes, à qui il demande d'aider le Brésil et l'Argentine, pour soutenir là-bas les intérêts français. Les plus grandes maisons, Crédit Lyonnais en tête, le reçoivent poliment, mais repoussent ses idées : ces pays ne sont pas sérieux, on a eu trop de déboires avec eux depuis cinquante ans. L'homme d'affaires accuse le coup : il sait que toute l'Amérique latine est à la veille d'une banqueroute sans précédent, qui risque de l'emporter.

*

En France même, le soutien accordé à la compagnie depuis des années est remis en cause, au moment même où elle semblait triompher. Tout ce qui a été fait par elle en Amérique depuis 1929, où Mermoz s'est tant illustré, est résumé dans une convention signée avec l'État en août 1929, après plusieurs mois de négociation. Ce document a donné à l'Aéropostale un privilège pour le courrier, non plus de dix, mais de trente ans. Il lui garantit, jusqu'en 1934, environ cent millions de subventions par an, et l'autorise à en emprunter deux cent cinquante au public, sous forme de nouvelles obligations. Cette promesse a dopé le développement de l'Aéropostale. Elle compte maintenant presque deux cents avions, quarante-six aérodromes, soixante-dix stations de TSF, huit navires, et le personnel qui va avec. Depuis l'été 1929, elle a encore augmenté son capital de quinze millions, lancé quatre-vingt-quinze millions de bons. La convention d'août 1929 l'a d'abord aiguillonnée, mais maintenant elle est devenue indispensable à son avenir.

Or, entre-temps, les gouvernements ont oublié leurs promesses. Chaque fois qu'on croit la convention sur le point de passer au Parlement pour être ratifiée, son examen est ajourné. Cela n'a pas empêché l'Aéropostale, comme toutes les compagnies, de recevoir des subventions — quatre-vingt-six millions en 1930. Mais, sans le soutien du Parlement, lancer des emprunts devient hasardeux sur une place financière parisienne qui, comme toutes les autres, est affaiblie par la grande crise. Plus l'année 1930 avance, et plus les dirigeants de la compagnie se trouvent devant une alternative pénible : financer leur développement sur des prêts à court terme, ou réduire leurs ambitions.

Mois après mois, la situation s'aiguise. Le Parlement est agité par une crise gouvernementale larvée. Il ne parvient pas à voter le budget de 1931 ; les compagnies aériennes ne savent plus de quoi demain sera fait. Les réserves de d'Aéropostale s'amenuisent. En novembre et décembre 1930, elle doit tirer les sonnettes pour obtenir des liquidités. Au 31 décembre, la Banque de France lui compte plus de dix millions d'avances. Elle doit aussi près de quinze millions à ses fournisseurs. La moitié de cette somme seulement est couverte par des traites qui peuvent encore courir deux ou trois mois. Le reste peut être exigé à n'importe quel moment. Enfin, l'Aéropostale doit recourir à des crédits bancaires (dix millions). En 1930, ses recettes commerciales avaient été de vingt-sept millions. Ce qu'elle doit avant même que l'année ne commence excède donc déjà ce qu'elle peut espérer gagner en 1931.

La famille Bouilloux-Lafont possède en France une petite banque, Jay & Cie, et une autre des deux côtés de l'Océan, le Crédit foncier du Brésil et d'Amérique du Sud. Elle réunit encore six millions. Mais les banques familiales doivent se porter garantes d'une grande partie des dettes de la compagnie ; du même coup, elles se fragilisent. L'Aéropostale termine 1930 et commence 1931 en vivant à la petite semaine. Il est fini, le temps béni, encore tout récent, où chacun, les yeux braqués sur les exploits de ses pilotes, s'arrachait ses titres d'emprunt. Le renversement de perspective est complet. Pas encore de quoi entraîner la panique, mais qui sait ?

Plus tard, la famille Bouilloux-Lafont et ses fidèles seront convaincus de l'existence d'un complot tramé « en haut lieu » pour renverser leur compagnie, ou du moins pour la soumettre au gouvernement et aux administrations. Il est vrai, les difficultés financières qui s'accumulent devant l'Aéropostale ont une dimension politique. Mais aucun « complot » ne la vise en particulier. On est en train de changer d'époque, et ce qu'incarnait la Ligne dans les années 1920 ne coïncide plus avec la volonté des gouvernants.

*

L'année 1930 s'achève dans une atmosphère de crise où s'imposent des compressions budgétaires drastiques, seul remède aux déficits creusés par l'effondrement de nombreux secteurs de l'économie. Alors, chaque administration arbitre entre des projets multiples, en espérant sauver ainsi sa part du gâteau.

Aux Colonies, l'attention se focalise maintenant sur la future ligne vers l'Indochine, car, en Asie, les Britanniques d'Imperial Airways, les Néerlandais de KLM ont déjà balisé leurs routes aériennes. Ici, on critique l'utilité des sacrifices consentis pour la Ligne au-delà de Dakar, sa dernière desserte au sein de l'Empire. Aux Affaires étrangères, l'heure est à la normalisation avec l'Allemagne, comme le souhaitent les créditeurs de la France, Grande-Bretagne et États-Unis. Pour eux, la France est trop armée, ce qui encourage Berlin dans une alliance contre nature avec Moscou, où se forge son réarmement secret, et ce qui endurcit l'esprit « revanchard » de sa population. Les idées de coopération européenne héritées d'Aristide Briand triomphent maintenant chez les diplomates français, comme antidote à un retour possible de la guerre sur le vieux continent éprouvé.

La coopération aérienne avec l'Allemagne devient ainsi un dossier à la mode. Les bureaux imaginent déjà ses modalités bilatérales entre Paris et Berlin, et les fonctionnaires souhaitent l'étendre du côté du Nouveau Monde. L'axe aérien Allemagne France-États-Unis souderait les fondations d'une Europe nouvelle, prospère, pacifique. C'est là tout le contraire des idées inspirant l'action de la compagnie Bouilloux-Lafont, qui se présente partout en héritière des vainqueurs de 1918 face à l'expansionnisme des « Boches ».

Aux Finances, on a réfléchi aux moyens de rallier les compagnies aériennes françaises, très « budgétivores », au nouveau cours de la politique étrangère. Le plus simple serait de forcer, d'une manière ou d'une autre, les compagnies à fusionner en une seule entité. L'idée n'a rien d'absurde, puisqu'elle s'applique déjà avec succès en Allemagne, aux Pays-Bas, en Suisse et, pour les liaisons outre-mer, au Royaume-Uni. La nouvelle compagnie deviendrait une voix de la France, un de ses meilleurs outils diplomatiques. Elle pousserait ses lignes là où le commanderait l'intérêt du moment. Et, bien sûr, la fusion apporterait d'énormes économies en frais généraux.

Dans ce projet, la ligne d'Amérique du Sud retrouverait la place qu'elle aurait toujours dû conserver dans les priorités de la France : une place secondaire, après l'Europe, l'Empire et l'Amérique du Nord. Or, l'Aéropostale, en 1930, absorbe plus de quarante pour cent des subventions versées à toutes les compagnies. Certes, elle incarne un rêve magnifique. Mais la France, où s'accumulent le blé invendu et les déficits en tout genre, a-t-elle encore les moyens de se payer de tels rêves ?

Plus le Nouvel An approche, et plus les signaux virent au rouge pour la compagnie Bouilloux-Lafont. Jusqu'à quel point ses dirigeants sont-ils conscients du nouveau cours des choses ? Après tout, toutes les compagnies existantes sont dans le collimateur de nombreux détracteurs, et quelques-unes connaissent aussi des fins de mois délicates. Ils ne perçoivent pas forcément qu'étant les plus aventurés, ils sont aussi les plus exposés. Ils sont aussi très absorbés par la gestion quotidienne de leur immense réseau, par le souci de boucler les prochaines fins de mois. Sans doute devinent-ils que leur sort est lié aux prochaines échéances budgétaires, et à un éventuel retour de leur bonne fortune en Amérique même.

*

Une des données du problème leur échappe : l'élément psychologique. En novembre, a éclaté à Paris un scandale financier majeur, qui met en cause le gouvernement Tardieu et qui jette un doute profond sur les relations entre les milieux politiques et les milieux d'affaires. C'est le scandale Oustric, du nom d'un financier véreux qui a même réussi à abuser des firmes de premier plan — ainsi les automobiles Peugeot —, grâce à des complaisances au plus haut niveau. Le garde des Sceaux, Raoul Péret, est gravement compromis. Une nouvelle ambiance s'est emparée d'une partie du Parlement, et la presse populaire n'en finit pas de tirer à boulets rouges sur la classe politique. Cette affaire révèle un divorce profond entre l'opinion et les élites chargées de gouverner la France. Surtout, elle crée dans les administrations un climat général de suspicion envers les entreprises qui bénéficient de fonds publics, de subventions. Et si demain, parce qu'on n'avait rien vu, un nouveau scandale éclatait ?

L'époque est finie où, par dizaines de millions, on abondait chaque année, sans contrôle, les caisses privées placées sous l'aile protectrice de l'État. Par précaution, les fonctionnaires multiplient les enquêtes tatillonnes sur des firmes que, la veille encore, ils recommandaient chaudement aux Chambres et aux gouvernements pour leur utilité nationale. Les enquêteurs les plus zélés de l'inspection générale des Finances ouvrent ainsi un dossier sur l'Aéropostale. Là-dessus, les gouvernements tombent l'un après l'autre : celui d'André Tardieu en décembre 1930, son successeur, conduit par Théodore Steeg, en janvier 1931. On entre dans une période où le pays semble ingouvernable ou bien, au contraire, promis à des hommes à poigne prêts à trancher dans le vif.

*

Jusqu'en janvier 1931, le grand public suit dans ses journaux préférés le feuilleton Oustric et les mésaventures des gouvernements. Naturellement, l'homme de la rue ignore tout des nuages noirs qui s'accumulent au-dessus du « fleuron des ailes françaises », et qui n'ont pas encore crevé. Il demeure en extase devant les communiqués officiels de la compagnie et, plus encore, devant la propagande optimiste et cocardière qui s'empare des journaux populaires dès qu'il s'agit d'aviation. Mais, désormais, le citoyen-contribuable est moins crédule. Quant aux équipages de la Ligne, choyés par leurs patrons, absorbés par leurs tâches, dispersés sur trois continents, comment pourraient-ils imaginer que les atouts sont en train de changer de mains ?

L'Aéropostale compte bien quelques nez fins, qui sentent de loin venir les revers de fortune. Mais on ne les trouve pas à la base de l'organigramme. Ce sont des initiés habitués à tirer leur plan. Ainsi, Beppo de Massimi, très théorique « directeur général » du réseau, « sèche » prudemment les plus récentes séances du conseil. En novembre 1930, il compose même pour son ami Latécoère, qui fuit ces réunions depuis plus d'un an, une note à la fois bien renseignée et alarmiste, où filtre une partie du contenu d'un rapport confidentiel et alarmant de l'inspection des Finances. Du coup, Latécoère revend discrètement une partie de ses actions...

27

Les avions d'abord, les amis toujours

Comme ses pairs, Mermoz ne sait rien, ne devine rien. En octobre 1930, remis de ses blessures, il a été, à sa demande, affecté sur la ligne d'hydravions Marseille-Alger qui, par Oran, rejoint aussi le tronçon marocain du Toulouse-Dakar, haut-lieu de ses premières aventures. Les traversées maritimes, pratiquées au ras des flots sur de petits hydravions de marque Cams ou Lioré & Olivier, ne sont pas sans danger. Mais elles s'effectuent en quelques heures. Pour un pilote de la trempe de Jean, c'est un travail de routine, un poste moins exposé. Il a le mérite de faciliter ses retrouvailles régulières avec Gilberte, mais aussi de lui laisser des soirées d'escale réservées aux camarades. Après Beyrouth et Casablanca, où il séjourne à l'occasion, Jean découvre l'opulente et coloniale Alger où, comme toujours, les « métropolitains » ont leurs endroits bien à eux et ne fréquentent guère les Arabes que dans la rue — sauf pour les commander. Ici, le quartier général des pilotes est à l'*Aletti*, le grand hôtel à la mode du centre-ville, où il est de bon ton d'avoir sa place au bar et sa table toujours réservée au restaurant.

Signe apparent d'un nomadisme qu'il prétend assagi, notre aviateur partage avec son ami Martinoff, depuis octobre, la jouissance d'un Potez 36, un petit biplace de tourisme acheté en commun, qui tient dans un garage et qu'il prend souvent chaque fois qu'il est en France. Comparé à ses machines de travail, c'est un jouet dans lequel il s'amuse à promener, à tour de rôle, « Mangaby » et Gilberte. Il lui arrive même de pousser jusqu'à Mainbressy, où, posé en voisin dans une prairie, il peut aller embrasser ses grands-parents dans la maison de son enfance.

*

Mais Mermoz n'est assagi qu'en apparence. Il continue de rêver d'aventure et de raids. Et de partager de joyeux moments loin de son foyer, avec ses amis. À la fin de novembre ou au début de décembre, il trouve le moyen de filer en Amérique sur un des avisos qui fait Dakar-Natal. À Buenos Aires, il retrouve Guillaumet et Saint-Exupéry. De belles retrouvailles, chaudement fêtées dans les repaires habituels des anciens de la Ligne.

Mermoz a manqué de peu une rencontre avec la fiancée « pour de vrai » de Saint-Ex, que celui-ci connaît depuis deux mois, et qu'il épousera en mars 1931. Consuelo Suncin de Sandoval vient de reprendre le bateau pour l'Europe, où l'appelle un héritage assez embrouillé. Elle est, à vingt-huit ans, la récente veuve d'un certain Gomez Carillo, un riche Sud-Américain globe-trotter, qui fut vaguement diplomate, et dit-on, espion pour la France à l'époque de Mata-Hari... De deux ans la cadette de Saint-Ex, Consuelo est une créature extravagante, d'un tempérament de feu, qui s'épanche sans cesse d'une voix haut perchée. Native du Salvador, elle prétend volontiers descendre des ducs de Tolède. Elle gesticule beaucoup, et fume des Chesterfield à la chaîne. Pour Guillaumet, qui « explique le coup » à Mermoz, c'est « un oiseau des îles ». D'autres diront : « une sorcière »...

Jean est au fond de lui-même tout ravi de voir Antoine s'engager comme lui sur la voie du mariage, même si sa Gilberte est l'exact contraire de la bien-aimée d'Antoine. On trinque au bonheur des deux fiancés. Quant à Guillaumet, père tranquille qui a épousé une jeune fille selon ses rêves, il sourit du bout des lèvres : lui ne quitte jamais sa femme, sauf pour faire ses heures de pilote...

Pour les fêtes de Noël, le cercle amical se renouvelle, car la mère d'Antoine vient visiter son fils. Marie de Saint-Exupéry est une dame austère et très catholique, comme « Mangaby », et qui a pour autre point commun avec celle-ci d'éprouver une admiration sans borne pour son fils. Aussi Mermoz accueille-t-il sans peine cette visiteuse très « vieille France » que Saint-Ex, pas peu fier, promène en avion — le plus sagement possible — jusqu'en Patagonie.

Quand l'écrivain-aviateur reprend le paquebot au début de janvier avec sa mère, Mermoz est du voyage. Ils forment ensemble une équipe étonnante, parce que les deux amis ont décidé de rapporter en Europe un bébé puma qu'ils promènent en laisse sur le pont du navire, jusqu'au moment où, après qu'il a blessé un passager, ils doivent le revendre... À Cadix, Saint-Exupéry quitte le paquebot pour aller rejoindre sa belle. Mermoz, en bon chevalier servant, continue jusqu'en France avec la mère de son ami. N'avait-il pas rêvé naguère de faire venir « Mangaby » jusqu'au Brésil, jusqu'en Argentine — un souhait qui n'a pu encore s'accomplir ? Enfin, c'est la France. Gilberte retrouve un Jean quelque peu empâté, conséquence des agapes amicales à Buenos Aires et des innombrables repas qu'on peut absorber de jour comme de nuit sur les paquebots de ligne...

*

Entre deux transbordements du courrier, Mermoz effectue quelques essais sur un Laté 380, le premier achevé des prototypes d'hydravion-coque pour l'Atlantique, qu'il espère bien conduire un jour « pour de vrai ». Mais l'appareil ne le satisfait pas : à ses yeux, il est trop lourd, trop lent, il manque de rayon d'action et de sécurité. Aussi, avec l'accord tacite de son employeur, Mermoz repart-il à la recherche d'une monture à sa mesure. Il pense l'avoir trouvée auprès de la Société des Avions Bernard vers laquelle, en 1928 déjà, Martinoff s'était tourné pour l'avion de leur raid contrarié Paris-New York.

On lui présente un long appareil de record aux ailes énormes, revêtu de contre-plaqué, sans cesse remis sur l'établi par ses créateurs depuis presque deux ans, dénommé le « GR 80 » — « GR » pour « grand raid ». Il a aussi un sobriquet bien français, « Oiseau Tango », car il est peint en orange, la teinte que prend un célèbre apéritif anisé marseillais une fois additionné de divers sirops. Profilé au maximum — on dirait un long cigare ailé —, l'avion n'a presque pas de pare-brise vers l'avant, ce qui oblige le pilote, soit à viser l'horizon, le col tendu par-dessus les tuyaux d'échappement du gros moteur Hispano, soit à se guider latéralement à partir de petites surfaces vitrées incorporées aux portes de l'habitacle. Encore faut-il alors se contorsionner, car le gros volant de direction et de profondeur est implanté à hauteur de cette sorte de fenêtre. Enfin, la dérive du Bernard est trop réduite : la stabilité en vol vient — en partie par hasard —

de ses énormes carénages de roues... Pourtant, Mermoz semble avoir foi en cette machine à tous points de vue originale.

Chez Bernard, à La Courneuve, on est comme en famille. Toute une équipe s'affaire là, avec peu d'argent mais l'espoir d'emporter un jour, outre des commandes militaires, une des énormes primes — de cinq cent mille à un million de francs — promises par l'État chaque fois que les ailes françaises remportent un record international. Il y a là l'ingénieur Jean Galtier, fier et discret, créateur de l'« Oiseau Tango », le pilote d'essais « maison » Antoine Paillard, un grand costaud peu bavard, et une équipe de mécanos aussi dévoués que ceux de la Ligne. Et enfin, le comte Jacques de Saint-Pierre qui, entre autres activités, assume avec une élégance et une discrétion de grand seigneur le rôle de « directeur commercial » d'une affaire qui ne vend pas grand-chose. Avec ce dernier, Mermoz entame une amitié durable, qui débouchera bientôt sur des fins de semaine communes en famille, où il emmènera Gilberte, et aussi « Mangaby ».

*

L'« Oiseau Tango » a accompli ses premiers vols près de Paris entre les mains de Paillard, tandis que Mermoz était en Amérique. Mais c'est sur l'aérodrome algérien d'Oran, entre Alger et Casablanca, que Paillard et Mermoz ont imaginé d'affronter le record à battre, celui de la distance en circuit fermé (8 188 km), alors détenu par deux Italiens. Dans leur entreprise, ils sont secondés par un mécano, Laversin, et par un officier expert en navigation, Louis Mailloux.

Encore faut-il arriver à Oran aux commandes de l'« Oiseau Tango ». Envolés de Villacoublay le 1er février 1931, les compagnons sont repoussés par le mauvais temps dès la vallée du Rhône. Ils doivent s'en retourner. Puis, depuis Toulouse, ils empruntent le trajet de la Ligne jusqu'à Alicante. Mais là où le courrier met vingt-quatre heures, ils en mettent six, et joignent enfin Oran le 6 février... Une fois à bon port, il faut se rendre à l'évidence : le temps est trop mauvais pour risquer l'appareil, un exemplaire unique, à la fiabilité incertaine. On se contente de vols d'essais limités.

Le 23 février, Paillard veut quand même tenter sa chance, en l'absence de Mermoz. Celui-ci croit si peu dans les chances immédiates du Bernard qu'il est parti en métropole pour de nouveaux essais de l'hydravion Laté 380. Paillard et Mailloux volent cinquante heures. Ils frôlent le record des Italiens, mais à court d'essence, ils se posent sans l'avoir battu : il manque vingt kilomètres au compteur. Le moteur vibre, et consomme trop ; on l'expédie à Bois-Colombes, près de Paris, pour un examen approfondi chez son constructeur, Hispano-Suiza. Quand Mermoz réapparaît à Oran, il trouve une équipe désœuvrée, qui attend. On prend rendez-vous pour le 30 mars, une date assez lointaine pour espérer à la fois du beau temps et une machine sans reproche. Une fois de plus, Mermoz ronge son frein... Entre-temps, le 1er mars, Maurice Rossi et Lucien Bossoutrot, sur un Blériot, ont dépassé le record des Italiens de 634 km.

*

Cette attente forcée offre néanmoins l'occasion de nouvelles retrouvailles viriles. Saint-Exupéry a regagné la France en janvier 1931, pour un congé de quatre mois. Il est très affairé entre Paris et la Côte d'Azur, où résident alors sa mère et une partie de sa famille, car il doit présenter Consuelo, sa fiancée, à un milieu où, par nature, elle détonne. Par surcroît, les fiancés sont impatients de convoler en justes noces. En mars, ils se fiancent officiellement à Agay, où réside une des sœurs d'Antoine, entrée par mariage dans une vieille famille noble provençale. Antoine trouve quand même le moyen de retrouver Mermoz, tantôt à Casablanca — où leur quartier général est *Chez Zaza*, un restaurant de poissons et de fruits de mer —, tantôt à Toulouse. Antoine présente Consuelo à Mermoz, qui retrouve en elle l'original exact du portrait qu'Henri Guillaumet lui en avait dressé quelques mois plus tôt. Saint-Exupéry promène aussi partout le manuscrit, maintenant presque définitif, de son nouveau roman, *Vol de nuit*.

Comme tous les proches d'Antoine, Jean profite d'une lecture à voix haute de chapitres entiers, déclamés par la voix grave et lente de l'auteur. Chaque page fait revivre une ambiance bien familière. Le héros du livre, le pilote Fabien, se trouve ainsi aux prises avec la tempête au large des côtes brésiliennes, tandis que le récit est rythmé par la TSF, dont les messages répercutés sur toute la Ligne font résonner le temps et l'espace. Sous la plume de son ami, Mermoz retrouve l'âme de leur métier commun.

28

L'Aéropostale en péril

Au même moment, les parlementaires se penchent aussi sur le métier d'aviateur. Ils le font à leur manière, à travers l'interminable discussion du budget 1931. Mais quand vient le tour des crédits de l'« aviation marchande » — d'abord, les subventions aux compagnies —, le débat dégénère en une foire d'empoigne autour de l'Aéropostale.

Tout part d'un détail. Le gouvernement veut réduire ses aides à l'Aéropostale de quatre millions (sur quatre-vingt-six), et aussi étendre son contrôle sur ses opérations en Amérique. Simple précaution. On peut attendre d'une compagnie subventionnée qu'elle obéisse à la politique du pays : apaisement en Europe, coopération franco-américaine, rationalisation des transports. Personne ne souhaite vraiment faire chuter l'Aéropostale. Certes, le dernier ministre de l'Air en date, Jacques-Louis Dumesnil, un « radical » très modéré de la Seine-et-Marne, entend s'affirmer. Mais cet homme d'âge mûr, trapu, à la barbe fleurie, à la corpulence de bon vivant, avocat chevronné, est un vieux routier des dossiers. Pour lui, un débat budgétaire un peu serré sera le levier de l'indispensable compromis. Sans connaître les chiffres exacts, il sait aussi que la compagnie a de pressants besoins d'argent. De quoi adoucir ses dirigeants.

Il n'a pris personne en traître. Avant le débat, il a déjà attiré l'attention de la compagnie sur deux dossiers qui traînent et qui lui tiennent à cœur : un rapprochement de l'Aéropostale avec les champions d'une ligne sur l'Atlantique nord ; et la signature rapide d'un accord franco-allemand de partage des trafics. Mais, du côté de la compagnie, on campe sur la position adoptée en 1929 : que le Parlement ratifie la convention de 1929, et ensuite on verra.

*

Le 7 mars 1931, on mégote sur les quatre millions en plus ou en moins, quand le débat dérape. Le rapporteur du budget, le socialiste Pierre Renaudel, commet une bévue — à moins qu'il ne suive les instructions de son groupe. Il est acquis à la minoration proposée par Dumesnil. Mais comme le gouvernement, dirigé par Pierre Laval, est de centre droit, il redoute qu'elle ne finisse par s'évanouir dans une discussion déjà filandreuse. Alors, pour ancrer « à gauche » l'abattement budgétaire, il se lance dans une diatribe contre la faiblesse du gouvernement à l'égard des compagnies. Du coup, la droite contre-attaque. Elle accuse le gouvernement de chercher auprès de la gauche pacifiste un appui que le nationalisme de l'Aéropostale rend plus faible chez les conservateurs. Une brèche s'ouvre ainsi au sein de la majorité. Le groupe socialiste s'y engouffre, tout heureux de troubler la majorité et d'étaler ses thèses de l'heure en faveur d'une Europe pacifiée par les lignes aériennes et d'une compagnie française unique étroitement contrôlée par l'État.

L'agitation enfle. Le rapporteur des crédits de l'Air, le socialiste Jules Moch, met en cause le ministre des Finances, Pierre-Étienne Flandin, un grand bourgeois distingué élu de l'Yonne. Flandin saurait tout des déboires de l'Aéropostale. Mais, hier encore titulaire du Budget, il aurait laissé au fond d'un tiroir ce dossier brûlant. Tout serait clair. Flandin, qui fut naguère un des avocats de l'Aéropostale, essaie aujourd'hui à moindres frais de se laver les mains de sa faiblesse passée. Ces joutes provoquent le renvoi du débat budgétaire. On réclame de partout des commissions d'enquête. Le débat dégénère : les uns demandent où sont passés « les millions de l'Aéropostale », d'autres pronostiquent que « la gauche veut étrangler la compagnie ».

Cet épisode des mœurs parlementaires fait la une des journaux du soir et du lendemain. La presse nationaliste de droite voue aux gémonies, et le cabinet Laval, et les socialistes. Faussement antagonistes, ils combineraient leurs efforts pour trahir la France et une de « ses plus belles réalisations », clament en chœur *L'Ami du peuple, Le Figaro* et *L'Echo de Paris*. La presse populaire tire à boulets rouges sur un débat finalement brouillon. *Le Populaire*, dans la veine des discours de la veille, cloue Flandin au pilori.

*

Mais l'essentiel est ailleurs : comme les crédits ne sont pas votés, la compagnie est étranglée. Le groupe Bouilloux-Lafont est au bout du rouleau. Des rumeurs alarmistes circulent sur le Crédit foncier du Brésil et d'Amérique du Sud, déjà éreinté par les déboires de l'économie brésilienne, plombé par les cautions qu'il a données à l'Aéropostale. Le 11 mars, alors que le tumulte parlementaire continue, Marcel Bouilloux-Lafont est contraint de mettre sa banque en cessation de paiement.

Cette maison de crédit est une banque d'affaires, sans guichets, et le grand public ne la connaît guère. Mais chacun a entendu parler de l'Aéropostale ; des milliers d'épargnants ont acheté ses bons. Les porteurs de bons s'effraient, en dépit des affiches rassurantes placardées dans les agences bancaires de quartier. Une « cessation de paiement » : à l'époque, cette péripétie est perçue comme l'antichambre de la liquidation, du dépeçage, de la ruine. Qui remboursera ?

Les épargnants font leurs calculs, assez simplistes. Le capital de l'Aéropostale est de quarante-cinq millions, sa dette obligataire de cent quatre-vingt-quinze millions, ses dettes à court terme dépassent soixante millions. Il « manque » deux cent dix millions, que la banque Bouilloux-Lafont est incapable de payer, d'autant moins que, le 12 mars, on lui affecte un administrateur judiciaire chargé de faire l'inventaire de ses biens. Sans surprise, le 13 mars, l'Aéropostale suspend à son tour ses paiements.

*

Cette situation agit sur le Parlement comme un électrochoc. À gauche comme à droite, on se rend compte que, à force d'excès de zèle, on a précipité le sort d'une compagnie que personne ne voulait perdre et même que chacun, à sa manière, et à son profit, voulait sauver. Encore faut-il trouver un compromis entre les positions les plus tranchées à gauche comme à droite, sans revenir au point de départ. À plusieurs reprises, le président du Conseil, Pierre Laval, qui, à quarante-huit ans, dirige son premier cabinet, doit monter au créneau après avoir, en coulisses, fait beaucoup fonctionner son téléphone. Après des débats qui s'étirent du 13 au 21 mars, les Chambres votent un article spécial du budget, qui autorise à verser tout de suite six millions à la compagnie et à reconduire les crédits de l'année précédente. Dumesnil est désavoué, car tout se passe maintenant en faveur de l'ancienne direction de la compagnie. Dans les couloirs, des opposants stigmatisent l'influence supposée du frère de Marcel Bouilloux-Lafont, Maurice, élu du Finistère et membre influent d'un groupe de centre droit. Le socialiste Jules Moch, écœuré par un expédient « tortueux, antijuridique et dangereux », renonce à présenter le budget.

Mais Laval n'a pas dit son dernier mot. Il veut bien payer pour la Ligne, mais, en accord sur ce point avec la gauche, à une condition, « la constitution d'une société nouvelle saine et viable ». Alors, les 27 et 28 mars, Laval fait repasser les crédits à la Chambre : les subsides salvateurs ne seront versés que si la compagnie dépose au plus vite son bilan.

À vrai dire, c'est inéluctable : chacun sait désormais que la compagnie ne pourra pas passer l'échéance du 31 mars. Alors, le 28, la mort dans l'âme, Bouilloux-Lafont fait publier dans la presse une lettre à Dumesnil où il annonce le dépôt de bilan. Il espère bien, à terme, reprendre le contrôle de son œuvre ; il ne se résout à cette solution qu'« à son corps défendant ».

*

Il reste aux inconditionnels de l'Aéropostale à émouvoir l'opinion, et à lancer les arguments capables de préparer leur éventuel retour. Sans surprise, la presse Coty tient la corde, bientôt rejointe par le *Paris-Soir* du magnat lainier Jean Prouvost. Le 29 mars au matin, *Le Figaro* publie un long article en une, intitulé « La vérité sur la grande ligne française l'Aéropostale ». Cette « magnifique entreprise française » est « convoitée par l'étranger » alors qu'elle « accroît notre prestige dans le monde », elle est « mise en péril par l'incroyable incurie du gouvernement ». Il faut mener une « campagne de salut public » dans « le souci de la Défense nationale » et « du prestige du nom français ». Tout vient « de la convoitise de l'étranger, mortifié de trouver [en Amérique] la place prise par les hardis Français ». Pour preuve, des extraits d'articles du *Kölnische Zeitung*. L'étranger — l'Allemagne, bien sûr — veut « faire perdre à la France le bénéfice de son avance » et, pour la préserver, « les directeurs de l'Aéropostale ont épuisé toutes leurs ressources et celles des banques qu'ils contrôlaient ». On est donc en présence d'« une besogne antinationale » dont les acteurs « les plus acharnés » sont... « MM. Moch et Blum ».

Ce placet hargneux s'inscrit dans le droit fil des envolées nationalistes qui, hier encore, encensaient la compagnie et ses dirigeants. La France « glorieuse » et combattante est harcelée par l'Allemagne, que soutient une « cinquième colonne » : Jules Moch et Léon Blum ne sont-ils pas tous deux à la fois socialistes et juifs ?

Mais l'attaque manque son effet. Le 30 mars, Laval fait voter à la fois au Sénat et à la Chambre un texte qui soumet la poursuite des activités de la compagnie à l'installation d'un comité de contrôle et d'une administration provisoire. Le même jour, le Crédit foncier du Brésil est mis en liquidation judiciaire. Le 31, les comptes de l'Aéropostale sont arrêtés : elle doit 20 millions à ses fournisseurs (dont 3,3 à Latécoère et 3,2 aux Usines Renault), plus de 30 millions à ses banquiers, à quoi s'ajoutent plus de 10 millions de créances sur l'État remises à la Banque de France. Sans compter les intérêts. C'est la fin d'une époque.

*

Pendant que s'enfle ce tumulte, Mermoz est en Algérie, tout occupé à sa gloire. Le lundi 30 mars 1931 en fin d'après-midi, avec Paillard pour copilote, il a décollé du terrain d'Oran-La Sénia aux commandes du Bernard « Oiseau Tango », pour reprendre à Rossi et Bossoutrot le record du monde de distance en circuit fermé, et gagner les primes qui vont avec. Les deux hommes tournent cinquante-neuf heures et quelques minutes entre les balises de leur parcours, et se posent le 2 avril à l'aube. Mission accomplie : ils ont dépassé leurs concurrents de cent trente-huit kilomètres.

Mais l'aventure a tourné au drame. Mermoz, contraint et forcé, a fait l'essentiel de la besogne car Paillard, en plein vol, a été frappé de violentes douleurs au ventre. On imagine l'atmosphère à bord, compliquée par une fuite du radiateur, que Paillard, penché à l'extérieur sur le capot-moteur, retenu aux jambes par Mermoz depuis l'habitacle, a colmatée en versant dans le réservoir tout ce qui lui est tombé sous le main : du café, de l'eau, du champagne...

Ce nouveau record signé Mermoz passe presque inaperçu, tant les esprits sont tournés vers les mésaventures de l'Aéropostale. Jean est dans le même état d'esprit : face à l'adversité, que va devenir la « mystique du courrier » qu'il incarne ?

MAINTENIR

mars 1931-1934

29

Sombres saisons

Peu à peu, des hommes nouveaux saisissent les rênes de l'Aéropostale. Le 13 avril, le ministre Dumesnil nomme Fernand Lioré « contrôleur de la compagnie ». Lioré vend des avions et des hydravions sous la marque Lioré & Olivier. Avec l'aide d'un grand groupe industriel, les Mines de Carmaux, il contrôle aussi la maison Dewoitine, fabricant d'avions de ligne et de chasse. Autant dire que Lioré est un homme de poids, mais qu'il a déjà fort à faire ailleurs. Sa présence est toute morale. Aussi, le 15 juin, le gouvernement trouve, pour la compagnie, un véritable administrateur.

Raoul Dautry, un ingénieur des Ponts & Chaussées formé à Polytechnique, âgé de cinquante et un ans, expert en transports, dirige déjà les Chemins de fer de l'État. Ce parfait « technocrate » se montre déférent par politesse envers ceux qui le nomment, autoritaire mais bienveillant avec ses subordonnés, assez peu intéressé par l'argent, sensible aux honneurs et aux préséances. Ses convictions personnelles l'orientent à droite. Son maître à penser est le maréchal Lyautey, aujourd'hui retiré mais très influent, qu'il visite souvent dans l'hôtel particulier de la rue du Bac où séjourne le vieux soldat quand il est à Paris. Comme Lyautey, Dautry est pour une discipline fermement appliquée de haut en bas, mais mâtinée de progrès social éclairé par le christianisme. Le soldat, l'ingénieur, le colon, le travailleur, sont pour eux le sel de la terre, les porteurs des « vraies valeurs ». Et puis, Dautry est un ardent patriote : aux Chemins de fer, il sert l'État, mais c'est pour mieux servir la France. Nul doute que, si on lui laisse aussi diriger l'Aéropostale, il la maintiendra. Sa nomination a donc tout pour rassurer les inconditionnels de la Ligne.

D'autres éléments — du point de vue de l'ancienne direction — jouent cependant en défaveur du nouvel administrateur. Certes, Dautry a beaucoup entendu parler de la Ligne chez Lyautey, un de ses ardents défenseurs quand il était résident général au Maroc. Mais, en 1928, pour le Conseil national économique, Dautry a rédigé un copieux rapport sur l'aviation marchande, aux conclusions bien tranchées : il y a trop de compagnies, trop de frais généraux, pas assez de coopération entre lignes aériennes et maritimes. À cette époque, Dautry souhaite que l'État fusionne les compagnies dans une entité unique, financée par l'État, moins dépendante du capitalisme d'aventure et des pressions des industriels.

Or, depuis 1928, on a fait tout le contraire. Par surcroît, Dautry participe aux réunions du comité « transports » de la conférence économique franco-allemande. Ici, il prône la coopération entre anciens adversaires sur les réseaux d'Europe, et le partage de leur influence hors d'Europe. On a donc choisi Dautry pour conduire l'Aéropostale parce que ses vues sont proches de celles qui, maintenant, ont la faveur du Quai d'Orsay et des Finances.

*

Dès sa prise de fonctions, Dautry entend faire de l'Aéropostale un modèle de gestion. Au siège des Champs-Élysées, où il passe un à deux jours par semaine, il s'entoure d'une équipe resserrée, où les hommes passés par l'Administration ont la part belle. Jean Helbronner, son homme-lige, fait office de secrétaire général. Abel Verdurand devient le directeur des opérations du réseau. Pour ménager les intérêts des actionnaires en déconfiture, Dautry conserve au conseil d'administration Marcel Bouilloux-Lafont et, au comité de direction, il nomme André, fils de Marcel, un jeune polytechnicien aussi « mordu » d'aviation que son père.

En bon émule de Lyautey, et avec un sens aigu des symboles, Dautry entame une « tournée des popotes ». Le 15 juillet, elle le conduit à Toulouse, berceau de la Ligne, pour une revue des hommes et des machines, et pour une réunion du comité de direction — une première sur l'aérodrome mythique. Comme la rumeur court qu'il voudrait mettre Daurat au placard, il s'empresse d'aller annoncer aux pilotes et aux mécanos de la tête de ligne qu'il maintient l'homme symbole à son poste. Comme par hasard, il débarque à Montaudran devant un comité d'accueil qui, à lui seul, incarne la légende de la compagnie : Mermoz, Saint-Exupéry, Guillaumet. Avec eux, il parle longuement de Daurat et réduit les changements à la nomination d'un nouveau patron, Verdurand. Il n'empêche qu'on enlève à Daurat la direction des émissions TSF, et aussi celle de la comptabilité.

Cette apparition en chair et en os du nouveau grand chef a pour but de rassurer le personnel. Car déjà, l'empire de l'Aéropostale s'effrite. Dans les derniers jours de juin, la filiale argentine s'apprête à arrêter son trafic. Elle est reprise par le gouvernement, qui lui paie un loyer pour exploiter le terrain de Pacheco, près de Buenos Aires, où, trois ans et demi plus tôt, Mermoz était entré dans l'aventure américaine. Paul Vachet, l'homme de la compagnie au Venezuela, a aussi apporté à Paris des nouvelles alarmistes : depuis mai, une des lignes locales n'est déjà plus exploitée.

Dans ce contexte, Daurat est tout un symbole, car il incarne l'ardeur des hommes de la Ligne à aller toujours plus loin. Comme on réduit le pouvoir du directeur naguère tout-puissant alors que tout va mal, il faut séduire ses meilleures troupes. D'autant plus qu'à ce moment paraît *Vol de nuit*, le deuxième livre de Saint-Exupéry. L'ouvrage, envoyé par l'auteur à tous ses amis, mais aussi à Dautry, met en scène, sous le nom de Rivière, un double de Daurat. Ce personnage, au caractère dur, cassant, lui emprunte jusqu'à la silhouette : le chapeau, la cigarette, les mains enfoncées dans les poches. Rivière-Daurat est le personnage-clé du livre, celui qui, dans l'immensité glacée des airs et des mers, est seul capable d'orienter les hommes, de les faire se dépasser pour la cause du courrier. Bref, Rivière héroïse Daurat.

Cette publication avive la controverse autour du personnage, car beaucoup d'employés n'aiment pas leur directeur, en qui ils voient une brute impitoyable, un tyran. Édouard Serre, promu par Dautry directeur des services radio de la compagnie, et militant socialiste, le tient même pour un vrai « fasciste ». À vrai dire, Dautry n'a pas beaucoup d'estime pour Daurat. À ses yeux, c'est le type même de l'ancien officier de troupe enivré d'autorité et de pouvoir, qui confond la vie civile avec les tranchées de Verdun. Il s'en débarrasserait bien. Mais voilà. Au côté de Saint-Exupéry, Daurat compte encore bien des partisans, et l'heure est à l'union du personnel.

*

L'attitude de Dautry envers Daurat traduit toute l'ambiguïté de sa position aux premiers temps de son mandat. Il a besoin de défendre l'essentiel de la Ligne, car c'est à la fois une monnaie d'échange internationale et un outil qui a coûté aux contribuables des centaines de millions. Mais il ne peut le faire dans l'« esprit de la Ligne », dans la fidélité au passé, ce qui serait un choix politiquement intenable. Et pourtant, lui-même n'est pas loin de croire, comme le serinent les journaux les plus cocardiers, que la Ligne est d'abord « un esprit ». Toucher à l'esprit, n'est-ce pas, ici, toucher à l'essence même des choses ?

Or, plus on avance dans l'année 1931, et plus le réalisme prend le pas sur la légende. Dautry continue de participer aux réunions franco-allemandes. Depuis juin 1931, on ne parle plus seulement de coopération bilatérale, mais d'« internationalisation de l'aviation commerciale ». La nuance est de taille. Elle signifie que, demain, les compagnies partageront les infrastructures, et pas seulement les créneaux de vol. Il y aurait de « hautes autorités » chargées de gérer les réseaux, où les compagnies se livreraient à une émulation technique tranchée en fin de compte par le client. Bref, l'Europe est en marche. En arrière-plan se dessinent chaque jour plus nettement les contours de la prochaine conférence internationale sur la paix de Genève, prévue pour le début de 1932. Selon des études préparatoires soumises au ministre Dumesnil, on irait encore plus loin : suppression de l'aviation de bombardement ou mise en tutelle de celle-ci sous l'égide de la Société des Nations, parité militaire entre la France et l'Allemagne : la fin du traité de Versailles.

*

Sur ce point essentiel, les notes du cabinet, des directeurs, sont souvent contradictoires, et les « mémos » personnels du ministre Dumesnil indécis. Maintenant qu'on a lancé la construction de la ligne Maginot, lourd rempart face à l'Allemagne, pourquoi n'être pas de bonne volonté ? En conservant des marges de manœuvre. Au reste, les notes des conseillers y insistent : de Pétain à Weygand, tous les hiérarques militaires sont hostiles à l'abaissement de la garde. Affaire de prestige, mais aussi de bon sens. Depuis 1919, la France dispose en Europe d'un avantage stratégique. Ce n'est pas le moment de le lâcher.

Tout au long de 1931, Dautry est dans les mêmes dispositions d'esprit que son ministre. Oui aux discussions avec les Allemands, non aux concessions. En matière de lignes à longue distance, il ne croit pas vraiment à l'avenir des Zeppelin, qui font trois vols d'essais à travers la France vers l'Espagne et le Brésil à l'été 1931. Il ne voit en eux que des « instruments politiques ». Bien à tort : en septembre, on apprend à l'Aéropostale que le Zeppelin a transporté du courrier argentin lors de son dernier vol en Amérique du Sud.

*

Dautry est partagé car, comme tant d'autres, il attend l'hydravion miracle qui fera des Français les vainqueurs définitifs de l'Atlantique et qui rendra inutile le marchandage avec les Allemands. Mais, de ce côté, rien n'avance. En juillet 1931, le numéro deux de la Marine nationale, l'amiral Esteva, avoue à un des administrateurs de l'Aéropostale que le fameux Laté 38 est « reparti en usine pour y subir de profondes modifications »... Bel euphémisme.

Quant à Latécoère, depuis le 21 avril 1931, il a passé partout la consigne : ne livrer l'Aéropostale que contre des paiements comptant... En clair : on comptera tout, même les pièces de rechange. Il met sous embargo le second prototype du Laté 38, commandé par l'Aéropostale, pour cause de retards dans les paiements. Dautry estime ce dossier vital. Il menace de poursuivre l'industriel devant les tribunaux. Celui-ci ne s'en laisse pas conter : où sont passés les millions que me doit l'Aéropostale depuis 1930 ? Qui paiera les seize autres millions de commandes en fabrication dans mes usines de Toulouse ?

Les lettres recommandées, les télégrammes comminatoires, les rapports d'experts s'accumulent de part et d'autre. Le plus teigneux des deux est l'industriel qui, d'une main, tend la sébile, et, de l'autre, compte sou par sou les sommes qu'il engage dans la restauration de sa dernière fantaisie, un grand château du XVe siècle situé près de Chinon. De quoi faire s'étrangler de rage le technocrate fils du peuple, car Dautry n'a pour tout luxe que le logement que lui fournissent les Chemins de fer, sa voiture de fonction et une bicoque en réfection dans un des coins alors les plus perdus de la Provence, l'infertile Luberon. On en arrive au point où, fin octobre 1931, Dautry, excédé par cette querelle, présente sa démission à Dumesnil. Le ministre, grand seigneur, la refuse : faites avec, et avancez. On vous commandera du matériel, débrouillez-vous pour savoir lequel vous voulez. La belle affaire : aucun hydravion n'est prêt.

*

Pendant ce temps, les pilotes poursuivent leurs missions, comme si de rien n'était — ou presque. De mai à décembre 1931, Saint-Exupéry convoie le courrier entre Toulouse et Port-Étienne. Cela lui vaut, en octobre, de manquer périr au large des côtes de l'Atlantique dans une tempête qui a mis tous les moyens radiotechniques du bord en panne. Étrange aventure, tant elle ressemble à l'un des épisodes majeurs de *Vol de nuit.*

Le roman, lui, part bien, se vend, et recueille une critique très largement favorable, à la hauteur de la préface que le « pape » des lettres françaises, André Gide, lui a consacrée.

Mermoz est ainsi l'ami d'un écrivain choyé, sélectionné dès septembre pour les prix littéraires d'automne, et dont les tirages deviennent maintenant conséquents. Au demeurant, on ignore ce que Mermoz pensait de l'ouvrage d'Antoine, du portrait qu'il trace de Daurat, des récits de la vie de la Ligne. Des années plus tard, des témoins plus ou moins spontanés affirmeront que Mermoz n'a pas aimé le livre, mais que, par fraternité, il n'en a rien laissé paraître à Antoine. Mais, entre-temps, Saint-Ex est devenu un pacifiste tourmenté et Mermoz un nationaliste militant. Or, les « témoins » sont plutôt du second bord...

Un fait est certain : Mermoz s'ennuie à traverser la Méditerranée, et à pousser parfois jusqu'à Casablanca le courrier Algérie-

Maroc, même si Guillaumet, qui fait maintenant Toulouse-Casablanca, n'est jamais très loin. Casa reste pour tous le point de rencontre, le lieu des bonnes soirées entre « frères d'armes », même s'il y règne parfois une atmosphère comparable aux veillées des « demi-soldes », des anciens « grognards » de Napoléon, sous la Restauration. Il est vrai, loin d'Amérique où ils ont tant donné d'eux-mêmes, ces trois-là donnent l'impression d'être « au rancart ». Avant la déconfiture de mars 1931, Mermoz ne caressait-il pas deux grands espoirs, qu'il confiait par la plume à sa mère, à certains de ses amis : un « poste important » en Amérique (être là-bas un nouveau Daurat ?) promis par Marcel Bouilloux-Lafont, et un Istres-Buenos Aires d'un seul trait sur le Bernard, une fois celui-ci au point. Aujourd'hui, il est loin du compte... Pour Saint-Exupéry, c'est pareil : normalement, un beau poste l'attendait à Paris, avec des perspectives de retour en Amérique... Personne ne sait ce qu'on avait bien pu promettre à Guillaumet, qui ne demande jamais rien et qui prend toujours tout du bon côté...

*

Pour les compagnons demeurés en Amérique, le trio acquiert la stature mythique de ceux qui furent, il y a peu, les conquérants d'un empire encore plus éphémère que celui de Napoléon Ier. Or, le plus vieux d'entre eux, Saint-Ex, a trente et un ans, et le plus ancien dans la maison, Guillaumet, tout juste vingt-neuf. Mermoz garde un œil sur la maison Bernard, sur ses « oiseaux » bizarres et dangereux, et, à la différence d'Antoine, conserve intacte sa soif de records. En juillet 1931, le GR 80 « Grand Raid » ressort d'usine très transformé, avec aussi un nouveau moteur. Il porte désormais le code « 81 », et le nom du pilote qui l'avait lancé le premier, Antoine Paillard, décédé le mois précédent d'une infection foudroyante. Jacques de Saint-Pierre voudrait que l'avion puisse reprendre le record de distance en ligne droite naguère conquis par Mermoz, mais repris en juin par un équipage concurrent aux commandes d'un Dewoitine. Mermoz est partant pour l'aventure et, sous les hangars de La Courneuve, on travaille dur.

Mais, comme toujours, il faut attendre : en septembre le Dewoitine s'écrase au sol, le ministère interdit d'abord toute nouvelle tentative, avant de changer d'avis. Enfin, l'avion arrive à Oran en novembre, et, à nouveau, Mermoz le prend en main pour divers vols d'essais. Il compte bien vaincre le record avant la fin de l'année. Pourtant, une fois encore, il doit déchanter. Au moment du départ, le 29 décembre en fin d'après-midi, l'avion capote en bout de piste, au moment où il allait s'arracher du sol. Mermoz l'a maintenu trop bas et trop à plat, l'hélice a heurté le sol. Le fuselage se coupe en deux derrière l'habitacle. Par chance, l'essence ne s'enflamme pas, et les équipiers, Mermoz et Mailloux, en sont quittes pour quelques contusions. Mermoz est amer, mais n'a rien à se reprocher : il n'a fait que suivre les consignes de départ des ingénieurs. Encore une occasion manquée.

30

Le recours

Reconduit en octobre 1931, puis en janvier 1932, Dautry prend conscience d'être le gérant d'une énorme mutation, humaine et technique, autant que politique. Une mutation qui s'accompagne de chocs douloureux. Deux émissaires de Dumesnil (et des Finances), le contrôleur général Hederer et l'ingénieur en chef Ceccaldi, ont passé des mois, d'avril à août 1931, à inspecter les bureaux et les archives de l'Aéropostale et de ses filiales en Amérique du Sud.

Ils en rapportent un rapport accablant pour l'ancienne administration de la compagnie. Selon Hederer et Ceccaldi, il y a eu confusion des rôles entre les sociétés du groupe. Depuis 1929, malgré les apparences, l'Aéropostale n'est plus que la filiale d'une Compagnie générale d'Aéronautique (CGA) constituée à partir d'une filiale de travaux publics de la banque Bouilloux-Lafont, la Sud-Américaine de Travaux publics (dite Sudam, on l'a vu). La Sudam construisait des aérodromes pour l'Aéropostale et ses filiales. La CGA finançait les lignes ; l'Aéropostale recevait les subventions et les remettait à la CGA. Il y avait aussi une société spéciale pour la TSF au Brésil.

Circuits d'argent dédoublés, surabondance de personnel administratif, gaspillages en tout genre, comptabilité embrouillée, factures surévaluées, auraient entaché l'ordinaire d'une gestion encore compliquée par les relations hors normes entre les sociétés françaises et les milieux d'affaires et politiques sud-américains.

En novembre 1931, le ministère de l'Air estime les faits assez graves pour ouvrir une information judiciaire et pour se porter partie civile car, pour lui, cette machinerie complexe ne fonctionnait que grâce aux fonds publics dont l'emploi aurait été rendu opaque, volontairement ou non. Pour l'immédiat, Hederer suggère la revente de la plupart des installations américaines de la compagnie. De loueur, elle deviendrait locataire. Elle réduirait aussi sa flotte, pléthorique et vieillissante.

*

Le rapport parvient sur le bureau de Lioré et de Dautry, qui en tirent la conclusion qui s'impose : laisser faire le ministère dans tous les aspects politiques et judiciaires du dossier, tenir compte du rapport Hederer-Ceccaldi pour réformer la compagnie, mais en la maintenant au-delà de ses escales africaines. Cela dans un climat chaque mois plus incertain : André Tardieu, revenu à la présidence du Conseil avec le portefeuille des Affaires étrangères, a ouvert le 5 février 1932 la conférence de Genève avec un discours ambigu où il annonce que la France jouera sans fard la carte du désarmement et de la neutralisation des flottes aériennes. Quelques jours plus tard, on apprend que le Zeppelin fera douze traversées dites « d'étude » au cours de l'année. Chaque fois, il passera au-dessus de Marseille, en route pour l'Espagne et l'Amérique.

*

Pour contre-attaquer, Dautry réfléchit à des actions symboliques, pense à mettre en valeur l'héritage technique de l'Aéropostale. Déjà, à la fin de 1931, il a engagé un jeune avocat amoureux du Brésil, Jean-Gérard Fleury, à titre d'agent de propagande, pour qu'il rédige des articles favorables placés ensuite par l'Aéropostale dans la presse américaine et française. Il a aussi chargé Collin-Jeannet, un des agents généraux de la maison Schneider — canons, chars et blindages en tout genre —, de faire du lobbying gouvernemental des deux côtés des Andes. Puis, au printemps de 1932, Dautry cherche, au sein du personnel, un pilote emblématique, qui porterait haut et loin le drapeau de la compagnie. Son choix se porte sur Jean Mermoz.

Nul doute que les affinités humaines tiennent leur place dans ce choix. Mermoz a toujours recherché l'occasion et l'homme qui lui permettraient de se classer hors pair parmi les pilotes français. Il a peu à peu découvert Dautry. Celui-ci a écouté sa défense de Daurat. Le nouveau patron a aussi le sens de l'autorité, un sens que Mermoz cultive pour lui-même et pour son entourage. L'un et l'autre méprisent volontiers les hommes d'argent, et tous deux sont des « fils du peuple » que le destin a tirés d'obscures provinces, puis que leur talent et leurs efforts ont élevés au premier plan dans leur métier. Dautry, quant à lui, étend sur Mermoz un regard paternel, bienveillant, auquel le fils de Jules Mermoz, tôt sevré de père, ne peut être insensible.

Enfin, les qualités de pilote de Mermoz ont de quoi impressionner l'énergique Dautry. Le 21 février 1932, il a encore réussi à se tirer d'affaire au large d'Alger, après six heures passées à dériver au large dans l'attente des secours, à la suite d'une panne brutale d'un des moteurs de son hydravion. Non seulement il a fait preuve d'un sang-froid exceptionnel, qu'il a su communiquer à son radio, Régnier, mais, par surcroît, en tenant bon dans la houle jusqu'à l'arrivée d'un vapeur salvateur, il a permis à la compagnie de comprendre les circonstances d'un accident identique survenu le 9 décembre 1931, sur le même type d'appareil, mais qui avait alors coûté la vie à l'équipage.

Dautry a tellement apprécié l'attitude de Mermoz qu'il a conservé dans ses archives personnelles, sous reliure cartonnée, une copie personnelle du rapport de vol de l'aviateur. Le patron de l'Aéropostale a trouvé en Mermoz ce qu'un général attend de ses meilleurs officiers envoyés au feu : du courage, de l'audace, de la ténacité, de la modestie. Malgré tout ce qui sépare le polytechnicien austère de l'ancien sergent fêtard, nul doute aussi qu'un idéal les rapproche : servir la France, briller pour elle, pour son nom, son drapeau.

Dans la préférence de Dautry pour Mermoz, il entre aussi, pour partie, de la finesse politique. Jean appartient à une phalange de pilotes d'exception qui se sentent plus ou moins à l'écart depuis des mois, et dont la plupart — Saint-Exupéry est une exception — souhaitent ardemment revenir en première ligne. Par surcroît, Mermoz et Guillaumet sont parmi les anciens, les plus cotés en Amérique latine, là où il faut absolument montrer que l'Aéropostale existe toujours. Mais, sur Guillaumet, Mermoz a quelques avantages. Il est plus casse-cou

— c'est-à-dire plus prompt à s'engager sur des machines peu sûres. Il est plus disponible — c'est-à-dire moins lié qu'Henri à sa femme, à son intérieur. Et puis Mermoz est le seul pilote de l'âge d'or à avoir parcouru l'Atlantique de bout en bout. Enfin, ça saute aux yeux, Mermoz a une présence, une « belle gueule » qui « passent la rampe ».

*

À Dautry, Mermoz a des propositions à faire. Son expérience des types d'appareils les plus variés, l'observation des machines étrangères, l'ont peu à peu convaincu d'une idée qu'il veut faire reconnaître : la supériorité des avions « terrestres », à roues, sur les hydravions dans les traversées maritimes. Sa conviction repose sur des éléments techniques simples : un avion est forcément plus léger qu'un appareil qui doit aussi avoir une coque marine. Il a une traînée plus faible. Avec les mêmes moteurs, il va plus vite et consomme moins. Comme les amerrissages forcés sont presque toujours la conséquence des pannes de moteur, et celles-ci conséquences de l'usure, plus on ira vite et moins on risquera la panne sur la mer, où l'avion n'a aucune chance de s'en sortir.

Ce raisonnement imparable — et visionnaire — a contre lui les convictions des ingénieurs spécialistes des hydravions. Pour ces derniers, la probabilité du risque de panne de moteurs est « incalculable », même avec des appareils multimoteurs. En conséquence, capable d'amerrir sur des routes fréquentées et balisées, l'hydravion est plus sûr que l'avion. Bien sûr, cette théorie est défendue par les marins, parce qu'elle les renvoie à un univers familier. On peut garer un hydravion en rade, comme un navire. On peut tester un hydravion-coque dans les centres d'essais où passent aussi les ébauches de navires. Et puis, avec un même prototype, on peut faire une série pour le transport civil et une autre d'hydravions de reconnaissance militaire — une méthode pratique et peu chère. Un point fait néanmoins problème : que se passe-t-il si l'hydravion doit amerrir de nuit, au beau milieu de l'Océan ? Et si le feu, le danger le plus redouté de tous les équipages, s'installe à bord ? Dans ces deux cas, avion ou hydravion sont tout aussi dangereux. Pour Mermoz, avec l'avion à roues (il dit « à roulettes »), plus rapide, la question se pose moins : on va si vite sur l'Atlantique qu'après l'aube, ou avant le crépuscule, on sera déjà parti ou arrivé, ou jamais loin d'une côte, d'une île, d'un aérodrome où se poser.

*

La conviction de Mermoz rencontre celle du bras droit de Dautry pour les questions techniques, Abel Verdurand, qui a déjà pondu pour son patron plusieurs « mémos » sur le sujet. Pour Verdurand, tout est bon pour aller plus vite que le Zeppelin, qui vole jour et nuit à cent kilomètres à l'heure, soit deux mille quatre cents kilomètres par jour, sans se poser. On dit que les futurs hydravions de ligne iront à moins de deux cents à l'heure. Avec les mêmes moteurs qu'eux, un avion irait à deux cent trente, voire deux cent cinquante. En ce cas, l'Atlantique sud serait traversé en douze ou quinze heures. On ne volerait plus guère de nuit. On irait plus vite qu'en hydravion et qu'en Zeppelin — où quarante hommes se relaient à la manœuvre en vingt-quatre heures —, pour un coût moindre, avec une sécurité supérieure.

Un problème demeure : l'avion miracle cher à Mermoz et à Verdurand n'existe pas. Pas plus en France qu'ailleurs. À cette époque, seuls les court- ou moyen-courriers commencent — tout juste — à faire du deux cent vingt ou du deux cent trente à l'heure en croisière. À l'étranger, on annonce des machines plus performantes, notamment chez les Allemands Junkers ou Heinkel, mais elles ne peuvent franchir plus de mille cinq cents kilomètres sans se poser. Bref, sans Zeppelin et sans hydravions au point, la situation semble bloquée.

*

Entre-temps, en janvier 1932, survient un changement ministériel qui provoque des remous dans les milieux aviateurs. « Leur » ministère, le ministère de l'Air, créé en septembre 1928, se voit supprimé sans préavis. Les services qui suivent l'aviation commerciale sont rattachés aux Travaux publics et à la Marine marchande, eux-mêmes fusionnés. Dumesnil perd sa place, le nouveau « patron » est un dénommé Guernier, un radical obscur et travailleur qui possède deux traits complémentaires : il est sensible aux arguments de la Royale et, depuis des années, au sens propre, « à tu et à toi » avec Pierre Latécoère, grand constructeur d'hydravions. Aussi la vogue pour les hydravions ne se dément-elle pas. Comme tous les six mois, Dautry va voir le nouveau ministre, et lui présente sa démission. Grand seigneur, Guernier la refuse, avec la formule habituelle : « Ils veulent des hydravions ?... Vous n'aurez qu'à faire avec... »

*

Dans l'équipe dirigeante de l'Aéropostale, une conviction s'impose désormais : il ne faut rien attendre des gouvernements successifs. Chaque ministre a ses marottes, sa « doctrine », son entourage. Depuis janvier 1931, on a vu Laval succéder à Tardieu, puis Tardieu revenir. Mais Tardieu n'a plus de vraie majorité parlementaire, et les législatives se profilent à l'horizon de mai 1932. Plus on s'approche du scrutin, et plus les pronostics donnent la victoire à une alliance plus ou moins nette entre radicaux-socialistes et socialistes, là où on avait des gouvernements de centre droit soutenus par les radicaux les plus traditionnels. Des radicaux nouveaux, les « Jeunes Turcs », comme Édouard Daladier, député du Vaucluse, ou Pierre Cot, élu de Savoie, qu'appuie l'incontournable maire de Lyon, Édouard Herriot, sont prêts au compromis avec la SFIO de Blum et avec les socialistes « indépendants ». Blum évoque un « soutien sans participation » à un futur gouvernement. Les initiés en déduisent que le prochain gouvernement réalisera des réformes chères aux socialistes, et à certains radicaux. En premier lieu, la fusion des compagnies aériennes. Mais la politique extérieure est aussi concernée : nul n'ignore que la gauche radicale et les socialistes, inspirés par les idées pacifistes, sont d'ardents partisans du désarmement et des pactes dits « de sécurité collective ». Si la gauche l'emporte, l'Aéropostale disparaîtra peut-être.

*

Alors, Dautry tire son plan : tant qu'on vit, il y a de l'espoir. Le 8 mai, le centre gauche et la gauche l'emportent, mais le gouvernement, retardé par les tractations entre les vainqueurs, est formé seulement le 7 juin. Tout de suite, son chef, Herriot, proclame le désarmement et l'apaisement franco-allemand. Le ministère de l'Air est rétabli, mais son titulaire, le revenant Paul Painlevé, semble incapable d'affermir sa poigne.

L'interrègne ministériel et les perspectives ouvertes par le score de la gauche poussent Dautry à marquer le coup face aux « fanas » des hydravions, et à montrer qu'il ne bradera pas l'Aéropostale. Mermoz veut sauver l'héritage des Bouilloux-Lafont, qu'il croit victimes d'un complot politique, et faire vaincre partout le drapeau tricolore ? Dautry lui dit « Banco ».

Le gouvernement italien a invité Mermoz, Dabry et Gimié à participer, le 22 mai, à Rome, à une rencontre internationale d'« aviateurs transatlantiques ». Le 4 mai — avant la victoire de la gauche aux élections — le comité de la compagnie avait décidé de saluer ses pilotes à sa manière en leur prêtant un hydravion prototype Lioré & Olivier et en leur offrant douze mille francs pour leurs frais de voyage. Le 21 mai — après le scrutin —, nouvelle décision du comité : Mermoz sera l'envoyé officiel de la compagnie. Cornaqué par Helbronner, l'« œil » de Dautry, il prendra la parole lors de cette réunion. Objectif : vanter haut et fort ses idées — en fait celles de l'Aéropostale — sur la supériorité des avions sur l'Atlantique, devant la presse et les représentants du Nouveau comme de l'Ancien Monde.

31

L'ambassadeur de l'« aviation française »

Le voyage de Mermoz à Rome inaugure un changement de son image et de son statut. Pour la première fois, il incarne non seulement le courage et l'audace, la ténacité et la force, mais une volonté : la « défense de la France » par celle de l'aviation, incarnation des « valeurs primordiales » du pays.

Les Italiens ont bien fait les choses. Quand les aviateurs français amerrissent en rade d'Ostie, le port de Rome, un convoi officiel les conduit vers la ville nouvelle que le régime fait édifier dans les quartiers sud de la capitale. Ici sortent de terre, selon un plan en damier, des alignements de buildings hautains, et notamment le siège du ministère de l'Air, au fronton surmonté d'aigles de pierre. C'est, avec ses corridors immenses, ses marbres, ses torchères à l'antique, le symbole de l'importance politique que le régime fasciste attribue depuis ses débuts à l'aviation. Elle est censée incarner la modernité à la fois technique et sociale du régime fasciste, technique à cause de ses réserves de puissance et de sa quête de vitesse, sociale parce que ses servants, navigants et hommes du sol, sont supposés fonder une nouvelle communauté de travail et d'ordre.

Pour Mussolini, qui a appris à piloter, l'aviation doit rendre à l'Italie une partie de son ancienne grandeur, évanouie depuis la fin de l'Empire romain. Aussi, à Rome, le ministre de l'Air n'est-il pas un parlementaire quelconque, mais Italo Balbo, le numéro trois du parti, celui qui lança les militants fascistes vers Rome et le pouvoir en octobre 1922. Balbo, naguère enseignant, installe son profil aiguisé et ses airs martiaux dans les dorures d'un uniforme chamarré. Lui aussi sait piloter, et, en décembre

▲ L'auberge natale de Mermoz à Aubenton (Aisne) *(© Roger-Viollet)*

◀ Un bambin blond qui pousse vite *(© Roger-Viollet)*

◀ Avec sa mère à Paris après leurs retrouvailles de 1917 *(© Roger-Viollet)*

Après sa campagne de Syrie, ▶ le sergent Mermoz décoré (1924) *(© Musée de l'air et de l'espace / Le Bourget)*

▲ A l'escale de Juby en 1926. Au centre, Guillaumet et Rigueille. A droite, Mermoz. *(© Air-France)*

▼ L'hydravion Latécoère 28, de la traversée sud-atlantique de mai 1930. *(© Presses de la Cité)*

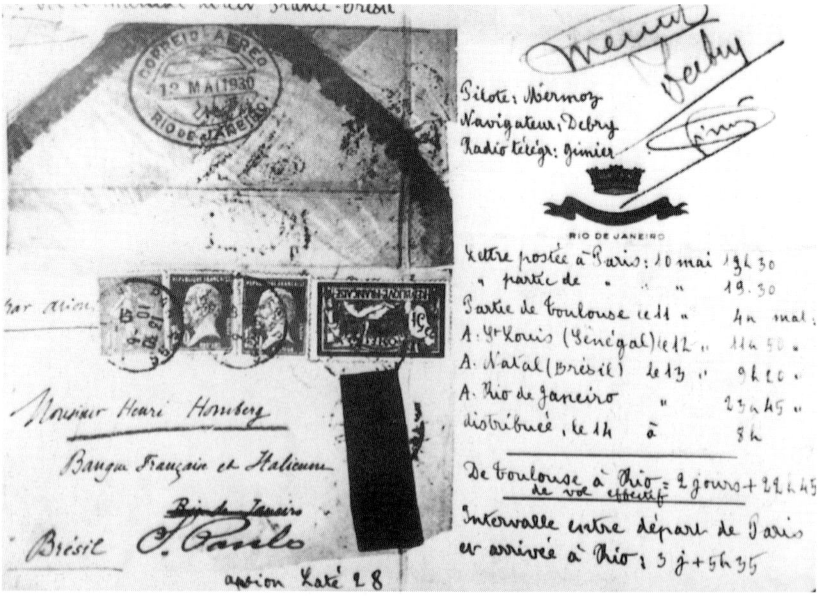

▲ Le courrier accéléré : lettre pour le banquier Homberg convoyée par l'équipage du Laté 28 sur l'Atlantique les 12 et 13 mai 1930. Conformément au règlement, le courrier est signé par l'équipage *(© Keystone)*

Avec le constructeur René Couzinet devant le trimoteur *Arc-en-Ciel* (1932) *(© Keystone)* ▶

▲ Janvier 1933, Rio de Janeiro : réception après la première traversée de l'*Arc-en-Ciel (© Keystone)*

▼ En famille à Mainbressy avec les grands-parents Gillet, sa mère et la chienne Mirko dans les années 1930 *(© Roger-Viollet)*

▲ 1935, Paris. Hommage des Croix-de-Feu à Jeanne d'Arc.
A gauche de Mermoz, le colonel de La Rocque et Noël Ottavi *(© Keystone)*

▲ Félicitations à l'arrivée d'un raid à 310 km/h (1935). A gauche, Gilberte Mermoz
(© Musée de l'air et de l'espace / Le Bourget)

▲ Salle Wagram à Paris, 30 mars 1936. Mermoz raconte “la ligne France - Amérique du Sud” devant une salle conquise. En retrait, François de La Rocque *(© Keystone)*

▼ 1er août 1937. Jules Mermoz lors d'un hommage à Jean à Aubenton *(© Roger-Viollet)*

A Paris, octobre 1936. *(© Roger-Viollet)* ▼

▲ Un profil pour toujours gravé dans le marbre de la légende *(© Roger-Viollet)*

1930, il a tenu à entraîner lui-même une escadre d'hydravions dans une traversée transatlantique par étapes. La presse — tout entière aux ordres — est emplie de la louange de ce moderne *condottiere* et de reportages sur les élégants prototypes de croisière ou de vitesse qui sortent sans cesse des usines Savoïa-Marchetti ou Macchi.

Cet effet de modernité et de puissance provient d'abord d'un immense effort de propagande que soutient un budget aéronautique très supérieur aux capacités du pays. Aussi la réunion du 22 mai est-elle de pure propagande. Il s'agit de mettre en valeur les équipages de la traversée Balbo, les plus nombreux, au milieu des pionniers portugais, américains, français ou britanniques, voire allemands. Et ainsi de montrer que l'Italie fasciste mérite la place de grande puissance que ses chefs revendiquent désormais.

Le thème de la grand-messe du 22 mai, où se mêlent uniformes de parade et smokings des pilotes civils, a été habilement choisi. À Genève, depuis février, les orateurs des grandes démocraties multiplient à la tribune de la SDN les déclarations apaisantes sur le désarmement et sur l'internationalisation des flottes aériennes. Mais à Rome, tout se passe comme si ces discours n'étaient qu'un vernis étalé sur l'impuissance des régimes parlementaires. Ici, la puissance aérienne est prise au sérieux, comme la puissance navale. Alors que l'Italie demeure en majorité un pays de petites villes et de *contados* agrestes, alors que le Sud et la Sicile sont misérables, des centaines de millions de lires sont englouties chaque année dans les escadres de prestige du régime, d'une valeur sportive indéniable mais d'une valeur militaire plus limitée. En réunissant les « aviateurs transatlantiques », il s'agit aussi de montrer que l'aviation bouscule déjà toutes les frontières, même les « frontières naturelles », au moment précis où les pactes de sécurité collective et la ligne Maginot tentent d'enfermer chaque nation derrière les siennes.

*

Jean Mermoz a droit, de la part de Balbo, à un traitement de faveur. Il est bombardé « président de la commission de l'Atlantique sud », ce qui, du point de vue moral, est un pied de nez à son vieux rival Dieudonné Costes, également présent, avec qui il étale ses divergences de vue « sur les possibilités d'un service régulier ». Mermoz présente l'histoire de la Ligne, son programme, ses espérances. Il signe enfin, avec Balbo, un « ordre du jour » où, sans trancher officiellement la querelle entre hydravions et avions, les deux hommes, au nom du congrès, affirment la supériorité technique du « plus lourd que l'air » sur les dirigeables.

La presse italienne fait ses choux gras de la réunion du 22 mai 1932. En France, celle-ci est surtout décrite et commentée dans les organes spécialisés — le quotidien *Les Ailes, L'Aérophile*, mensuel de l'Aéro-Club. Mais une photo officielle, souvent publiée, montre un Mermoz concentré et sérieux, en redingote et col cassé, au deuxième rang des invités réunis autour de Balbo. Il arbore le cordon tout neuf d'une décoration italienne, qu'on a distribuée à tous les invités.

Avec Dabry, Mermoz a ensuite droit à une grande tournée de parade à travers le pays, avec d'inévitables escales dans les joyaux touristiques, Naples, Venise et Florence. Partout, ce sont les mêmes réceptions grandioses, officielles et contrôlées de bout en bout, les démonstrations des escadres « terrestres » et aéronavales, les vivats sur commande, et les soirées « entre hommes » dans la douce tiédeur du printemps.

À côté d'un Painlevé au régime, avec Balbo on ne s'ennuie pas. À chaque jour ses banquets, ses bonnes bouteilles, et, en exclusivité, les blagues salées du ministre, qu'on dit si « couvert de femmes » que le Duce lui-même en serait jaloux.

Les invités sont impressionnés par tout ce tintamarre, comme s'en souvient encore Dabry bien plus tard quand il vante « l'extraordinaire dynamisme de l'aviation italienne, qui était le résultat de la volonté lucide de son chef et de l'esprit qu'il avait su communiquer à tous les échelons de la hiérarchie ». De là à croire que, dans la France de 1932, on manque de « chefs » lucides, volontaires et autoritaires... Comme l'écrit Dabry, toujours ingénument : « Étant donné le régime de l'Italie... cette réalité fut niée... par les responsables de notre aviation. »

*

Le nouveau rôle de Mermoz est conforté peu après son retour à Paris. D'abord, grand honneur pour un salarié, il est convié à présenter le compte rendu exhaustif de son voyage devant le comité de direction. Puis, le 1er juillet 1932, il est élevé au grade de « chef pilote », et, le 1er août, à celui d'« inspecteur de la compagnie ». Ces deux promotions cumulent leurs effets et font de l'aviateur de trente ans, au sens propre du terme, un « pilote hors ligne », placé au-dessus de ses pairs et déchargé de la besogne des services hebdomadaires. Maintenant, avec un traitement de base de plus de cent mille francs, il peut se consacrer à plein temps à sa passion : les vols d'essais et de record. Déjà, au début de juin, il a pris en main le prototype du trimoteur Wibault-Penhoët, encore une ces machines sur lesquelles Verdurand et la compagnie comptent pour accélérer et sécuriser leurs convoyages. Mais son rapport d'expert est peu enchanteur : « L'appareil a tendance à pencher à gauche ; au point de vue commandes, il est dur aux ailerons ; avec un moteur arrêté, il ne tient pas son cap. »

Il faut donc attendre que le Bernard 81 puisse reprendre du service. C'est une pénitence : depuis le capotage de décembre 1931, l'appareil est en travaux dans les ateliers de La Courneuve. Faute d'argent, le travail avance lentement. Officiellement, on annonce qu'en août il pourra sortir du hangar. La confiance entre les Avions Bernard et Mermoz demeure néanmoins intacte : pendant la période creuse de l'été, Jean, accompagné de Gilberte et de « Mangaby », passe quelques jours de détente et d'amitié au château des Saint-Pierre, en Dordogne. Entre deux balades dans d'élégants cabriolets, entre deux festins où Jean se distingue, on parle bien sûr avions. « Mangaby » écoute son fils avec sa dévotion habituelle, religieuse. Gilberte préfère nettement les moments de détente dans le parc, les parties de tennis.

*

La qualité des liens personnels qui unissent Mermoz et Jacques de Saint-Pierre n'empêche pas l'aviateur de chercher d'autres fournisseurs : le Bernard n'est pour l'instant qu'un avion de record, un prototype à la carrière pour le moins inégale. Le 13 août, à l'occasion d'une « virée » de plaisir à Ostende, il partage un avion ami avec René Couzinet, un ingénieur qui, tout de suite, le séduit. Couzinet, avec trois ans de moins que Jean, est dans son domaine une sorte de casse-cou, non du pilotage mais de la construction aéronautique.

Derrière un visage presque adolescent, ce jeune diplômé des Arts et Métiers à la carcasse solide abrite une ambition trempée dans l'acier : construire des avions exceptionnels qui le rendront fier de lui-même et, peut-être, célèbre et riche. Couzinet a dessiné puis construit sa première maquette d'avion à quatorze ans, en 1918, quand les « as » de la guerre défrayaient la chronique patriotique. Étudiant, il a déposé ses premiers brevets et, en 1927, sans un sou, presque sans réputation, il s'est établi avionneur. Dès 1928, fasciné par les exploits des hommes de l'Aéropostale, il construit un avion à long rayon d'action avec les bénéfices de petits travaux pour le compte d'industriels bien établis. Son domaine est un atelier désaffecté de l'île de la Jatte, entre Neuilly et Courbevoie, sur la Seine, un lieu naguère bucolique et prisé des peintres, et où, maintenant, les usines ont poussé comme le chiendent, entre des rives où flânent encore quelques mariniers.

Couzinet, comme Mermoz, lutte depuis des années contre le destin. En 1928, le prototype de tous ses rêves s'écrase aux essais, tuant son pilote. Alors, comme Jean après son premier échec transatlantique, l'ingénieur reprend tout à zéro. Un deuxième *Arc-en-Ciel* voit le jour en 1930. Las, en quelques heures, un incendie réduit en cendres, et l'avion, et l'atelier. Qu'importe : aidé par quelques amis qui croient en lui, Couzinet se remet à l'ouvrage... Quand il rencontre Mermoz, en août 1932, le montage du troisième *Arc-en-Ciel* est déjà bien commencé.

*

Bien sûr, on est d'abord venu à Ostende, le Deauville belge, pour les fêtes qui couronnent le sommet de la « saison » touristique. Ici, pour un public mêlé de vrais riches, d'authentiques barons, et de la foule ordinaire des bains de mer, se renouvellent chaque semaine les spectacles du casino, les concours de jeux de plage et les exhibitions d'avions de sport où de vieux biplans retapés rivalisent d'audace. Décor surréaliste pour la rencontre de jeunes gens pleins de sève, épris de modernité et de ciels lointains.

Tout de suite, Mermoz et Couzinet scellent une amitié naissante autour de quelques bonnes bouteilles, entre une table bien garnie et l'inévitable dancing. Ce sont de brèves mais vraies vacances, au cours desquelles on jure de se revoir sans tarder. C'est promis : Jean poussera bientôt son cabriolet jusqu'aux ateliers ombragés d'arbres de l'île de la Jatte.

*

Dès septembre, il découvre la machine : un long trimoteur au ventre lourd, tout entier revêtu de bois, à l'intérieur spacieux, qui porte ses moteurs préférés : des Hispano du dernier modèle, prêtés gracieusement par leur constructeur. Autour de la table à dessin du petit bureau d'études, on examine les calculs de Couzinet. La machine pourrait faire du deux cent cinquante à l'heure, même avec du courrier ou plusieurs passagers, sur plus de quatre mille kilomètres. Des chiffres qui font rêver : bien plus vite que les hydravions qu'on continue d'attendre, et, bien sûr, grâce à un « avion à roues ». L'*Arc-en-Ciel*, après des mois et des mois de grisaille, offrirait-il à la compagnie — c'est-à-dire à la France — l'engin qui lui manque désespérément ? En tout cas, dès le début de septembre, Jean plaide le dossier Couzinet auprès de Dautry. Il lui demande de subventionner l'ingénieur, en attendant les « primes » que des records futurs lui apporteront. Ou bien d'obtenir du ministère de l'Air qu'il achète l'avion pour la compagnie. Pourquoi pas ? se demande Dautry qui met le sujet à l'étude.

32

Série noire

À vrai dire, aussi bien Mermoz que Dautry ont besoin de coups d'éclat et de revanche sur l'atmosphère sinistre qui plane au-dessus de l'Aéropostale. Celle-ci traverse en effet une bien mauvaise passe. En mai, il y a eu le drame d'Éloi Ville, un des plus anciens pilotes de la Ligne, qui avait épaulé Mermoz dans ses premiers convoyages au-dessus du désert. Il est atteint d'une maladie atroce, sur laquelle les médecins sud-américains ne savent se prononcer. On le rapatrie d'urgence en France. Opéré en vain à deux reprises, il meurt le 10 juin à Paris, dans d'indicibles souffrances, laissant derrière lui une veuve presque réduite à la misère. Ce deuil vient s'ajouter à la catastrophe survenue le 27 février, en pleine mer, de Victor Hamm, Georges Gourbeyre et Pierre Barbier. Hamm et Gourbeyre : encore deux « vieux de la vieille ». Là encore, le chagrin des familles s'ajoute au deuil des camarades. Comme après la disparition de Negrin, de Pranville, Mermoz arbore ses cravates noires et son masque le plus fermé. Hamm, Gourbeyre, Ville et les autres n'emportent-ils pas avec eux de grands fragments d'une épopée glorieuse mais menacée d'oubli ?

*

Puis, en juin, éclate l'« affaire Daurat ». Elle montre, jusque dans ses détails, à quel point on a changé d'époque, à quel point les ressorts qui faisaient la Ligne sont aujourd'hui détendus. Selon le comité de la compagnie réuni le 16 juin, « M. Daurat s'est rendu coupable au cours de ces derniers mois de fautes d'une particulière gravité ». Il s'agirait de détournements de courrier, voire de valeurs, que l'ancien homme orchestre de la Ligne aurait perpétrés dans le secret de son bureau de Montaudran, avant d'en effacer les preuves.

Motifs supposés de ces actes : le lucre ou la vengeance. Le lucre ? Impossible : Daurat vit depuis toujours avec son épouse, professeur de piano, dans une modeste villa de la banlieue toulousaine ; leurs seuls signes extérieurs de richesse sont leur auto, de série, et un poste de TSF. Chez le directeur de la « plus grande compagnie aérienne du monde », on pourrait s'attendre à plus. La vengeance ? Verdurand et Serre sont persuadés que Daurat n'a jamais « digéré » d'avoir perdu la haute main sur les comptes et les services radio de la compagnie. En cela, ils ont raison, mais l'accusation de vol et de détournement, fruit de ragots de couloir, ne tient pas debout.

En vérité, Verdurand veut se débarrasser de Daurat et le remplacer par Serre. C'est une rivalité d'hommes, avec un versant politique : depuis mars, le syndicat du personnel affilié CGT réclame nommément, tract après tract, la peau du « dictateur », du « fasciste » Daurat. Ces imprécations rejoignent les vœux de Serre, conseiller de Jules Moch pour les affaires d'aviation à la SFIO. Curieusement, dès mai 1932, c'est un pilote célèbre, Sadi Lecointe, lui aussi inscrit à la SFIO, qui, au cours d'une visite à Toulouse, aurait — selon les comptes rendus du comité de la compagnie — propagé par des propos la rumeur contre Daurat, qui, du coup, a reçu de la consistance.

Décidée huit jours après l'accession au ministère de l'Air du « socialiste indépendant » Paul Painlevé, qui se place à la charnière d'un cabinet à dominante radicale et du « soutien sans participation » de Blum au gouvernement Herriot, la suspension de Daurat obéit à une certaine logique. Elle prélude à son renvoi pur et simple. Le 27 juin à onze heures du matin, Daurat, convoqué à Paris, est informé de sa suspension : « Il a nié toutes ses fautes et a déclaré qu'il était la victime de calomnies abominables. » Le soir même, il est reçu par le comité, qui lui notifie son licenciement. On est grand seigneur : comme Daurat reste Daurat, on ne portera pas plainte... On a quand même pris ses précautions : la veille on a demandé si le ministère de l'Air avait des objections ; Painlevé a fait répondre : « c'est une affaire interne à la compagnie ».

Le 29 juin, Serre est envoyé à Toulouse exécuter une décision qui conforte sa propre situation. Des scènes pitoyables se déroulent. Comme Daurat refuse de rendre les clés de son bureau, on attend jusqu'au soir, qu'il rentre chez lui, pour changer la serrure. Les jours suivants, le personnel découvre chaque matin l'ancien directeur qui, comme au bon vieux temps, mais désormais privé de sa raison d'être, vient sur le terrain d'aviation et erre entre les hangars, lamentable, silencieux, les mains au fond des poches, le mégot au bec, le chapeau mou en arrière à cause de la chaleur moite de l'été.

*

Même si Mermoz a toujours craint Daurat autant qu'il l'a aimé, cette mise au rebut représente pour lui celle de ses premières années dans le métier. Certes, le jour même où Daurat est renvoyé comme un malpropre, la compagnie décide officiellement d'avancer à la société Bernard deux cent mille francs pour achever les préparatifs de l'avion de grand raid de Mermoz. Mais Jean ne peut être insensible à l'écœurement que le renvoi de Daurat crée chez certains, et notamment chez Saint-Exupéry. Saint-Ex n'est pas loin de penser que la cabale contre Daurat est pour partie la revanche de jaloux furieux de la transposition de Daurat dans le Rivière de *Vol de nuit*, et plus encore du succès retentissant de l'ouvrage qui, couronné du prix Femina en décembre 1931, s'écoule en quelques mois à cent mille exemplaires. Il n'a pas tout à fait tort, mais, de toute manière, le destin de Daurat était scellé : il savait trop de choses sur tout et sur tout le monde. Il avait trop d'autorité. Il était la mémoire de la Ligne depuis 1919. Il était donc devenu encombrant.

*

Pendant que l'« affaire Daurat » occupe les esprits et que Mermoz se voit conforté comme porte-drapeau des intérêts aériens tricolores, la compagnie s'adapte aux réalités. Au cours du printemps, puis dans les derniers jours de juin, elle a conclu, avec toutes les bénédictions officielles, une série d'accords dits « de pool » avec la Lufthansa pour le partage des trafics et des recettes sur l'Amérique du Sud et, demain, sur l'Amérique du Nord. Ces accords ne sont pas isolés ; d'autres, semblables, régissent désormais les lignes d'Europe centrale et orientale, entre la même Lufthansa, et, pour la France, la Compagnie internationale de Navigation aérienne (CIDNA), qui passe tous les jours au-dessus de l'Allemagne vers Vienne, Budapest et Bucarest, ou vers Prague et Varsovie. L'Europe aérienne est en marche, poussée en France par les radicaux, les socialistes, mais aussi par les milieux d'affaires, et, en Allemagne, par les partis du centre à ce moment au pouvoir à Berlin.

Bien sûr, entre-temps, le Zeppelin poursuit ses tournées d'essais vers l'Amérique latine, et de nouveaux avisos Diesel, plus modernes, complètent la flottille navale de l'Aéropostale. Le programme tracé par Dautry en 1931 se développe donc : d'un côté encourager la technique et les équipages tricolores, de l'autre promouvoir l'Europe pacifiée par le commerce et par les traités. Dautry soutient à la fois Mermoz et l'Europe : pendant tout le premier semestre de 1932, il coordonne les travaux du Comité franco-allemand des transports, que parrainent de part et d'autre les milieux d'affaires et les cénacles diplomatiques.

*

Les nuages noirs, si nombreux au printemps, continuent de s'accumuler au cours de l'été : au soir du 12 août, un des avisos de la compagnie, l'*Aéropostale II*, sombre corps et biens en quelques minutes, englouti par l'Océan. Malgré treize jours de recherche, aucun des vingt-quatre marins et passagers n'est retrouvé. Jusque-là, on pensait que ces navires longs et fins, à défaut d'avoir la vitesse d'un avion ou d'un hydravion, assuraient pour le moins la régularité des traversées. Il faut déchanter. C'est toujours le même refrain : les Zeppelin volent, et la compagnie n'a toujours pas d'avions sur l'Atlantique...

33

L'« affaire des faux »

En septembre, recouvrant ces deuils, débute l'« affaire des faux ». L'intrigue de ce roman-feuilleton tient en quelques mots. Au cours du printemps, André Bouilloux-Lafont, fils de Marcel et administrateur provisoire de la compagnie au nom des anciens actionnaires, s'est trouvé en possession de documents — un mémorandum, des reçus, des avis de virements bancaires et des talons de chèques — très compromettants. Ces papiers prouveraient que Paul-Louis Weiller, « patron » à la fois de la puissante société des Moteurs Gnome & Rhône et de la CIDNA, aurait, grâce à « de l'argent allemand » (celui de la Lufthansa et de la Deutsche Bank), soudoyé le directeur de l'aviation civile au ministère de l'Air, Emmanuel Chaumié. Contre deux cent vingt-cinq mille francs et la promesse d'un gros paquet d'actions gratuites, Chaumié aurait aidé Weiller.

Mais dans quel but ? D'après les documents accusateurs, Weiller aurait promis de céder « aux Allemands » ses actions de Gnome & Rhône, une entreprise alors en avance sur celles d'outre-Rhin, en échange d'argent et de la contre-valeur d'actions Lufthansa, pour des dizaines de millions, avec lesquels il aurait pu ensuite racheter à bas prix... des actions Aéropostale pour le moment « gelées ». Weiller serait donc un traître prêt à livrer à Berlin à la fois quarante pour cent des moteurs d'avions de la France et quarante pour cent de son trafic aérien... L'Aéropostale, entreprise allemande !

Pour accomplir ce noir dessein, Weiller aurait eu besoin de Chaumié, l'homme par lequel passent toutes les relations entre l'État et les compagnies aériennes, qui est aussi l'expert de la

France dans les négociations internationales. D'où le chèque de deux cent vingt-cinq mille francs, d'où la promesse de cession d'actions. Quant au forfait lui-même, il serait prouvé par des extraits de virements entre la Lufthansa, Weiller et Chaumié *via* une banque d'Amsterdam, correspondante de la Deutsche Bank, et par des talons de chèques et des reçus de courrier par pneumatique, mystérieusement soustraits d'un tiroir du bureau privé de Paul-Louis Weiller.

*

André Bouilloux-Lafont voit dans ces documents un moyen de sauver sa famille. On le comprend : depuis novembre 1931, le juge Brack enquête sur les comptes de la compagnie, et chaque jour rapproche son père et lui-même — selon les termes du garde des Sceaux, André Renoult — d'une inculpation pour « faux bilan en vue d'une émission [d'obligations], délit assimilable à un délit d'escroquerie et puni, comme lui, d'une peine de cinq ans de prison au maximum ». Au début de l'été 1932, l'instruction s'est enrichie de nouvelles pièces à charge et laisse peu d'espoir pour un classement du dossier, où le nom d'André Bouilloux-Lafont est cité presque aussi souvent que celui de son père. Pour les anciens dirigeants de la compagnie, tout cela n'est qu'une suite de trucages, de témoignages forcés destinés à les dépouiller de leurs parts dans la compagnie pour complaire aux partisans de l'amitié franco-allemande.

Chaumié passe maintenant chez les Bouilloux-Lafont pour un fonctionnaire implacable qui a manigancé en sous-main la chute de l'Aéropostale, et qui commandite les expertises qui « chargent » ses fondateurs. Quant à Weiller, après avoir été en 1929-1931 le partenaire de la compagnie dans une curieuse « société d'études franco-portugaise », c'est à présent un ennemi, à cause d'un contentieux complexe né autour de cette société. Des éléments politiques paraissent enrichir la thèse du complot anti-Bouilloux-Lafont. Chaumié a été député « Cartel des gauches » de 1924 à 1928 avant d'entrer au ministère de l'Air ; et il serait un dignitaire franc-maçon. Quant à Weiller, un play-boy de trente-huit ans qui court sans cesse de ses affaires à ses plaisirs, il porte un nom à consonance allemande (sa famille est d'origine alsacienne), et nul n'ignore ses sympathies pour le centre gauche. On sait aussi que Painlevé fut un ami de son père, un homme d'affaires lié à de grands intérêts américains et allemands, sénateur d'Alsace, proche du Cartel en 1924.

Tout semble ainsi réuni pour compromettre le gouvernement, et pour laver l'honneur des Bouilloux-Lafont, au moment où le cabinet annonce qu'à l'automne on débattra d'une loi qui permettra à l'État de fusionner les compagnies aériennes, et donc de faire disparaître l'Aéropostale.

*

Mais si un scandale est proche d'éclater, ce n'est pas celui que chacun attend. Car les documents accusateurs sont faux de A à Z. Quand il rendra des comptes à la justice, André Bouilloux-Lafont niera énergiquement l'avoir su, plaidera la naïveté, puis la thèse d'un « complot » organisé contre lui et son père par les « services secrets ». Quant à Mermoz, comblé de bienfaits et d'affection par Marcel Bouilloux-Lafont, lui aussi, sa correspondance en témoigne, croit dur comme fer à la thèse du « complot ».

Par surcroît, ce qui plaide pour lui jusqu'à un certain point, le jeune Bouilloux-Lafont a la maladresse, de mai à août 1932, de faire lui-même la tournée des plus hautes personnalités, sa serviette bourrée de « preuves » sous le bras, et de remettre à qui en veut des copies tout aussi « accablantes » que les « originaux ». Il dérange même Painlevé, qui l'écoute poliment, qui accepte un exemplaire des pièces à conviction, les fait expertiser, et porte plainte contre X pour faux et usage de faux. Entretemps, le jeune Bouilloux-Lafont a démarché le général Maxime Weygand, inspecteur général de l'Armée, président du Conseil supérieur de la Défense nationale. Ancien bras droit de Foch, Weygand passe aussi pour être son « héritier spirituel ». Autant dire qu'il fait figure, presque à l'égal de Pétain — avec qui il ne s'entend pas — de grande conscience patriotique.

Chez Weygand, pourtant peu suspect de socialisme, même scénario — ou presque — que chez Painlevé. Le « cinq étoiles » écoute poliment son visiteur, mais une enquête rapide auprès des services spéciaux du chef d'état-major, Gamelin, le convainc du maquillage des pièces à conviction. Par précaution, il conserve dans son coffre certains documents, puis, à la demande du juge Ordonneau qui remplace Brack, en vacances, il les fait joindre au dossier dès que Painlevé porte plainte.

Le 26 août, le juge convoque le jeune Bouilloux-Lafont, qui s'explique devant lui le 2 septembre. L'audition est si discrète que, pour une fois, rien de filtre dans presse. Une chose est certaine : l'accusateur remet au magistrat les originaux des documents qu'il détient depuis le printemps, et peut-être quelques autres qui lui seraient parvenus depuis.

*

Mais il faut croire que le jeune homme sort insatisfait de chez le juge. Aussi, le 10 septembre, il franchit le pas. D'abord, il se présente à une réunion prévue de longue date du comité de la compagnie, et « offre au conseil de lui communiquer les photographies des pièces qu'il a remises... au juge d'instruction concernant les manœuvres qui auraient été engagées en vue de faire passer le contrôle de la Compagnie aéropostale à un groupe franco-allemand ». Une démarche que Dautry balaie d'un revers de la main. Non seulement l'administrateur général de l'Aéropostale refuse de jeter le moindre coup d'œil sur les photographies, mais il suggère à l'accusateur « sa mise en congé provisoire du comité de direction, afin de conserver toute sa liberté d'action pour suivre l'affaire *dont il a pris l'initiative* » (nous soulignons). C'est ce qu'on appelle se faire éconduire !

Alors, le même jour, André Bouilloux-Lafont, selon les termes du garde des Sceaux, « dépos[e] une plainte avec constitution de partie civile pour corruption de fonctionnaire et forfaiture contre MM. Chaumié et Paul-Louis Weiller ». Une nouvelle enquête commence.

*

Cette démarche est une lourde erreur. Informé on ne sait trop comment, *Le Populaire* du 2 octobre, sous la signature de Léon Blum, lève le lièvre : une enquête judiciaire menée en France, en Allemagne et aux Pays-Bas, et des expertises précises ont démontré la fausseté absolue des documents. Pour le leader socialiste, dont l'affaire sert les projets de contrôle étatique des compagnies aériennes, il faut que la justice passe, vite et fort. Sinon, lors de la rentrée des Chambres, le 16 octobre, on verra ce qu'on verra. Le lendemain lundi 3 octobre, *Le Matin* donne à lire des détails complémentaires et, pour un très large public, affiche les portraits des protagonistes de l'affaire.

Le dossier est désormais sur la place publique. Mis en cause par la gauche, le jeune Bouilloux-Lafont affirme être la victime d'un escroc repris de justice, Serge Colin, dit « Lucco », qui, maintenant, pour se blanchir, « enfonce » l'infortuné propagateur des faux. D'autres comparses font, chacun à son tour, la une des journaux qui semblent se repaître des accointances supposées entre milieux d'affaires et « milieu » tout court. Finalement, le 22 octobre, les Bouilloux-Lafont retirent leur plainte contre Weiller et Chaumié, que la justice blanchit le même jour. Mais André Bouilloux-Lafont est gravement compromis. Le 24, il est inculpé par le juge Brack pour faux et usage de faux, une inculpation bientôt requalifiée en simple complicité, tant est grand le contraste entre la simplicité d'âme du jeune homme et la rouerie de ses coïnculpés.

*

Entre-temps, à cause de la presse, les Français ont eu l'occasion de se ranger en deux camps : ceux qui croient dur comme fer que les anciens dirigeants de l'Aéropostale sont les victimes d'un complot d'État, et ceux qui croient le contraire.

Dès le 4 octobre, *L'Ami du peuple* titre : « De l'affairisme à la trahison », invoque sans nuance « une mafia au service de l'Allemagne » qui « travaille dans l'ombre ». Plus encore que Chaumié, Weiller est accusé d'être à la solde de la Lufthansa, c'est-à-dire de l'Allemagne. Pour *Le Figaro*, « Les experts les plus qualifiés [1] (*sic* !) ont déclaré les faux authentiques » et « en admettant qu'il se soit glissé ou qu'on ait glissé, parmi les quatorze ou les quinze pièces de M. Bouilloux-Lafont, un ou deux faux, les autres n'ont conservent pas moins toute valeur probante » ; en vérité, « on cherche à étouffer l'affaire ». Le même jour, le même quotidien dépeint André Bouilloux-Lafont à genoux dans le bureau du magistrat, pathétique figure d'homme d'hon-

1. Un professeur à l'École des Chartes, par ailleurs antirépublicain notoire...

neur dépassé par les circonstances. Pour *L'Ami du peuple* du 11 octobre, on est en présence des « plus mystérieuses et machiavéliques complications »... Bientôt naît une nouvelle légende : les faux seraient de « faux-faux » fabriqués par Weiller avec quelques complices pour être ensuite vendus à André Bouilloux-Lafont qui, induit en erreur, serait en réalité la victime désignée de toute cette machination. Weiller manipulerait le gouvernement pour faire de l'argent avec les Allemands, et le gouvernement laisserait faire, parce qu'il est infecté par les intérêts allemands. CQFD !

*

Bref, on est en plein roman. Or, le 12 octobre, éclate une nouvelle bombe : Bouilloux-Lafont père et fils sont inculpés de « faux bilan » par le juge Brack dans l'affaire de la comptabilité de l'Aéropostale, qui suit son cours depuis novembre 1931 et qui, à présent, aboutit. Dès lors, la presse nationaliste redouble d'attaques contre la gauche au pouvoir, avec une argumentation imprégnée d'antisémitisme.

Tout viendrait, au départ, de Léon Blum, qui aurait « de la haine » contre l'Aéropostale (pourquoi ? mystère... à moins que Blum ne soit un « agent allemand »). Blum (socialiste et juif) veut démolir l'Aéropostale pour faire la « compagnie unique » et étatique, amie de l'Allemagne, dont rêve un autre socialiste (et juif), Jules Moch. Painlevé (réputé franc-maçon, comme Chaumié), qui fourbit sa loi sur le transport aérien, est leur complice. Weiller (juif et « agent allemand ») aussi. Bien sûr, au bout du compte, Weiller espère obtenir le contrôle (occulte ?) de la future compagnie et en faire l'obligée de la Lufthansa...

34

Les élites soupçonnées

En s'étalant dans la presse, l'« affaire des faux » atteint de plein fouet le personnel de la compagnie. La dramatisation des faits, les commentaires, les « fuites » spontanées ou organisées donnent l'impression fâcheuse que, derrière le dévouement quotidien des employés, il y aurait un « dessous des cartes ». Tous le vivent comme un traumatisme : les uns se replient sur le mythe de l'« âge d'or » de la Ligne, d'autres se répandent en remarques désabusées, voire cyniques, sur la « corruption » des puissants et sur l'impuissance des travailleurs, des navigants « de base » face à un destin qui se dessine ailleurs.

Au-delà de l'émotion, on trouve des analyses plus politiques de l'événement. Pour le socialiste Édouard Serre (que Dautry augmente à cent mille francs par an le 31 décembre 1932), l'affaire confirme les égarements où conduit la remise du transport public à une compagnie privée. Pour Saint-Exupéry, qui penche à gauche et écrit dans *Marianne*, un hebdomadaire fondé en février 1932 pour le philosophe Emmanuel Berl par Gaston Gallimard, l'affaire est écœurante. Il prend la défense de Chaumié, et s'en ouvre dans une lettre à Raoul Dautry où il se plaint aussi d'être mis à l'écart du réseau depuis que l'affaire a éclaté.

Jean Dabry, grand ami de Mermoz, atteste que ce dernier est choqué à la fois par l'éviction de Daurat, par les poursuites contre les Bouilloux-Lafont et par la perspective d'une fusion des compagnies. Les deux hommes nourrissent désormais une prévention vraie contre « les politiques » — c'est-à-dire contre la gauche : c'est parce qu'il est socialiste que Serre aurait joué contre Daurat, et c'est un complot du même bord qui aurait sans cesse voulu renverser la compagnie. Chez Mussolini et Balbo, on n'aurait pas vu cela.

Ces opinions expriment la sincère fidélité de cœur et la reconnaissance de Mermoz envers les Bouilloux-Lafont, qui ont permis à tant d'hommes d'échapper à une vie ordinaire, de rencontrer l'aventure. Mermoz voit, dans ce qui s'est passé « à l'arrière », des « tripotages », des combinaisons d'état-major, des « plans stratégiques » obscurs et des querelles de préséance entre décideurs tout-puissants, tramés tandis qu'à l'égal des « poilus » de Verdun il donnait son sang et sa sueur dans un sacrifice de tous les jours.

Pour lui, l'aviation, le pilotage, leurs relations avec la société tout entière répondent au schéma mental « ancien combattant ». D'un côté, il y a les « exposés » — eux —, de l'autre les « planqués » — industriels, hommes politiques, généraux. Entre les deux mondes, un homme comme Daurat qui, pour Mermoz, a « des gros défauts » mais est « d'une intégrité à toute épreuve », faisait le lien, évitait les ruptures, créait l'entraînement des âmes. Et les Bouilloux-Lafont étaient forcément de la race, si rare, des grands entrepreneurs désintéressés.

Dans ses lettres, Mermoz retrouve la forme du jeune sergent de vingt-deux ans qui, en 1924, s'indignait de l'« injustice » des supérieurs à son égard. Mais le ton s'est fait plus grave. Les adversaires de l'Aéropostale protègent « des rapaces ». Il ressent « de la nausée ». En contrepoint, plus 1932 avance et plus il se sent investi d'une mission, qu'il évoque dans sa correspondance : reconstituer « notre ligne » comme elle existait « avant ».

C'est un mirage. Mermoz partage avec son ami Dabry la croyance en la théorie du complot général, de la trahison des élites, un thème alors répandu dans l'opinion. L'aviation est « affaiblie » par « les divisions politiques et les désordres auxquels elles donn[e]nt lieu ». À « la politique » s'oppose « la valeur de nos techniciens et de nos équipages ». Pour Mermoz, si l'Aéropostale s'est effondrée, c'est non pas à cause de sa gestion brouillonne et de la crise sud-américaine, mais à cause « des luttes financières et politiques » dans lesquelles « M. Marcel Bouilloux-Lafont, lâchement abandonné et dépouillé, dut s'incliner ».

*

Pas plus Mermoz que Dabry ne s'interroge : la liaison Sénégal-Brésil doit-elle être une priorité pour la France ? Doit-elle absorber la plus grosse part des efforts du pays ? Cette question leur échappe. On leur a demandé de créer une ligne aérienne : ils essaient de le faire. Au nom du contribuable, le gouvernement ralentit le programme, et dessine d'autres priorités — l'Atlantique nord et l'Indochine — qui font passer la Ligne au second plan.

Dès lors, on les a « trahis ». La Ligne, c'est « leur ligne », leur vie, leur jeunesse, leurs enthousiasmes, leur gagne-pain. Quand on les « trahit », on trahit la France. Mermoz, naguère toujours premier à prendre l'air dans les missions de « pacification » en Syrie, épouse pleinement, en l'année 1932, le « syndrome de l'ancien combattant » qui, dans la France politique d'alors, et au nom du drapeau, nourrit nombre de mouvements qui conspuent la République et ses « politiciens » plus ou moins suspects. Consciemment ou non, il épouse ainsi les thèses d'une certaine droite, celle d'Henri de Kérillis qui, dans *L'Écho de Paris*, fustigeait dès août 1932 la « mainmise de l'Allemagne » sur notre aviation, mais aussi celle de la presse Coty, le parfumeur, qui finance certaines des « ligues » d'anciens combattants qui, désormais, se jettent dans la bataille politique.

*

Le désenchantement ne conduit pas Mermoz à l'inaction. D'autant moins que, pour lui, selon la formule alambiquée de Jean Dabry, « l'action menée contre Marcel Bouilloux-Lafont et l'Aéropostale n'avait pas été entièrement fortuite ». Tandis que s'ourdissent les trames complexes de l'affaire des faux, il s'accroche plus que jamais à ses projets de grandes traversées et de record. Toujours le même rêve : restaurer le passé de la Ligne, là où Dautry veut, plus prosaïquement, « blinder » la position française dans la coopération internationale.

*

Le 10 septembre 1932 — le jour où Dautry a éconduit le jeune Bouilloux-Lafont —, le comité de la compagnie encourage une nouvelle fois Mermoz en lui accordant par avance une « gratification » de vingt-cinq mille francs pour une prochaine tentative de record en ligne droite sur le Bernard. Pour les dirigeants de l'Aéropostale, c'est une question de jours : tout dépend maintenant « des conditions météorologiques ». Car l'avion est depuis l'avant-veille sur sa base de départ, à Istres.

Il leur faudra néanmoins patienter. Car, malgré les deux cent mille francs versés par la compagnie, le « GR 81 » n'est pas prêt. Le 18 octobre, aux petites heures du jour, Mermoz donne enfin le signal du départ. Les soutes sont gorgées d'essence, huit mille litres. L'avion est prêt pour, d'un coup d'aile, aller jusqu'à Buenos Aires : onze mille kilomètres en ligne droite. Une première mondiale hautement symbolique pour Jean : c'est à Istres qu'il a appris à piloter en 1920, c'est à Buenos Aires, en 1927, qu'il a connu son premier poste à responsabilité dans l'Aéropostale.

Les dieux abandonnent une nouvelle fois Mermoz. Après un décollage poussif, il faut revenir au terrain après quelques minutes de vol : les commandes de l'avion sont molles, les ailerons vibrent et les ailes battent beaucoup trop par rapport à leur axe horizontal. L'avion n'est bon à rien. Le lendemain, la mort dans l'âme, Mermoz le ramène à Villacoublay, près de Paris. Ce trajet de quelques heures est une épreuve : seul un Mermoz est capable de maîtriser l'appareil — et encore. Il faut d'abord se poser à Lyon, et l'arrivée à Villacoublay ne passe pas inaperçue... Chez Bernard, on semble très étonné de cette piètre performance ; on remet l'avion sur le chantier, mais en rechignant.

Finalement, le 8 décembre 1932, Mermoz, accompagné de l'ingénieur Galtier, est invité à reprendre la machine en main. On lui assure que tout va bien. Pour tester l'appareil, on a installé dans sa queue une caméra, que manipule le mécano Laversin : on verra bien si les ailes battent autant que Mermoz le prétend. Décollage, prise d'altitude : les ailerons se mettent à claquer, puis ne répondent plus. Une seule solution : enfiler les parachutes et tenter un atterrissage sur le terrain militaire d'Orly. Mermoz finit par arriver devant la piste, malgré des commandes défaillantes. On se pose en crabe, cahin-caha. Pour Mermoz, l'association avec Bernard est terminée. Il compte sur une autre machine, l'*Arc-en-Ciel* du débutant Couzinet.

35

Les chevauchées de l'*Arc-en-Ciel*

Il est urgent de changer de monture. Quelques jours plus tôt, le 3 décembre 1932, le président du Conseil Édouard Herriot a confirmé l'élan pacifiste de la France. Rallié à la position anglo-saxonne sur la question allemande, il prône « l'égalité des droits [entre la France et l'Allemagne] dans un régime [pas encore défini] qui comporterait pour toutes les nations la sécurité ». C'est l'enterrement définitif du traité de Versailles. Désormais, l'Allemagne pourra avoir une aviation militaire, et même une aéronavale, comme la France, l'Italie ou la Grande-Bretagne. À une seule condition, plutôt formelle, acceptée d'avance par Berlin : revenir siéger en mars prochain à la conférence du désarmement. Le 11 décembre, les Chambres approuvent une loi qui réforme l'aviation marchande. Avant un an, la Ligne aura disparu, fondue dans la fameuse « compagnie unique » contrôlée par l'État. Tout un monde s'effondre autour des anciens de la Ligne.

*

Dautry est consterné. Il pensait servir un double jeu face aux Allemands et gagner sur tous les tableaux, d'un côté en poussant Mermoz et de l'autre en négociant. Aujourd'hui, en une seule phrase, Herriot a donné de l'épaisseur à des informations répandues de longue date au 2e Bureau. Selon « les services », les Heinkel et les Junkers rapides de la Lufthansa qui desservent Séville depuis Berlin en deux étapes servent déjà au réarmement secret de l'Allemagne. Maintenant, la flotte et le personnel de la Lufthansa formeront le noyau d'une Luftwaffe ressuscitée.

Jusqu'à présent, Paris a minimisé le danger. Pour le Quai d'Orsay, où l'indolent Alexis Léger a remplacé Philippe Berthelot, pour l'ambassadeur à Berlin, André François-Poncet, les services secrets dramatisent la situation, et la défaite récente des nationaux-socialistes aux législatives du 6 novembre a écarté le retour du bellicisme allemand. Il faut donc poursuivre la coopération qui, depuis septembre, fait travailler ensemble, sur les lignes sud-américaines, la Kondor, filiale de la Lufthansa et de la Pan Am, et l'Aéropostale. La chute d'Herriot, remplacé le 15 décembre par Paul-Boncour, ne provoque aucun changement de cap. Tout incite donc les éléments nationalistes à penser que la France a franchi une étape décisive : elle est désormais enfermée dans une stratégie qui limite sa défense à la Ligne Maginot en construction.

*

Cette perspective conforte Mermoz dans la conviction qu'il faut continuer à hisser bien haut le drapeau tricolore, ne serait-ce que pour l'honneur. Il se range dans une minorité de l'opinion qui refuse à la fois l'internationalisme prôné du camp socialiste à la droite modérée et le pacifisme forcené des extrémistes de droite et de gauche. L'aviation demeure pour lui le miroir de la réalité française. Il est, plus que jamais, sur la ligne exposée par François Coty dans *L'Ami du peuple* : « L'Aéropostale était une grande œuvre française conçue et réalisée par des Français au profit des Français. Nous en avons été dépossédés perfidement, sans pouvoir jamais découvrir l'autorité responsable de notre arbitraire dépossession. » Et c'est par le métier, et grâce à ses talents de pilote hors pair, que Mermoz relèvera le pavillon tricolore. Dès lors, le trimoteur Couzinet construit sur l'île de la Jatte devient l'avion de la dernière chance.

*

Pourtant, le Couzinet *Arc-en-Ciel* est loin d'être un bon avion. C'est — pour l'époque — un gros appareil, avec ses trente mètres d'envergure, ses deux moteurs dans les ailes, un autre au bout du nez. C'est une machine solide, construite en bois, audacieuse pour l'époque, avec sa dérive surbaissée, son centrage avancé, une motorisation qui lui permet de supporter une forte charge. Et une vitesse qui frôle les deux cent cinquante kilomètres à l'heure... Mais elle a les défauts de ses qualités : elle vibre, sa dérive trop petite la rend instable par vent latéral, et ses moteurs ont tendance à chauffer.

André Dubourdieu a pris en main la machine le 14 novembre. Après deux semaines d'essais poussés, il lâche un diagnostic sans ambiguïté : « en plus de défauts graves, rien ne dépassait l'à-peu-près sur cet appareil qui n'était pas, il faut l'avouer, la septième merveille du monde, mais le premier et le seul utilisable à la rigueur ». Dubourdieu, aidé de Couzinet, a bien tenté des améliorations, mais la construction même de l'appareil en limite la portée. D'où son manque d'enthousiasme et sa curiosité quand Mermoz, qui selon lui « trépigne » depuis des semaines, prend les commandes pour un vol de contrôle Paris-Marseille-Alger et retour. Il admire le courage de son camarade qui, trois jours plus tôt, a connu ses derniers déboires sur le Bernard. Mais quand il faut y aller...

Dubourdieu en est pour ses frais. Mermoz accomplit son aller et retour qualificatif, et ne dit rien, sauf à Couzinet. Officiellement, Jean explique partout que l'avion comble ses rêves. De toute manière, son choix est déjà fait.

*

Une nouvelle aventure commence, au moment précis où le juge Brack renvoie les inculpés de l'« affaire des faux » devant la chambre des mises en accusation. Le 8 janvier 1933, Mermoz a conduit l'*Arc-en-Ciel* à Istres, avec un équipage composé du capitaine Carretier (navigateur), de Manuel (radio), de Jousse (mécanicien) et de René Couzinet. Puis, le 13, au petit jour, tout ce petit monde, et deux passagers supplémentaires, s'embarque pour une grande croisière, France-Brésil en deux étapes. Avant de partir, Couzinet déclare au *Figaro* : « Ce n'est pas un raid que nous voulons faire », mais chacun attend que l'*Arc-en-Ciel* enfonce les records du Zeppelin sur le trajet Europe-Amérique.

Mermoz vise d'abord Dakar — il n'a pas l'autorisation d'aller au-delà si la machine ne tourne pas rond. L'avion vole vite : deux cent trente de moyenne — un rêve. Mais tout n'est pas parfait : une fuite d'huile contraint les aviateurs, partis à 7 h 30 du matin, à faire escale, peu avant minuit, à Port-Étienne. Qu'importe : on poussera jusqu'à Saint-Louis seulement le lendemain.

Les journalistes amis gomment cet incident et entonnent des chants de gloire. *Paris-Soir* et Le *Figaro* insistent sur le « grand potentiel » du Couzinet. « Ils » avaient encore des milliers de litres d'essence en soute, « ils » auraient pu faire au moins quatre mille cinq cents kilomètres d'un seul trait, « marge magnifique ». Ils soulignent « l'aisance de l'appareil au décollage », alors qu'il ne part droit qu'avec les commandes braquées à fond. Bref, c'est l'enthousiasme.

Là-dessus, la pluie cloue l'avion et l'équipage pendant deux jours à Saint-Louis : la piste détrempée ne supporte pas les quatorze tonnes de l'*Arc-en-Ciel*. Il faut prendre patience, dans ce bout du monde où les distractions sont plutôt rares.

*

Enfin, le 16 janvier, c'est la traversée, la partie la plus réussie du voyage. Départ avant l'aube, arrivée en plein jour, quatorze heures et vingt-sept minutes plus tard, à Natal. Mermoz a repris le même trajet — ou presque — emprunté avec le *Comte de La Vaulx* en 1930. Mais l'*Arc-en-Ciel* est plus rapide de moitié : deux cent vingt au lieu de cent cinquante kilomètres de moyenne. *Le Figaro* applaudit à « des conditions parfaites de régularité, une précision quasi mathématique ».

Natal n'est qu'une étape, où l'équipage passe la nuit. Le 17, il atteint Rio de Janeiro. Cette fois, Mermoz a remporté un double pari : relier les deux villes symboles de sa carrière aviatrice, et en trois jours et demi, escales comprises. Le Zeppelin est battu. Painlevé se fend d'un télégramme, copie conforme de celui de Laurent-Eynac lors de la traversée de 1930, à un détail près : « votre traversée *ajoute* page glorieuse histoire des ailes françaises ». L'émotion étreint le rédacteur de *L'Ami du peuple*, Marcel Reichel, et sa plume s'affole : « Pour comprendre toute la foi, tout l'idéal qui a conduit les valeureux artisans de cette belle victoire, il faut savoir que, de tout l'équipage, seul Couzinet (...) est célibataire. » Et, bien sûr, « la splendide traversée constitue une triomphante riposte aux *sournois* efforts entrepris à l'étranger pour *ravir* à la France l'exploitation de cette ligne prestigieuse » (où aucun avion français n'a transporté de courrier depuis mai 1930).

*

Bien sûr, les Sud-Américains s'enthousiasment, mais pas autant que le laisse croire la lecture des journaux français. Non qu'ils sous-estiment l'exploit de Mermoz et de ses compagnons. Mais leur intérêt pour les traversées sensationnelles est émoussé. Chacun voit midi à sa porte : en France, l'*Arc-en-Ciel* passe pour être la septième merveille du monde, quoi qu'en pense Dubourdieu, et on minimise, dans la réussite de la traversée, le rôle tenu par des services radio de qualité et par les capacités exceptionnelles du chef pilote. À vrai dire, sans Mermoz, l'*Arc-en-Ciel* ne serait jamais parvenu à bon port. Mais qui d'autre que lui, pour « tenir » le volant pendant des heures, y fixerait ses poignets avec de gros élastiques de déménageur ? Qui, sinon Jean, s'envolerait pour quinze heures et plus sur un avion qui n'a pas de doubles commandes ?

*

À peine arrivé à Rio, Mermoz déclare : « Ce voyage constitue une preuve définitive que l'avion peut relier l'Europe à l'Amérique du Sud. » Mais, pour faire aussi bien que le Zeppelin, il faut pousser jusqu'à Buenos Aires. Commence alors une vraie course poursuite entre la vitesse propre de l'avion et les contretemps qui se multiplient.

Aller à Buenos Aires en *Arc-en-Ciel* se révèle plus laborieux qu'avec un bon vieux Laté 26. Les pluies immobilisent l'avion sur le terrain de Rio jusqu'au 21 janvier. L'avance sur les Allemands se réduit comme peau de chagrin. Les équipiers se morfondent. Couzinet se console en apprenant par télégramme qu'on lui attribue la Légion d'honneur. Enfin, on repart de Rio. Mais le mauvais temps rend l'avion ingouvernable, il faut improviser une halte à Pelotas, en pleine pampa, cinq cents kilomètres avant Buenos Aires. Nouvelle consolation : Mermoz et ses amis reçoivent un chaleureux télégramme d'Italo Balbo : « je n'ai jamais douté de la réussite de votre nouveau grand vol transatlantique »... Finalement, on atteint Buenos Aires le 22 à 15 h 44 GMT.

Six jours et onze heures pour faire Istres-Buenos Aires, le même temps que le Zeppelin relayé par des avions sur la ligne allemande Séville-Buenos Aires. En vitesse pure, l'*Arc-en-Ciel* est bien sûr le plus rapide, mais rien ne prouve encore qu'il soit capable d'accomplir vraiment le trajet en trois étapes enchaînées l'une à l'autre.

*

Mais qu'importe. La chevauchée de l'*Arc-en-Ciel* a atteint son but : entretenir l'enthousiasme des supporters conquis d'avance. Dans les deux cents personnes qu'on distingue sur les photos de l'atterrissage à Buenos Aires, *L'Ami du peuple* voit « la foule » amenée par « une impatience qui allait sans cesse en grandissant » chaque fois que l'avion était retardé. Dans l'insuffisance des terrains (ou la puissance des pluies) au Sénégal et en Amérique, il voit le résultat de « la négligence des gouvernements » — alors que le « centrage » exagéré de l'avion en est la cause...

À l'Aéropostale, sur les Champs-Élysées, on partage l'enthousiasme de la presse. Le coup a porté : les Français sont revenus par la grande porte en Amérique du Sud, et la théorie de Verdurand — on peut faire la traversée sans disposer d'un hydravion — a marqué des points. Tout le reste est passé sous silence. Dautry, reconnaissant, demande pour Mermoz la « cravate » de commandeur de la Légion d'honneur — et Verdurand, enthousiaste, prend l'aviso de la Ligne pour rejoindre Mermoz et Couzinet et partager leur voyage de retour.

*

Mais, comme en 1930, le retour est sans cesse repoussé. L'avion et ses moteurs exigent de nombreuses modifications, qui prennent un bon mois. À ce moment, l'aérodrome de Natal, tour à tour raviné par les pluies et craquelé par la chaleur sèche, se révèle impraticable. Il faut refaire entièrement la piste en terre, avec des équipes de terrassiers armés seulement de pelles et de brouettes. D'autres semaines passent. Des essais au sol montrent l'usure exagérée d'un moteur, on en commande un autre en France. L'avion ne pourra pas regagner la France avant le 15 mai.

Cette fois, Mermoz ne reste pas planté en Amérique à attendre. Le 27 février, en aviso puis en avion, il rejoint Casablanca. Là, le 2 mars, il s'embarque à nouveau, sur un autre Couzinet qu'on a conduit spécialement pour lui, un petit trimoteur, le *Biarritz*. C'est une petite merveille, au profil racé, qui file presque à trois cents à l'heure, avec ses trois moteurs Salmson. Mermoz se régale aux commandes jusqu'à Bordeaux, *via* Toulouse.

Une idée a germé en même temps dans le cerveau de Couzinet et celui de Mermoz. Pourquoi ne pas donner à l'*Arc-en-Ciel* un petit frère qui irait aussi loin et encore plus vite, avec un équipage réduit à deux hommes ? Aussi, le 20 mars, après quelques semaines de mise au point, Mermoz repart-il aux commandes du *Biarritz*, aux côtés du pilote d'essai de Couzinet, Verneilh. D'un seul trait, ils « font » Le Bourget–Saint-Louis-du-Sénégal, un exploit exceptionnel. Puis, le 25 mars, ils vont jusqu'à Porto Mayo, aux îles du Cap-Vert, et reviennent dans la même journée. Conclusion : le *Biarritz* ferait un excellent remplaçant des Laté en service sur les parcours continentaux de la Ligne. Un problème se pose : plus on allonge son rayon d'action, et moins il peut emporter de courrier. Voilà qui tue le projet dans l'œuf. Mais, pour Mermoz, il valait quand même le coup d'essayer, avant de regagner Natal.

*

À Paris, Dautry et tout le personnel de l'Aéropostale attendent Mermoz et son avion, avec la ferveur de croyants qui invoquent le Messie. C'est qu'entre-temps, de ce côté-ci de l'Océan, tout a encore bougé. Le 31 janvier, Édouard Daladier a formé son premier gouvernement. À l'Air s'est installé Pierre Cot, un grand jeune homme de trente-huit ans aux lunettes rondes d'intellectuel. Pierre Cot est ambitieux, pour lui comme pour son ministère. Lui aussi veut faire de l'aviation un emblème de la France, mais un emblème porté à gauche, un instrument de paix entre les peuples. Et il entend bien achever sans retard les mutations engagées depuis 1931.

Pour lui, l'Aéropostale, c'est du passé. Il veut être le créateur de la compagnie unique, lui assigner une vocation mondiale. Boulevard Victor, siège du ministère de l'Air à Paris, Cot imprime très vite sa marque. Plein d'énergie, il prend tout de suite des leçons de pilotage ; il est volontiers autoritaire et cassant, et travaille avec une équipe restreinte de fidèles. Une révolution.

Le 8 avril, lors du vote du budget, il fait passer des crédits pour indemniser les actionnaires des compagnies privées. Le 17 mai — le jour où Hitler annonce au monde que l'Allemagne réarmera — paraît un décret qui crée une Société centrale d'Exploitation des Lignes aériennes (SCELA). À partir du 1er juin, elle reprendra l'exploitation des cinq compagnies privées existantes. Une société d'économie mixte, où l'État aura au moins vingt-cinq pour cent des parts, succédera à la SCELA quand les conditions de reprise des réseaux privés seront définitivement arrêtées. Tout de suite, les négociations commencent avec les anciens conseils d'administration. Dans le cas de l'Aéropostale, où, selon Cot, Bouilloux-Lafont fait encore de « la résistance », une discrète mission de conciliation est confiée à René Meyer, directeur des Chemins de fer du Nord.

*

Au siège de l'Aéropostale, Dautry sait que ses jours sont comptés. Un coup d'œil sur les deux années passées à panser les plaies de l'Aéropostale le convainc qu'il a préservé de beaux restes à léguer à la nouvelle compagnie, dont il découvre le nom qui claque comme un drapeau : Air France. Que Mermoz revienne sain et sauf de Natal avec l'*Arc-en-Ciel*, et ce sera l'apothéose de sa politique. Pour que nul n'ignore l'exploit destiné à couronner son règne finissant, Dautry a expédié là-bas un journaliste du *Matin*, Paul Bringuier, qui sera du voyage. Quant à Mermoz, il a obtenu que son vieux camarade d'aventure, le mécanicien Collenot, perdu de vue pendant deux ans, soit de la chevauchée.

Des retrouvailles symboliques quand on sait que, cinq jours avant leur départ de Natal, les deux compagnons ont appris la mort, au-dessus de la Catalogne, de deux autres anciens, Emler et Rigueille, dans un accident qui, au total, a fait six morts. L'accident le plus bête qui soit : « Le pilote... est entré volontairement dans ce nuage pour s'entraîner au vol sans visibilité. Il a dû être déséquilibré par les remous qu'il y a rencontrés, créant ainsi la catastrophe... »

*

Mais, une fois encore, Dautry doit faire preuve de patience, car le chemin du retour est semé d'embûches. Un rapport jusqu'ici inédit de Mermoz dépeint d'un style sobre et faussement neutre les péripéties de la première étape, Natal-Dakar. Après un faux départ, dû à la médiocrité de l'essence, « l'appareil lève la tête lentement, mais demeure maniable ». C'est, à basse altitude, et à deux cents à l'heure, la traversée du « pot au noir », le survol du rocher de Saint-Paul.

Puis, le destin semble contraire, comme en juillet 1930 et presque au même endroit : « À 700 km de Dakar... Apercevons fuite d'eau importante ruisselant sur le capot moteur gauche. Collenot se rend compte de son importance, se glisse entre les groupes du moteur et essaie à plusieurs reprises de glisser un cache-col avec un tournevis entre la calandre du radiateur et le capotage [qui sont à l'extérieur]... impossible d'y réussir. Le thermomètre marque 90°. Je coupe le contact. J'incline l'appareil en cabrant vers la droite. Les deux moteurs siphonnent un peu. Obligé de redémarrer. L'hélice du moteur s'arrête en croix... Le freinage se fait sentir fortement. La vitesse tombe à 140... décide de remettre le moteur gauche en route. Il repart parfaitement. Réduit à fond, il tourne à sept cents tours...

« Au bout de 4 h 35 de vol avec deux moteurs, aperçois les feux de Dakar dans la nuit. Atterrissage normal de nuit sur le terrain peu balisé et très court »... L'équipage a eu chaud.

Mais les ennuis ne se terminent pas à Dakar : « Départ pour Saint-Louis le surlendemain... Repartons dans la nuit pour Casablanca... Incident de jauge à Cap-Juby... départ de Juby après 200 mètres [de roulage] face à la mer... problème de moteur central, réparé en vol : on va jusque Casablanca... » Puis c'est

Perpignan, Toulouse, et enfin, le 21 mai, l'atterrissage au Bourget. Cette fois, l'avion et l'équipage n'ont mis que six jours tout rond pour remonter jusqu'à Paris.

Cette fois, Mermoz a fait aussi bien que le Zeppelin et les avions allemands. Tout le monde rayonne, y compris Dautry. L'Aéropostale est finie, mais son héros n'a-t-il pas su en maintenir l'esprit ?

36

La consécration

Le 22 juin 1933, dans les locaux de l'Aéropostale, a lieu une cérémonie émouvante. Quelques jours avant d'abandonner ses fonctions, Dautry reçoit l'hommage du personnel. Mermoz a préparé une surprise. Dautry est introduit sans cérémonie, ses collaborateurs ovationnent le « patron » et Mermoz lui remet alors un porte-cigarettes de poche en métal précieux dont le couvercle ouvragé reproduit la face timbrée d'une enveloppe de la poste aérienne au nom de Dautry.

Mermoz sort de sa poche un papier où, de sa grosse écriture ronde, il a tracé en quelques lignes un antidiscours : « Je ne vous dirai que quelques mots parce que je ne sais pas faire de discours d'abord et que de plus je ne veux pas vous en faire : un discours n'est pas toujours l'expression d'une vérité de pensée et je désire absolument que mes paroles conservent pour vous la signification d'une sincérité et d'une reconnaissance dont vous serez heureux de vous souvenir plus tard quand vous serez éloigné de nous.

« Monsieur le président, vous voulez nous quitter. Je dis "vous voulez" car il ne tenait qu'à vous de conserver une place que nous souhaitions vous voir garder. Je vous parle aujourd'hui au nom du personnel, non pas comme son représentant direct, mais comme un de ses membres qui aime la ligne purement, ardemment, au-dessus de toute politique et de tous les intérêts personnels... grâce à vous, il y aura peu de ruines à reconstruire. »

Tout est dit, ou presque. Aucun discours ne saurait mieux flatter Dautry, et nul autre que Mermoz ne saurait le prononcer.

L'apothéose morale de Dautry est aussi, d'une certaine manière, la reconnaissance de la place première que l'inspecteur chef pilote Mermoz tient dans la compagnie. Et, si Dautry s'en va, Mermoz, lui, demeure.

*

Cette cérémonie intime en précède une autre, grandiose : l'hommage national rendu le 6 juillet aux triomphateurs de l'Atlantique. L'idée émane du général Victor Denain, chef d'état-major de l'armée de l'Air, que Cot vient de créer. Est-ce parce que Denain a été le chef de l'aviation du Levant quand Mermoz y était sergent ? Est-ce parce qu'il se souvient des conseils que lui demandait en 1924 le jeune homme en quête d'emploi, après avoir quitté l'armée ? Est-ce parce que le chef du cabinet militaire de Cot est le colonel Jaunaud qui, de 1924 à 1932, a été l'homme des « services » militaires français au Brésil, qui a formé là-bas tant d'officiers, et qui a suivi, encouragé, de bout en bout, les Lignes Latécoère, puis l'Aéropostale, et bien sûr Mermoz ? En tout cas, le 6 juillet 1933, c'est d'abord Mermoz qu'on fête.

Les décorations pleuvent. À Denain, qui lui a proposé, selon le vœu de Dautry, la cravate de la Légion d'honneur, Mermoz a répondu, dans un geste qui l'honore parmi tous : faites Collenot chevalier, il l'a mérité plus que moi. Et l'incroyable s'est produit : un simple « mécano », qui serait tout au plus sergent dans l'armée de l'Air, pourra étrenner sa croix pour le 14 juillet, en même temps que Couzinet, qui n'a guère que vingt-neuf ans...

La cérémonie a lieu au Luxembourg, dans le prestigieux décor de la salle de La Brosse. Tous les sénateurs, une partie du gouvernement, sous le double patronage du Sénat et de Cot, en présence de Painlevé, qu'on a tiré de sa Chambre, écoutent l'histoire de l'*Arc-en-Ciel* et de ses vols. Mermoz, par modestie, a laissé la tribune à Couzinet, qui se montre prolixe. Tout y passe : ses premiers projets, les malheurs des deux premiers prototypes, et, bien sûr, les projets d'avenir, ses réflexions sur la supériorité des avions sur les hydravions. Puis on se congratule, on trinque, on cherche des mains à serrer. Pour une fois unanime, la presse félicite les participants, et même le ministre.

*

Quant à Mermoz, il reçoit de Denain un hommage exceptionnel que confirme un décret publié le lendemain au *Journal officiel*. Un hommage qui lave les dernières traces du ressentiment que Mermoz éprouve à l'égard de l'armée depuis 1924 et son départ peu glorieux du 38e régiment de chasse. Il est réincorporé dans la réserve de l'armée de l'Air, avec le grade de sous-lieutenant, « à titre exceptionnel », et pour « sa valeur ». Pour Mermoz, passer officier, c'est la consécration.

37

Passage à vide

Mais si l'armée de l'Air honore le sous-lieutenant Mermoz, les circonstances le poussent vers la touche. L'*Arc-en-Ciel* passe le second semestre de 1933 en atelier. Au programme : des transformations pour faire oublier les incidents qui ont émaillé la première croisière de l'avion. Le pilote ronge son frein. Il lui faut aussi s'occuper de sa mère. Depuis 1931, « Mangaby » est souvent malade. Au tournant de la cinquantaine, elle a pris un « coup de vieux » ; ses cheveux blanchissent, sa silhouette a épaissi. Dans le petit appartement qu'elle occupe entre l'Étoile et le Bois de Boulogne, Jean lui rend souvent visite, au volant de son cabriolet grand sport, depuis le logis conjugal de la rue Molitor. Là, il rencontre souvent Delty, lui-même assez fatigué, qui partage son temps entre Paris et une petite propriété dans l'Yonne. Voilà Jean soutien de famille.

*

Delty fait de la politique, à sa manière. Il parle longuement à Mermoz de l'organisation dont il se sent proche, l'« Association des Croix-de-Feu et des Briscards de l'Avant », en abrégé les Croix-de-Feu, dirigée depuis 1931 par un ancien officier dont Pétain a brisé net la carrière dans les années 1920, le lieutenant-colonel (de réserve) François de La Rocque.

Aux Croix-de-Feu, on défend le drapeau français, on défile volontiers en uniforme, tout en se démarquant des groupuscules qui martèlent le pavé dans un style mussolinien. On n'est pas non plus royaliste, comme à l'Action française de Maurras, dont les militants de choc, les Camelots du roi, « cassent » volontiers du « flic » ou du « coco », armés de cannes plombées. La Rocque est, comme Dautry, un admirateur de Lyautey, qu'il a servi au Maroc. Il prêche l'harmonie sociale, la réconciliation du patron, de l'ingénieur et de l'ouvrier dans le culte de la belle ouvrage. Il prêche aussi l'autorité des « chefs » et le respect des hiérarchies du travail.

Delty fait lire à Mermoz *Le Flambeau*, l'hebdomadaire des Croix-de-Feu. Jean lit, et réfléchit. Il n'adhère pas — pourtant le mouvement accepte des jeunes triés sur le volet — mais découvre qu'il pratique déjà au quotidien les vertus Croix-de-Feu : sens du commandement, respect des subordonnés, camaraderie qui sublime la hiérarchie des grades, défrichement d'un monde nouveau par l'effort, l'abnégation, la maîtrise de soi. « Mangaby » est plus active : elle adhère à une association de jeunesse, les Fils et Filles de Croix-de-Feu, où sa fibre maternelle et sociale, son expérience d'infirmière-chef, trouvent l'occasion de s'épancher.

*

Mermoz veut le bonheur de sa mère. Il lui achète — en partie à crédit — une « propriété » au pays de leur enfance, à Rocquigny, un gros village à deux kilomètres de Mainbressy. Quelques hectares de prairies et de bois, quelques champs, et une maison que, dans ce pays de pauvres gens, on a tôt fait d'appeler une « maison de maître », voire un « manoir », à cause de sa façade un peu plus opulente que les autres et d'un gros jardin qui fait « parc ». Un rêve de brave femme sans fortune, d'où elle peut, à son tour, aller soutenir à Mainbressy les vieux Gillet, maintenant tout blanchis dans leurs costumes démodés, qui comptent les jours et suivent les exploits de leur petit-fils dans le journal.

*

L'*Arc-en-Ciel* et le *Biarritz* étant indisponibles, il n'y a pas grand-chose à faire, sinon « inspecter » la ligne jusqu'à Dakar et prendre son mal en patience. Il faut aussi s'occuper de l'ami Saint-Exupéry, qui traverse une mauvaise période : il est « sur la touche » de la compagnie depuis octobre 1932, sa femme lui cause des chagrins d'amour, et son stylo est à sec — sauf pour un article ici ou là. Gallimard attend le « grand roman » qui apportera à Saint-Exupéry le prix Goncourt ou celui de l'Académie française. Mais le grand livre ne vient pas. Rue de Chanaleilles, dans un appartement quelconque du 7e arrondissement, Antoine et Consuelo tirent le diable par la queue. Les invitations chez les Mermoz, rue Molitor, sont pour eux autant de fêtes où ils se détendent et oublient leurs soucis.

Entre deux voyages, Kessel se manifeste. C'est le même tourbillon qu'au premier jour. « Jeff » parle tellement, absorbe tellement la substance des autres, déverse tellement son ego inépuisable, qu'il faut bien éteindre cet incendie permanent avec les boissons appropriées.

Une nuit, les Parisiens attardés voient un spectacle étrange. La Bugatti pétaradante de Saint-Ex dévale en trombe les Champs-Élysées. Debout dans le roadster, un Mermoz hilare, avec, à ses côtés, un Kessel aux anges. Ils viennent de dévorer une triple ration de fromages chez Androuet, rue d'Amsterdam, et l'ont bien arrosée... Le plus piquant est que Mermoz, de ses deux mains, bande les yeux d'Antoine qui, au volant, doit « garder le cap » et le pied au plancher. Heureusement, en 1933, les autos sont rares à cette heure-là...

*

Ces sorties, ces plaisanteries de grands gosses, la présence fréquente à la maison des « frères », ne sont pas forcément dans le goût de Gilberte Mermoz. Et d'autant moins que, le reste du temps, son mari est au loin, à foncer en avion d'un point à l'autre de la planète. Après trois ans de mariage, le couple Mermoz connaît ses premières fissures.

Gilberte rêve d'un ménage comme celui des Guillaumet, qui ne se quittent jamais. Elle aime le tennis, le shopping, les papotages entre amies. Elle voudrait une vie normale. Elle se morfond dans un monde viril où les compagnes et les épouses sont toujours des bouts rapportés. Comme le dira plus tard Noëlle Guillaumet : « Il fallait aussi beaucoup de courage pour être leur femme, à ces hommes-là. Une abnégation totale et un très grand amour. » L'abnégation de Gilberte ne fait pas de doute. Ni les attentions passionnées mais intermittentes de Jean. Cependant, celui-ci a conservé d'avant son mariage un goût accentué pour les aventures d'une heure ou d'une nuit avec d'aimables jeunes femmes que son physique et son aura font « craquer ».

*

Le 9 octobre, au Bourget, Pierre Cot inaugure officiellement Air France. Une grande manifestation, devant le terrain où s'alignent, frappés du nouveau logo à l'hippocampe, tous les types d'avions de la compagnie. Derrière le ministre, le chantier d'une nouvelle aérogare qui fera du Bourget un vrai aéroport, l'un des plus modernes d'Europe. Pour certains anciens de l'Aéropostale, c'est un jour de deuil. Faisant allusion au rôle que la Compagnie de Suez et la Banque de l'Indochine jouent dans son capital et sa direction, Jean-Gérard Fleury, un nostalgique de l'Aéropostale, écrit : « Mermoz comprit... que ce qu'il avait jusqu'ici considéré comme une œuvre, devenait une affaire... [les] successeurs [de Marcel Bouilloux-Lafont] opposaient, à chaque argument, des chiffres », et « les dirigeants d'Air France agissaient en financiers pressés de récolter leurs bénéfices ». C'est que, maintenant, domineraient « les représentants d'un groupe dont les intérêts étaient tournés vers l'Orient ».

Les dirigeants d'Air France, qui « connaissaient peu l'Amérique du Sud » et « ignoraient la mentalité des grands pays latins », sont déjà accusés de brader les restes de l'héritage. Entre septembre et décembre 1933, trois nouvelles viennent conforter cette opinion. Ce qui restait du réseau au Venezuela est finalement vendu, la filiale argentine disparaît au profit d'une société locale, le gouvernement portugais, faute de résultats concrets, rompt les accords sur les Açores conclus avec la France en 1929. Bien sûr, ces événements viennent, pour l'essentiel, de la volonté des pays partenaires de la France de reprendre en main leur souveraineté un temps abandonnée à une compagnie étrangère. Mais les « fanas » de la Ligne « d'avant », rabaissée au simple « département » d'Air France, ne pensent plus le monde autour d'eux à l'aune des réalités, mais à celle de leur nostalgie et de leur fantasme de retour à un « âge d'or » mythique.

38

Le temps des « hydros »

Pourtant, aux yeux de Mermoz, il y a pire. Tout se passe comme si la leçon d'aviation qu'il avait donnée avec l'*Arc-en-Ciel* et le *Biarritz* n'avait servi à rien. Air France s'apprête à prendre livraison de ses premiers hydravions lourds destinés à la Ligne. Après l'échec du Laté 38 commandé en 1928, débute l'ère de son successeur, commandé en 1931, le Laté 300, dont le prototype est baptisé *Croix-du-Sud*, du nom de l'étoile qui, au sud de l'équateur, guide les voyageurs au long cours à la place de l'étoile polaire.

C'est un énorme hydravion-coque qui, selon sa configuration de vol, déplace une masse comprise entre dix-sept et vingt-trois tonnes grâce à ses quatre moteurs Hispano. Beaucoup mieux réussi que son prédécesseur, il passe avec succès tous les essais que lui impose la Marine à l'été et à l'automne 1933. Pour cette énorme machine, la maison Latécoère, la Marine et Air France ont construit ensemble, dans les Landes, l'« hydrobase » de Biscarosse, sur la rive de l'étang du même nom. On y assemble et on essaie les machines, et on a tout prévu — de la station de TSF surpuissante au petit hôtel — pour que l'endroit devienne, avec le temps, l'équivalent à la fois d'un aérodrome continental et d'un port pour paquebots. Sauf que les paquebots seront aériens.

Le Laté 300 *Croix-du-Sud* n'est pas un prototype comme les machines qui ont fait la gloire de Mermoz. C'est le premier d'une série d'appareils livrables en 1934 et 1935. Après le bricolage appelé Laté 28 et l'exemplaire unique que demeure le Couzinet *Arc-en-Ciel*, on entre dans l'ère industrielle des voyages postaux transocéaniques, en attendant le transport de passagers.

*

Les Français — et parmi eux, les dirigeants d'Air France — ont compris que les expéditions aériennes ne devaient plus reposer sur les épaules d'un seul homme ou d'un équipage réduit, mais sur une organisation, une planification. En dépit des propos des adversaires, et des hydravions, et des gouvernements qui se sont succédé depuis 1931, tout un travail fait dans l'ombre, d'abord chez Latécoère, avec l'appui de la Marine, prépare la France à concurrencer les vols du Zeppelin qui transporte non seulement la poste, mais aussi des passagers et des marchandises, à raison d'un aller et retour par mois.

Le premier vol commercial de la *Croix-du-Sud*, parti le dimanche 31 décembre 1933 de l'étang de Berre aux mains d'un pilote de la Marine, le capitaine de corvette Bonnot, est un désaveu de Mermoz. Certes, comme Jean l'avait prévu, l'hydravion est moins rapide que l'*Arc-en-Ciel*, et met vingt-trois heures pour relier Saint-Louis sans encombre. Moyenne : cent quatre-vingt-sept kilomètres à l'heure. Puis, après vingt-quatre heures d'escale, c'est l'envolée pour le Brésil le 2 janvier à seize heures GMT et l'arrivée à Natal le 3 janvier, après dix-neuf heures de vol. La *Croix-du-Sud* a mis deux heures de plus que l'*Arc-en-Ciel* pour franchir l'Océan, mais quatre de moins que le Laté 28 en 1930. Et puis, l'hydravion a survolé l'océan de nuit, en toute sécurité. Enfin, le temps complet du trajet France-Natal a été réduit à moins de quatre jours, escale comprise, soit mieux que l'*Arc-en-Ciel*, parce que l'hydravion, pourtant beaucoup plus lourd que l'avion, n'a pas besoin de piste spéciale. En outre, une fois à Natal, la *Croix-du-Sud* améliore la performance de l'*Arc-en-Ciel* : Rio est atteint depuis Natal d'un seul coup d'aile. Cette fois, le Zeppelin est franchement battu.

*

Cette croisière est saluée par *Paris-Soir*, le plus gros tirage de la presse parisienne, qui, naguère enthousiaste de l'*Arc-en-Ciel*, vante maintenant les mérites de l'hydravion : « Faut-il attacher une importance capitale au gain de quelques heures ou bien doit-on envisager surtout la sécurité du vol ?... Si son prix d'achat est plus élevé mais s'il est plus sûr, c'est lui [l'hydravion] qui doit être préféré. » Et d'enchaîner : « Certains [Mermoz] prétendront que l'hydravion ne résiste pas longtemps aux vagues violentes et que, par mauvais temps, il sombrera au même titre qu'un avion terrestre... Mais il n'y a pas que des tempêtes... L'avion terrestre est une solution paresseuse inacceptable... Elle ne peut être adoptée qu'à titre purement provisoire... pour un trafic commercial régulier, l'hydravion seul doit être envisagé pour traverser l'Atlantique sud. »

Confirmant ce pronostic, après une tournée triomphale en Amérique du Sud, le Latécoère revient le 31 janvier, au terme d'une traversée Brésil-Sénégal sans encombre. On parle maintenant d'ouvrir toute la ligne France-Rio de Janeiro au trafic aérien intégral. Fin janvier, *Paris-Soir* estime même qu'il s'agit maintenant d'une question de semaines : « Tout va bien à bord et l'équipage voudra nous prouver qu'en hydravion à coque bien au point, la traversée peut se faire presque tous les jours. » Car, si un avion comme l'*Arc-en-Ciel* devait « se poser » en cours de route, ce serait « la catastrophe ». Or, « pour un service régulier, il faut la sécurité avant tout... Je crois qu'en travaillant la formule de la *Croix-du-Sud*, nous pourrons obtenir de bons résultats ».

*

Cette polémique vient de ce que Couzinet et Mermoz ont, en opposant avion et hydravion en regard de la sécurité des vols, créé le type même du faux débat. Le pilote voulait se distinguer des autorités suspectées de haine « anti-Aéropostale ». Le constructeur avait à cœur de promouvoir son matériel. Or, un raisonnement simple démontre que tous les types d'aéronefs sont également dangereux, dès lors que leurs moteurs sont lents et peu fiables, et qu'ils volent à ras des terres et des vagues. Il suffit qu'un grand quotidien influent comme *Paris-Soir* s'engage pour l'hydravion, et les arguments en faveur de la supériorité des avions perdent de leur force ; que la *Croix-du-Sud* démontre ses qualités, et les marins triomphent à nouveau.

*

Au moment même où le grand hydravion Latécoère enthousiasme l'Amérique, un accident tragique vient confirmer l'existence du seul vrai problème de l'heure, la sécurité aérienne. Air France ouvre sa ligne d'Indochine. Le 5 janvier 1934, débute à Hanoi le périple du trimoteur Dewoitine *Émeraude*, qui ramène en France une brochette d'officiels : le gouverneur général de l'Indochine, Pasquier, Emmanuel Chaumié et son épouse. Pour cette première, la compagnie a confié les commandes à Maurice Noguès, un ancien de la CIDNA, qui a défriché la plupart des lignes vers l'Europe centrale et l'Asie Mineure dans les années 1920. Le voyage, une suite de sauts à travers les continents, est réussi ; un triomphe attend l'avion et ses passagers au Bourget, le 15 janvier 1934. Alors survient le drame. Pris dans une tempête de grêle et de neige, l'avion est retardé à Lyon, puis, malgré une météo défavorable, repart en fin d'après-midi pour Paris. Un peu avant vingt heures, Le Bourget perd le contact radio. On apprend vite que l'appareil s'est écrasé, en flammes, dans un coin perdu du Morvan, vers Corbigny, où les gendarmes ne retrouvent que des restes humains calcinés et des débris d'épave.

La catastrophe de l'*Émeraude* bouleverse la France. Jusque-là, les accidents d'avion ont touché surtout des pilotes professionnels et des passagers inconnus, souvent en terre lointaine. Cette fois, l'inscécurité aérienne — le pilote a sous-estimé la morsure et le poids du gel sur les voilures de l'avion — frappe des officiels, au cœur des « coteaux équilibrés » de la patrie. Aussi les victimes ont-elles droit à un hommage national, avec catafalque aux Invalides, messe officielle — « séchée » par certains ministres radicaux, dont Pierre Cot —, honneurs militaires et oraisons funèbres. On décide d'élever un monument commémoratif sur les lieux du drame.

*

Quelques jours plus tard, Mermoz, revêtu de son manteau de deuil et de sa cravate noire, se rend dans un petit village de Bretagne, Belle-Isle-en-Terre. Avec trois camarades, il porte en terre les restes de Noguès, que tous considéraient comme le chef suprême des pilotes d'Air France. C'est, dans un jour gris et glacé, où la bruine menace, une cérémonie émouvante, où les poignées de main échangées entre « anciens » remplacent les plus longs discours. La présence de Mermoz est tout un symbole : il a boudé les cérémonies des Invalides où étaient célébrées les « huiles » républicaines, à commencer par Chaumié qui reste pour lui le « tombeur » des Bouilloux-Lafont.

39

Le triomphe militaire

À nouveau, Mermoz attend l'*Arc-en-Ciel*, dont la réfection traîne en longueur. Il veut toujours valider sa théorie, qu'il vient de mettre en page dans la postface d'un petit livre apologétique de l'ami Jean-Gérard Fleury, *Chemins du ciel* : « Les avions tels que l'*Arc-en-Ciel*... nous donneront la facilité d'éviter les grains en les contournant, de monter au-dessus des nuages, de naviguer en pleine mer lorsque la côte est agitée par des perturbations atmosphériques et de réaliser nos voyages dans les mêmes conditions que les grands paquebots transatlantiques. »

Pour l'instant, il se forge une conviction : les travaux du Couzinet traînent en longueur parce que le ministère de l'Air, pour d'obscures raisons « politiques », freine le versement des crédits qui les financent. C'est donc sans déplaisir qu'en février 1934, et malgré les circonstances tragiques qui entourent l'événement, il assiste à la chute du gouvernement radical, maintenant entraîné par Chautemps, et du ministre de l'Air Pierre Cot.

*

Tout s'est joué autour de l'« affaire Stavisky », du nom d'un escroc multirécidiviste longtemps protégé par la police, retrouvé « suicidé » dans des circonstances troublantes, le 8 janvier 1934. On dit que Stavisky avait des « révélations » à faire sur quelques caciques politiques, et qu'on l'a aidé à en finir. L'agitation entretenue autour de l'affaire par la presse extrémiste excite l'activisme des associations et des ligues d'anciens combattants. Le

6 février, elles se réunissent de part et d'autre du pont de la Concorde avec pour mots d'ordre : « à bas les pourris », et « sus au Parlement ». Les Croix-de-Feu de La Rocque, où milite Delty, sont de la partie, avec le cortège le plus nombreux, mais, assemblés non loin de la Chambre des députés, ils ne prennent pas part aux scènes de guerre civile qui ébranlent la France cette nuit-là et font quinze morts, et plusieurs centaines de blessés.

Obligé de faire donner la Garde républicaine à cheval pour sauver le Palais-Bourbon d'assaillants souvent armés jusqu'aux dents, et soucieux de faire revenir le calme, le gouvernement démissionne le 7 février. Il laisse la place à une autre combinaison, où les grands notables radicaux d'ancien style soutiennent la droite modérée et propulsent au cabinet, derrière Gaston Doumergue, ancien président de la République, une équipe marquée à droite où figurent des revenants, comme Pierre-Étienne Flandin aux Finances, et de l'inédit, comme le maréchal Pétain à la Défense nationale, ou le général Victor Denain au ministère de l'Air.

Comme par hasard, l'accession au ministère de Denain, jusque-là chef d'État-major de l'armée de l'Air, et naguère « grand patron » de Mermoz au Levant, débloque le dossier de l'*Arc-en-Ciel*. Ravitaillé en « nerf de la guerre », l'atelier de l'île de la Jatte augmente ses cadences, et, en avril, l'*Arc-en-Ciel* reprend ses essais officiels sur la base aérienne de Villacoublay. Maintenant, Mermoz embarque avec lui, dans chacun de ses vols d'essai, Alexandre Collenot, son mécano fétiche, son compagnon des Andes. Le 30 avril, le général Denain honore de sa présence un de ses vols, ce que personne, au ministère de l'Air, ne manque de remarquer.

*

La cote d'amour politique de Mermoz est au zénith. Il obtient même d'Air France qu'elle réembauche Saint-Exupéry, dont les poches sont désespérément vides, comme conférencier itinérant. Du 11 au 13 mai, Mermoz est à Istres, où il continue les essais de l'*Arc-en-Ciel*. Puis, parti d'Istres le 18, il rejoint Saint-Louis le 20, *via* Casablanca et Dakar. Le moment est crucial : ce qui reste de l'Aéropostale est maintenant liquidé et, depuis le

14 mai, Air France jouit du droit intégral et inattaquable d'exploiter la liaison Afrique-Amérique du Sud. Il faut donc sauter sur l'occasion pour réaffirmer les avantages de l'*Arc-en-Ciel.*

Alors débute une saison de vols, qui culmine en août, au cours de laquelle Mermoz s'efforce de démontrer que le dernier mot sur l'Atlantique doit revenir à son avion. Elle est émaillée d'innombrables incidents techniques, mais elle est intense, et suivie avec passion par les admirateurs de Jean, tel Dautry qui collectionne les coupures de presse. Le 28, Jean s'envole de Saint-Louis vers Natal. Quelques jours plus tard, il repart de Natal, avec l'idée de retraverser l'Atlantique, après que l'avion a été embourbé, une fois de plus, par les pluies qui minent le terrain brésilien. Le pilote, dans sa tentative de retour, improvise un atterrissage sur l'île de Fernando de Norhona. La déveine le frappe encore une fois et il vit un mois éprouvant : l'avion est embourbé sur un terrain fragile miné par les termites. Il faut plusieurs semaines aux bagnards de l'île pour créer une vraie piste, sous l'autorité d'un Jean que les témoins dépeignent comme survolté.

*

Survolté et aussi rongé de tristesse. Il a dû, courant juin, filer à Bahia pour s'incliner sur la dépouille mortelle de son vieil ami Victor Etienne qui, comme Ville, fut un de ses mentors. Étienne et son coéquipier ont connu la pire fin qui soit. Leur Laté 26 s'est embrasé en vol, à la suite d'une fuite d'essence, et les deux infortunés navigants ont été aspergés par le liquide en feu, échappé d'un réservoir situé au-dessus de leur tête.

*

Revenu à Natal après ce mois de pénitence et de souffrance, Mermoz repart vers l'Afrique le 3 juillet. Hélas, sa tentative échoue : après quatre heures et demie de vol, il doit ramener l'*Arc-en-Ciel* défaillant à Natal. Enfin, le 31 juillet, le grand retour commence par un itinéraire nouveau, car Mermoz veut fuir les terrains de Dakar et de Saint-Louis qui portent malchance à l'avion depuis ses débuts. Pour ce vol, il emporte deux passagers exceptionnels : son ami Guillaumet, qui séjournait en Amérique, et un voyageur venu tout exprès de France de la part du ministre Denain, le chef de son cabinet militaire, le colonel Davet, un gaillard sec à moustache, au regard sans cesse aux aguets, le type même de l'officier de cinéma. Davet a apporté à Jean un cadeau superbe : le brevet de sa promotion au grade de commandeur de la Légion d'honneur.

Parti de nuit, l'*Arc-en-Ciel* vole au ras des flots, en flirtant plusieurs heures avec le « pot au noir », jusqu'aux îles du Cap-Vert, à douze cents kilomètres à l'ouest du Sénégal, d'où il repart, le 1er août, directement pour Port-Étienne. L'avion a du mal à tenir sa vitesse, les jauges ne fonctionnent pas bien, on redoute la fuite d'huile, mais, en cours de route, Davet suggère à Mermoz un pari : éviter la Mauritanie et rejoindre directement le fortin espagnol de Villa Cisneros, où le courrier de Toulouse prendra le relais. C'est une folie de plus, mais pourquoi pas ? On se pose à Cisneros dans la nuit du 2 août et, dans la journée qui suit, on rejoint Casablanca, où Mermoz laisse l'*Arc-en-Ciel* qui montre des signes de fatigue.

*

Denain a prévu au Bourget, le 4 août, en l'honneur du retour de Mermoz, une grande manifestation pour célébrer la promotion de Jean dans la Légion d'honneur. Le ministre en civil, tout son cabinet, une brochette de pilotes sélectionnés et plusieurs de ses vieux camarades sont là pour saluer Mermoz, pour le voir, en costume à fines rayures, l'air grave, le regard lourd, passer en revue, au pas de défilé, bras ballants et paumes ouvertes, un détachement entier de l'armée de l'Air réuni pour lui rendre les honneurs.

Un an et un mois — à deux jours près — après l'hommage du Sénat, c'est aujourd'hui Mermoz et Mermoz seul que l'on fête ainsi, selon un cérémonial d'habitude réservé à un chef d'État, à son représentant ou à un général en chef. C'est, pour Denain, une manière de montrer à toute l'arme aérienne que Mermoz incarne corps et âme ses règles et ses valeurs, qu'il mérite d'être un de ses vrais chefs, lui qui la quitta sergent, qui est encore un récent sous-lieutenant promu du rang.

Bien sûr, cet hommage militaire ne va pas sans arrière-pensées : la jeune armée de l'Air, en honorant Mermoz, montre aux marins qu'ils n'auront jamais le monopole de la navigation aérienne océanique, et que les aviateurs — fussent-ils de « réserve », comme Jean — peuvent faire aussi bien que ceux de l'Aéronavale. Cerise sur le gâteau : Kessel n'a pu, à son grand regret, être là, mais il parvient quand même, dans *Le Matin* du 5 août, à saluer son ami, ses exploits, en racontant quelques anecdotes inédites. C'est ce qu'on appelle avoir un « supporter »...

*

Ce nouvel hommage conforte Mermoz dans sa volonté d'imposer à tout prix l'*Arc-en-Ciel* qui, acheté par l'armée de l'Air, bénéficie maintenant du soutien de ses services techniques et de ses ateliers. Ses motivations n'ont pas changé, mais elles sont aiguisées par la « concurrence ». D'abord, Bonnot, reparti aux commandes de la *Croix-du-Sud* vers Rio, est, en août, coincé à Natal par une détérioration subite de la dérive de l'hydravion. Il faut profiter de l'occasion. Et puis, pendant ce temps, le Zeppelin s'impose. Pour un de ses passagers, français, qui l'emprunte ce même mois d'août, « les commodités offertes aux passagers [le type d'appareil en service en reçoit vingt-cinq], l'agrément du voyage, l'impression de sécurité et de rapidité que l'on ressent dépassent tout ce que je croyais. Mal de mer impossible, peu de bruit, les moteurs sont loin vers l'arrière, pas d'odeur, température agréable... Salon, salle à manger assez vastes. Cabines comparables à celles des wagons-lits. En un mot, confort très supérieur à celui qu'avant longtemps pourront offrir aux passagers les avions à grand rayon d'action... On est beaucoup plus près du bateau que de l'avion ».

*

Après quelques semaines de vacances, Mermoz retrouve le 2 septembre « son » avion à Casablanca. Les 3 et 4 septembre, il confirme l'aptitude de l'*Arc-en-Ciel* à franchir l'Atlantique, mais en deux étapes, par le cap Vert. Cette escale est rendue nécessaire par l'état de l'avion, qui vieillit vite, malgré les soins qu'on lui prodigue. Mais, pour Mermoz, en dépit du retard qu'elle occasionne, cette escale est indispensable. Elle démontre que l'avion peut se poser sur des îles et qu'en conséquence les hydravions sont inutiles.

Trois semaines plus tard, le pilote est de retour en Mauritanie, cette fois à Port-Étienne, toujours *via* le cap Vert. C'est comme si, malgré les aléas techniques, la rage le tenait de faire le plus souvent possible la traversée, quoi qu'il en coûte. C'est pourquoi, du 1er au 3 octobre, il refait le voyage en sens inverse.

Tant pis si ces allers et retours limités à l'Atlantique sud ne prouvent toujours pas que l'avion est apte à faire à lui seul le trajet France-Amérique.

Enfin, du 23 au 27 octobre, Mermoz ramène l'avion au Bourget. Selon Guillaumet, c'est maintenant une machine à peu près hors d'état de voler, même en prenant de grands risques. On a beaucoup modifié le fuselage, les voilures, vol après vol, selon les demandes du pilote, qui espère toujours en tirer plus et le faire construire en série. Mais il faut se rendre à l'évidence : l'*Arc-en-Ciel* est au bout du rouleau, et il est toujours aussi difficile à piloter. Au point que Guillaumet refuse, pour le compte d'Air France, de lui faire subir des essais complémentaires.

Après des mois et des mois d'acharnement, Mermoz doit admettre que son avion fétiche a fait son temps. Et puis, n'est-il pas le seul à pouvoir le piloter ? La complicité admirative du général Denain n'y peut rien. Il faut abandonner l'avion dans un hangar, où il pourrira avant d'être démoli.

*

Entre-temps, début octobre, commence le service régulier d'Air France de Biscarosse ou Berre à Natal, en deux étapes : France-Afrique et Afrique-Amérique. Sur ces trajets se relaient quatre grandes machines, moins rapides mais plus sûres, que des pilotes certes chevronnés, mais non pas casse-cou, peuvent conduire à bon port : les Latécoère 300 *Croix-du-Sud* et *Ville-de-Mendoza*, le Blériot 5190 *Santos-Dumont*, le Farman 220 *Centaure*. Une nouvelle ère du transport aérien s'ouvre.

Pour Mermoz, recordman mondial des traversées transatlantiques aériennes, c'est aussi la fin d'une époque.

LE MILITANT
1934-1936

40

« Volontaire national »

Le 22 novembre 1934, Mermoz donne à Paris, au théâtre des Ambassadeurs, devant une salle comble, une conférence intitulée « Mes traversées de l'Atlantique sud ». Pour lui, c'est la deuxième du genre, après celle prononcée, au début de janvier, dans la salle du Petit-Palais, sur ses souvenirs de la Cordillère des Andes. Au Petit-Palais, il parlait pour un public varié. Aux Ambassadeurs, le parterre et les balcons sont garnis de Croix-de-Feu, de Fils et Filles de Croix-de-Feu, de Volontaires nationaux. Car Mermoz a décidé de sauter le pas ; il milite maintenant comme Volontaire national.

Les événements sanglants du 6 février 1934 sont à l'origine de son engagement. Dans de nombreuses couches sociales, l'idée se répand que la République parlementaire héritée des « pères conscrits » de 1875 est à bout de souffle. Elle est incapable de remédier aux maux qui affligent le pays : stagnation des affaires, langueur démographique, mécontentements paysan et ouvrier, grogne des artisans et des « classes moyennes ».

Les uns militent à gauche, en faveur du « Front populaire pour la Paix et la Liberté ». D'autres, comme Mermoz, s'engagent à droite, chez les Croix-de-Feu, vers lesquelles le vieil ami de la famille, Max Delty, fait déjà pencher ses sympathies.

Pour l'homme de la rue, les Croix-de-Feu sont surtout des gens qui défilent beaucoup : le 14 juillet — mais pas avec les officiels-, le 11 novembre — en tête des anciens combattants —, ou encore pour l'anniversaire de Verdun ou de Jeanne d'Arc. Ils passent en rangs serrés, sous des drapeaux, entonnent la *Marseillaise*, dans leurs vieux uniformes de 1918. Ils saluent « à la romaine », selon un rite antique relevé par les troupes de Mussolini. Ils prônent l'autorité des « chefs » — à commencer par celle de La Rocque. Les Volontaires nationaux, où règne une stricte discipline, ont pour mission de populariser les valeurs d'ordre dans le grand public, de le mettre en garde, réunion après réunion, contre les « mirages » du Front populaire. Il n'en faut pas plus à la gauche socialiste et communiste pour voir dans les Croix-de-Feu et dans les Volontaires une bande de « fascistes », et dans leur patron un apprenti dictateur.

*

Qu'importe si, le 6 février 1934, les Croix-de-Feu, les plus nombreux sur le pavé, ont refusé, à la différence des autres « ligueurs » et « anciens combattants » — y compris les sympathisants communistes —, de donner l'assaut au Palais-Bourbon. Qu'importe si le programme du « mouvement » — La Rocque n'aime pas le mot « parti » — est populiste, et non fasciste. Il s'agit de « dénoncer le triomphe de la "basse politique", le règne de l'improvisation en diplomatie, l'extension de l'État patron, la surenchère électoraliste des lois sociales, le rétrécissement de la défense nationale ». Car, en ces temps où la France se radicalise, la vie politique tend à se réduire à l'affrontement des symboles et des slogans, à des images simplificatrices : uniformes ou costumes « fascistes » contre casquettes et vestons « prolétariens ».

*

Depuis 1931, les Croix-de-Feu demandent une réforme de l'État qui relèverait l'exécutif et rendrait les élus responsables de leurs actes. La Rocque réclame aussi un allégement fiscal, le contrôle des changes et du commerce extérieur, la lutte contre les intermédiaires, le contrôle de l'immigration, la protection de l'épargne, et la fin des monopoles publics, des « prébendes » pour les amis du pouvoir. Le programme d'une droite réformatrice. Mais, différant en cela des membres de la droite parlementaire au pouvoir depuis février 1934, des élitistes qui se défient des masses, les Croix-de-Feu sont « populistes » comme le Front est « populaire » : ils veulent d'abord que le plus grand nombre prenne son destin en main. Seuls les Français « de base » peuvent changer le destin du pays, en s'appuyant sur leur engagement quotidien, professionnel, familial et patriotique.

Pour frapper les esprits, La Rocque a même inventé une formule choc qui, plus tard, connaîtra — mais sans lui — un grand avenir : « Travail, Famille, Patrie ».

Au-delà du public ancien combattant, les Volontaires forment un vivier de jeunes gens appelés à quadriller le pays pour répliquer à l'enracinement des idées communistes et socialistes, présentées comme des antivaleurs. La famille doit l'emporter sur le syndicat, le parti, et leurs directeurs de conscience ; l'amour de la belle ouvrage s'oppose à l'égalitarisme de bureau et d'atelier, le nationalisme à l'internationalisme et au pacifisme suspects de livrer la France affaiblie aux ambitions de ses voisins, Allemagne en tête.

*

Jean puise ses valeurs dans sa famille : « Mangaby », ses grands-parents Gillet, le souvenir des rudes années campagnardes de Mainbressy et de l'exil à Aurillac. Ou dans son métier, où sa carrière montre qu'il existe des hiérarchies fondées sur le caractère, l'audace, l'habileté à piloter ou faire tourner rond les machines. Et enfin, il les trouve dans une expérience militaire (« toujours faire face ») réemployée dans un métier où il estime avoir, année après année, affronté la concurrence internationale, et le « danger allemand ».

À l'aune de ces valeurs, l'effondrement de l'Aéropostale a été pour lui une crise intime, où, très vite, il a vu — comme d'autres, forgés aux mêmes valeurs que lui — la main de « la basse politique », le fruit des « haines partisanes », le mépris pour la « belle ouvrage » et des gens de terrain. En conséquence, aucun effort intellectuel ne le pousse vers les Croix-de-Feu car tous les idéaux du mouvement correspondent aux siens.

*

Chez les Volontaires nationaux, il voudrait n'être qu'un « militant de base », un « anonyme » parmi d'autres. Mais dans les réunions, on reconnaît tout de suite son visage, son nom illustres. Qu'importe : pour lui, la tâche est tracée d'avance. Elle consiste d'abord à obtenir des listes complètes du personnel de l'aviation civile, dont celui d'Air France, pour lancer une campagne de propagande, recruter des sympathisants, des militants. Des activités où sa notoriété est plutôt un atout.

De même, depuis qu'il est officier de réserve, Mermoz accomplit une « période » annuelle sous les drapeaux et pilote ainsi sous les cocardes, une occasion d'exercer son magistère moral sur des hommes d'horizons divers, passés comme lui par l'arme aérienne, dispersés depuis par la vie, réunis par la passion du pilotage. Denain lui a, un an plus tôt, rendu grand service en l'affectant au centre de mobilisation de Dugny, la base installée de l'autre côté du terrain du Bourget. Son unité d'encadrement, le 34e régiment d'aviation, qui regroupe la plupart des pilotes réservistes parisiens, est d'ailleurs connu, y compris de la police, comme un intense foyer nationaliste, où des mouvements concurrents rivalisent de propagande.

Mermoz se révèle un agent recruteur efficace. Rien qu'à Air France, selon un rapport de police, « cinquante pour cent » de l'effectif aurait été sensibilisé aux idées Croix-de-Feu. Même si le chiffre est exagéré de moitié — une vieille habitude des Renseignements généraux —, c'est quand même un palmarès impressionnant.

*

Militant « de base » et « star » nationale, Mermoz est une recrue de choix. Par surcroît, plus un mouvement politique est populiste, plus il a besoin de « vedettes » issues de « la société ». Jean est donc bien vite introduit dans l'entourage immédiat du « président général ». La Rocque se prend pour lui d'une affection toute paternelle que Jean lui rend filialement.

Certes, les deux hommes ont plus de seize ans d'écart et La Rocque vient d'une lignée nobiliaire ancienne, tout le contraire de Jean. Mais c'est une lignée pauvre, rurale, et tous deux ont donc des origines et des repères communs : la terre, le village, ses solidarités, ses humbles fraternités. Tous deux sont familiers du Maroc, où La Rocque a servi avant de quitter l'armée, et ils partagent le même amour pour ce pays. Chez La Rocque, cet attachement s'est traduit par une fidélité à la personne de Lyautey, son maître à penser, qui, en 1934, vient de disparaître, et dont il s'estime l'héritier. Lyautey : un nom déjà légendaire quand Mermoz débutait sur la Ligne, un nom que Dautry, lui aussi, prononce avec respect.

Les rencontres entre Mermoz et La Rocque deviennent fréquentes. Grâce au « chef », Mermoz apprend à connaître les principaux « lieutenants » du mouvement. Ainsi Noël Ottavi, l'homme de confiance qui monte dans l'organisation grâce au colonel. Ainsi le duc Pozzo di Borgo, flamboyant grand seigneur à l'âme de conspirateur qui, si La Rocque le laissait faire, transformerait les Volontaires, qu'il dirige, en une « ligue » paramilitaire comparable à la Francisque de Bucard, aux Jeunesses patriotes de Taittinger. Ou encore Riché, le trésorier des Croix-de-Feu, fondé de pouvoir dans une banque, frère d'un personnage familier à Mermoz, le député qui préside le groupe de l'aéronautique du Parlement. Ou encore la mystérieuse Mlle de Préval, inlassable ouvrière du mouvement et confidente du colonel, sa plus proche collaboratrice. Enfin, les « bras droits » de Pozzo, l'élégant Bertrand de Maud'huy et l'ingénieur Pierre Pucheu, cadre chez Japy, deux esprits tourmentés.

On croise souvent Jean au siège du mouvement, dans le 16e arrondissement, à celui des Volontaires et de l'hebdomadaire militant, *Le Flambeau*, rue Huysmans, une petite artère calme au cœur du quartier des étudiants, derrière le Luxembourg. Les militants de passage en provenance de la province ou des colonies ont la surprise de rencontrer le symbole de l'audace et de la force rangé à leurs côtés.

*

Mermoz vit ainsi une nouvelle manière d'extérioriser ses valeurs et d'épuiser l'agressivité native qu'il réserve d'habitude au métier de pilote et à la course aux plaisirs. Au fil des saisons, La Rocque voit en lui la graine d'un futur dirigeant, le type même de l'homme de « la relève ». Pas en vue des élections dont tout le monde parle. Car, chez les Croix-de-Feu, la défiance envers « le système » va jusqu'au refus de présenter des candidats sous sa bannière : on « parraine » des candidats ou des élus. Il y a ainsi des députés « porte-parole » de La Rocque, une poignée de conservateurs très « classiques », parfois des personnalités plus excitées comme Jean Ybarnégaray, dit « Ybar », connu au Palais-Bourbon pour ses invectives envers Léon Blum. Cette méthode nourrit la méfiance envers « le mouvement » comme la surveillance quotidienne de la section politique des Renseignements généraux. Cette méfiance encourage à son tour l'activisme des partis marxistes, dont les militants s'en prennent volontiers aux réunions publiques du « mouvement ».

Plus d'une fois, la carrure d'Hercule et le manteau de cuir de Mermoz, son visage maussade au front plissé et aux lèvres dures, font reculer, à la porte des réunions, des perturbateurs motivés. Mais Mermoz, par sa présence, ou par l'annonce de sa venue, décourage aussi les assauts de concurrents nationalistes d'extrême droite, comme les Camelots du roi, excités par les éditoriaux de *L'Action française*, où les hommes de La Rocque sont dépeints comme des mollassons, des « froides queues ».

41

« Foncer »

Le Mermoz militant qui va sur ses trente-quatre ans est un homme fait qui n'a plus rien à prouver. Le 15 avril 1935, il a été promu inspecteur général d'Air France, ce qui le place hors hiérarchie parmi les navigants et lui confère enfin une grande aisance financière. Un chef pilote transatlantique gagne cent cinquante mille francs par an, un pilote ordinaire cent dix mille. Mermoz lui, touche plus de deux cent mille francs, plus de confortables indemnités de vols d'essai. Autant qu'un ambassadeur en poste, qu'un directeur d'usine métallurgique, la moitié seulement du salaire des directeurs des Usines Renault, les plus grandes du pays.

Emblème de l'aviation, il prend ce rôle à cœur. Le 1er avril 1935, Robert Bajac, chef pilote sur Paris-Londres, un ancien pilote de guerre couvert de décorations qui compte huit mille heures de vol, se tue aux commandes de son appareil. À ses obsèques, il revient à Mermoz, et à nul autre, de prononcer l'allocution d'adieu. Un texte simple, ample, où se mêlent l'hommage, un peu de propagande pour le « mouvement », et où Jean met en exergue sa propre vie, ses engagements successifs :

« Il nous a donné l'exemple du chef qui prend en charge, dans le silence, les risques de l'expérience, l'épreuve des méthodes et du matériel... un symbole de cette camaraderie d'escadrille, de cette fraternité du risque, de cette amitié désintéressée, libérée des mille et une mesquineries quotidiennes, dont la tradition tend trop à disparaître. »

*

En 1933, Mermoz avait conclu par une formule emblématique la postface donnée à l'ouvrage de Jean-Gérard Fleury, *Chemins du ciel* : « Notre destin d'aviateurs sera toujours le même : foncer. » C'est dans cet esprit qu'en août-septembre 1935 Jean essaie, pour le courrier d'Air France, un nouveau type d'avion fabriqué en Angleterre, le De Haviland 88 *Comet*. Cette machine de compétition est un bimoteur bas et racé, à train rentrant, biplace, qui croise à trois cent cinquante à l'heure. Une preuve des progrès rapides qu'accomplit l'industrie britannique, après une décennie de léthargie.

Bien sûr, Mermoz sait d'avance que jamais Air France n'achètera cette machine, tout simplement parce qu'elle est fabriquée à l'étranger et que la compagnie a pour vocation de mettre en valeur les machines nationales — fussent-elles de moindre valeur. Mais, comme tout dans la vie est pour lui leçon, qu'il veut « montrer la voie », et enfin « foncer », Jean prend avec bonheur les commandes de cette machine. Officiellement, il « expérimente » une liaison accélérée sur les parcours « terrestres » de la Ligne — toujours la même obsession — afin de compenser la lenteur des traversées atlantiques.

En vérité, il se fait plaisir entre Paris et Casablanca à plus de trois cents de moyenne sans escale, en moins de sept heures trente, le 1er août 1935. Le lendemain, c'est Casa-Dakar, encore plus vite. Revenu au Bourget le 30 août, en deux étapes et quinze heures de vol, il repart une semaine plus tard et accomplit, entre Paris et Alger, un aller et retour éclair en un peu plus de huit heures et demie. De la pure griserie, à des allures comparables à celles des avions de chasse modernes de l'époque. Le pilote Mermoz sublime le métier.

*

Il ne perd pas pour autant l'esprit d'équipe. Après neuf mois d'absence, il renoue avec l'atmosphère des convoyages sur l'Atlantique sud. Un service à quoi rien ne l'oblige, qu'il accomplit pour illustrer ses idées « sociales », et, tout simplement, pour retrouver l'atmosphère de toujours. Tant pis si, pour rester non loin de Guillaumet — le recordman des traversées du courrier —

et de quelques autres, il doit se mettre aux commandes d'un hydravion, le Blériot *Santos-Dumont*. Mais quand même : après la vitesse pure au manche du *Comet*, il doit maintenant se contenter du faire du cent quatre-vingt, pendant des heures et des heures.

42

Un homme seul ?

Un jour, Mermoz confie au colonel Davet, proche de Denain : « Nous étions dix-huit, et nous ne sommes plus que quatre. » Il parle de la mort qui, année après année, frappe la phalange des pilotes d'élite qui servait la ligne au temps de Cap-Juby, des avisos à vapeur, des sauts de puce par dessus la Cordillère et des coups d'aile rageurs du *Comte-de-La-Vaulx*.

Le martyrologe des « vieux de la vieille » devient chez Jean une obsession. Morts : Gourp, Érable, Negrin. Morts : Gourbeyre, Hamm, Ville, Barbier, Riguelle, Emler. Morts : Étienne, Lécrivain et Jaladieu. Douze pilotes égrenés sur les côtes d'Afrique ou d'Amérique, ou engloutis par la mer. Sans compter l'ingénieur Pranville. Sans compter ceux qui, parfois moins proches, furent initiés une fois l'Aéropostale créée.

Parmi les pilotes entrés chez Latécoère entre 1924 et 1926, les premiers à rissoler en Mauritanie et à subir les grains de la baie brésilienne de Sainte-Catherine, ils sont quatre survivants : Marcel Reine, Henri Guillaumet, Jean Mermoz, Antoine de Saint-Exupéry. Tous les autres, si vivants sous la plume de Kessel dans *Vent de sable*, sont désormais des ombres. Ils n'existent plus que dans les souvenirs que les survivants ressassent, à Biscarosse, à Paris ou à Dakar, à Rio ou Buenos Aires, autour d'un apéritif, ou, tard le soir, dans une boîte de nuit, avec en bruit de fond une java ou un tango. Chacun tait les détails de leur mort atroce, par le feu, la noyade, l'asphyxie, et préfère se souvenir des bons moments passés de *Tabarin* en *Tabaris*.

Toutes ces aventures forment une histoire de plus en plus difficile à raconter, car tout a changé si vite. Montaudran est fermé, l'escale de Toulouse est désormais à Francazal, une autre banlieue de la ville rose. On embarque maintenant le courrier à Biscarosse, *via* Bordeaux. La Ligne n'est pas encore banale, mais elle s'en approche. Le programme 1935 d'Air France comprend une traversée par quinzaine — vingt-deux sont réalisées. On ne s'arrête plus à Agadir. Cap-Juby, abandonné, est redevenu depuis longtemps un médiocre fort espagnol survolé dans le ronflement des moteurs. Cisneros est une escale secondaire. Avec les trimoteurs Dewoitine, à deux cents à l'heure, on rejoint Casablanca depuis Le Bourget par Marseille-Marignane et Alger. Puis un seul bond mène à Port-Étienne. Et en hydro, depuis Biscarosse, on file tout droit sur Saint-Louis et, sauf en cas de défaillance de la machine, on efface toutes les escales.

*

L'activisme « social » de Mermoz est donc autant un remède à la nostalgie qu'à l'angoisse rentrée des départs de nuit ou à l'aube, où l'on scrute les nuages sur l'horizon. Guillaumet, grâce au soutien sans faille de Simone et à sa bonne nature, semble vivre tous ces changements, et toutes les épreuves accumulées, comme si de rien n'était. Saint-Exupéry, dont le ménage bat de l'aile depuis longtemps, a trois exutoires : le journalisme, son amitié intense pour une égérie rencontrée au début de 1935 et, maintenant, la préparation d'un grand raid vers l'Extrême-Orient, *via* l'Egypte et l'Inde.

Mermoz a d'abord, et surtout, le « mouvement ». Son ménage tourne mal. Gilberte supporte de moins en moins les intempestives visites dînatoires, rue Molitor, des amis et des camarades de Jean, et une vie qui conduit ce dernier plus souvent sur les aérodromes que dans les lieux fréquentés d'ordinaire par la jeune épouse d'un ménage fort à l'aise. Pour ne rien dire des heures que Jean passe avec « Mangaby », qui au fond n'a jamais bien admis d'avoir une bru.

Or, l'activisme de Mermoz conduit de nouveaux visiteurs à la maison et lui donne de nouvelles occasions d'être absent. Ce sont les soirées passées dans les locaux de la section Croix-de-Feu du 8e arrondissement, les déjeuners et les dîners où on présente à l'aviateur des piliers du mouvement.

Comme tant de Parisiens, les Mermoz auraient pu passer la Fête nationale de 1935 en amoureux, se promener dans un quartier animé par les bals et les guirlandes de lampions. Impossible. Car le 13, Mermoz est absorbé par la préparation du défilé « parallèle » annuel que La Rocque conduit du côté de la Porte Dauphine. Et, le lendemain, en tête du cortège, il porte, baudrier ceint sur le torse, le drapeau du mouvement.

Et puis, il y a les voyages. Entre les sorties du *Comet*, les vols pour Air France, les périodes d'inaction entre l'aller et le retour, et les autres voyages et essais en tout genre, Mermoz, en 1935, passe la moitié du mois de mai puis tout le mois d'août hors de France, après avoir déjà pérégriné pendant la moitié de l'hiver. Et chaque voyage, ou presque, donne lieu à des échappées extraconjugales. Comme le remarque un de ses collègues pilotes, Mermoz, plus que jamais, à l'art de s'évanouir en douce aux escales, pour plusieurs heures, pour un jour ou deux. Il donne l'impression de disposer, de la Méditerranée au Brésil, d'un réseau de « correspondantes ». Sans compter les conquêtes lors des soirées parisiennes passées sans Gilberte. Selon Kessel, elles ne manquent pas. En 1935, une jeune chanteuse « réaliste » et « à texte », une petite bonne femme plutôt délurée du nom d'Édith Piaf, aurait même eu pour Jean l'inévitable et bref coup de foudre. À vrai dire, Mermoz est précédé de sa réputation. Invité pour un week-end en Normandie par le ménage Renault — le Louis Renault des automobiles —, le héros échappe, non sans mal, à l'effet qu'il exerce sur la maîtresse de maison, une blonde superbe qui croque la vie à pleines dents...

*

Sans surprise, vers la fin de l'été 1935, entre deux absences de Jean, le ménage Mermoz se sépare. Les convenances sont respectées : on ne parle pas de divorce, Jean continue de défrayer Gilberte — mais elle a aussi ses propres revenus — et il lui laisse l'appartement de la rue Molitor. Il transporte ses souvenirs d'Orient, d'Afrique et d'Amérique dans un appartement voisin du parc Montsouris, à la lisière sud de Paris, dans la rue du même nom. Assez loin de la rue Molitor pour être sûr de ne pas croiser Gilberte par hasard.

On s'interroge sur ce que le mariage à apporté à Mermoz, à part la sensation, vite épuisée, d'être un homme ordinaire, avec une vie « normale ». Comme sa mère, Jean n'est pas fait pour cette vie-là. Chez lui, tout, jusqu'aux sentiments — sauf pour « Mangaby » —, passe par le métier. Le métier lui a apporté des pères de substitution, dont chacun a eu sa saison : Didier Daurat, Marcel Bouilloux-Lafont, Raoul Dautry, le général Victor Denain, et maintenant François de La Rocque. Le métier lui a aussi apporté des « frères » : Guillaumet, Saint-Exupéry, Reine et quelques-uns des morts de la Ligne. Le métier lui apporte maintenant, avec le patronage des « apprentis » et des « fils et filles » du mouvement Croix-de-Feu, autant d'adolescents déjà grandis, à instruire, à guider — comme des enfants dont il n'aurait pas eu à supporter les cris de bébé, les tracas de la petite enfance. Gilberte n'a rien à voir avec son métier, sinon qu'ils se sont rencontrés au Brésil parce qu'il travaillait à l'Aéropostale et qu'elle vivait à Recife. À vingt-six ans, elle a mieux à faire qu'attendre un époux, qu'à assister à des dîners de vieux copains qui s'amuseraient tout aussi bien entre eux.

Jean se fait photographier « en majesté » dans leur salon, trônant dans un grand fauteuil, l'air grave, en costume sombre, plaque argentée de commandeur au revers de la veste. Voire avec leur chienne Mirko sur les genoux, et l'air encore plus songeur. Les photos intimistes du couple sont rares, à l'exception de quelques clichés pris lors des soirées entre copains. Le plus souvent, sur les photos d'extérieur du couple, elle n'est qu'une silhouette en tailleur ou robe claire, un sourire convenu, dans des scènes de groupe où, par surcroît, les femmes qui escortent leurs héros de maris figurent au second plan. Comme si elles ne faisaient que passer dans un paysage où les pilotes, les avions auraient seuls de l'importance.

Réduite au rôle de faire-valoir, de ménagère, de confidente des mauvais jours, confrontée aux humeurs changeantes d'un homme par nature renfermé et, malgré les apparences, anxieux, Gilberte est priée de communier avec l'enthousiasme de « Mangaby » pour tout ce que fait et dit son héros de fils. Mais elle n'est pas conviée à partager certains de leurs secrets, si anciens, si particuliers. Gilberte s'ennuie ferme auprès d'un homme qui, au fond, n'a pas besoin d'elle, qui est à la fois trop sérieux et trop volage. Jean, confronté à ce naufrage, se renferme dans ses vraies passions — l'aviation, Maman, les amis — et préfère s'isoler.

*

La rupture avec Gilberte confirme le retour de Jean Mermoz sur la Ligne, « parmi les miens », comme il le confie avec plus de franchise. Après ses vols d'août, et une fois terminée la campagne du *Comet*, il se replonge dans l'atmosphère du courrier, dans le rythme spécial de la vie des équipages et des techniciens du sol.

Du 4 au 12 novembre, passant du *Centaure* au *Santos-Dumont*, il effectue son deuxième aller et retour de l'année. Puis, au tout début de décembre, il part s'installer huit jours d'affilée à Biscarosse. Là, dans les froides brumes qui montent de la mer vers la forêt des Landes, il partage la « popote » des camarades, leur gîte dans les petites villas — pour les Guillaumet — et à l'auberge où ont table ouverte les pilotes, les mécanos, les radios. Il prend le temps d'essayer un tout nouveau Laté, le 500 *Lieutenant-de-vaisseau-Paris*, géant de quarante tonnes à six moteurs, capable d'emporter trente passagers sur l'Océan. Puis, le 8, depuis l'hydrobase, il regarde ce mastodonte des airs s'envoler pour sa croisière inaugurale vers Dakar, la Martinique et, une vraie première mondiale, vers la Floride. Une aventure qui n'est pas pour lui, mais pour le capitaine Bonnot, le pilote d'essai de la Marine...

En revanche, le même jour, Jean rejoint Marignane où l'attend, sorti des essais, le frère jumeau de la *Croix-du-Sud*, l'*Orion* qui, sous le pavillon d'Air France, s'appelle désormais *Ville-de-Buenos-Aires*. Mermoz traîne une semaine à Marignane, où il retrouve la même atmosphère qu'à Biscarosse, avec en plus les pins parasols, le ciel bleu et les terres rouges de la Provence. Puis il emporte l'hydro vers Dakar, où sept jours encore s'écoulent, entre les cocotiers et les grands rouleaux de l'Océan. Il attend, s'ennuie un peu, revoit amies et amis — y compris des colons et des fonctionnaires adhérents du « mouvement ». Cette expédition à petite vitesse lui permet de passer Noël sur les plages de Rio entre un aller en Laté et un retour en Blériot. Il rentre à Paris juste à temps pour aller embrasser sa mère pour le Nouvel An. C'est en quelque sorte le retour au bon vieux temps, quand il était célibataire.

À un détail près : à l'aller comme au retour, ce qui, pour lui, est une première inattendue, il a convoyé à son bord Maryse Hilz, une jeune aviatrice conquérante aux cheveux d'or et au regard clair, une vedette « qui monte », incarnation du féminisme balbutiant, que le ministère de l'Air envoie en mission de propagande sur le continent des « machos ». Certains témoins prétendront plus tard que cette passagère de marque l'aurait plus encombré que ravi. Est-ce la preuve que Mermoz partage sur les femmes les préjugés de son époque, qu'auraient confortés de longs séjours dans des pays résolument latins ?

*

Au début de 1936, le sentiment d'être un survivant est renforcé chez Mermoz par deux événements qui le touchent au plus profond de lui-même. C'est d'abord, à peine est-il à Paris, la disparition de Saint-Exupéry et de son équipier dans une tentative de raid de Paris à Saigon sur un petit monomoteur Caudron. Saint-Ex a négligé de prendre une radio — pour économiser quelques kilos — et son avion a disparu quelque part dans le désert, entre Tripoli et Le Caire, sans laisser aucun message. S'ensuivent trois jours d'angoisse, trois jours de marche harassante pour les deux prisonniers du désert, qui se terminent avec bonheur par le sauvetage d'Antoine et de son compagnon à soixante kilomètres du Caire. Mais la question est maintenant clairement posée : à qui le tour ?

Or, le 10 février 1936, le Laté 301 *Ville-de-Buenos-Aires*, qui revient d'Amérique, sombre en mer. Dans l'équipage disparu figure Collenot, son mécano préféré, encore un de ses « frères ». L'annonce de la perte de l'appareil, le suspense de recherches qui se révèlent vaines, surprennent Jean au siège d'Air France et, selon un témoin alors présent, le jettent dans un profond désarroi que le soutien de ses proches ne parvient pas à effacer. Il lui faut conjurer le destin, une fois de plus, « maintenir », montrer aux mânes de Collenot — et aussi à sa veuve, à ses enfants — que l'ami n'est pas mort pour rien, que tout continue « comme avant ».

*

Après l'accident du 10 février, la presse s'enfle de rumeurs sur la possible interruption de la Ligne. Alors Mermoz rompt le tour de rôle des équipages. Le 18 février, les dents serrées, il conduit le *Centaure* de Dakar à Natal. Il a pour passager le directeur général d'Air France, en tournée d'enquête. Tout l'équipage se recueille avec émotion quand l'avion survole le lieu où l'hydro a disparu. Jean s'est fait entre-temps un serment : remplacer, autant qu'il le peut, son ami Collenot auprès de ses enfants devenus orphelins. Bientôt, il aide Mme Collenot à s'installer à deux pas de chez lui. Ainsi la mort d'un être cher lui crée-t-elle d'abord un devoir.

43

La bourrasque de 1936

Revenu de Natal le 24 février 1936, et jusqu'au 28 juin, où il file rejoindre le Laté *Ville-de-Santiago* en route pour le Brésil, Mermoz ne vole plus sur la Ligne. Il est plongé corps et âme dans la politique. Une grande échéance se prépare, celle des prochaines législatives dont le premier tour aura lieu fin avril. Depuis janvier, on sait avec certitude que, cette fois, la gauche ira au combat dans l'union, avec un accord de désistement au second tour qui, grande nouveauté, inclut les communistes de Thorez. Ils ont aussi un programme, placé sous la banderole du Front populaire pour la Paix et la Prospérité qui, pour les Croix-de-Feu, donne aux partis de lutte des classes l'occasion de s'emparer enfin de la France.

Accessoirement, dans le programme de gouvernement, avec l'aval des radicaux, il est promis de mettre fin à l'existence des « Ligues ». Même si, depuis 1934, Daladier ne croit pas que les Croix-de-Feu menacent vraiment la République, il lui faut concéder des points de programme à Thorez et à Blum, et donc faire comme si. Il y a donc le feu à bord, et, par tous les moyens à sa disposition, le « mouvement » s'emploie à mettre ses troupes en ordre de bataille (électorale), et à favoriser, à droite, l'élection de députés qui, sous des étiquettes diverses, porteront ses idées au Palais-Bourbon.

*

Au cours de ces semaines intenses, Mermoz apparaît au grand jour armé de pied en cap de ses convictions et de son exemple. Le plus visible, c'est sa participation aux réunions publiques organisées par le mouvement, et d'abord à une grande réunion le 30 mars, salle Wagram, à deux pas de la place des Ternes, où plus de quatre mille auditeurs l'écoutent évoquer « l'histoire de la Ligne France-Amérique du Sud ». Il s'agit bien sûr de mêler le témoignage vécu et les réflexions qu'il lui inspire dans un vibrant appel. C'est donc une histoire passée au double filtre, et de sa mémoire, et de ses convictions, que Mermoz livre à un public conquis d'avance, d'une voix calme et posée. Une histoire taillée sur mesure pour une assistance nourrie de l'esprit « ancien combattant ». L'élan des vols vers Dakar, puis des traversées de 1930 et 1933, y est rendu dans un style compact, où les mots concrets dominent. Les moment difficiles — pannes, amerrissages forcés, terrains embourbés, etc. — sont gommés ou adoucis. Mermoz n'a au fond qu'un but : montrer le triomphe d'une poignée d'hommes mus par leur seule volonté sur les forces de la nature et sur les embûches que sème sous leurs pas la défaillance de la société.

Le message est transparent. Des forces qui se réclament d'une loi invisible, celle de la lutte des classes, veulent dominer les individus, les soumettre, s'emparer de la société et contraindre chacun à une identité égalitariste et anonyme. Mais l'exemple des aviateurs, des hommes simples, ordinaires, montre à tous que la clé du destin national est la réunion des volontés morales des individus, dans l'action de petits groupes. La « politique » — c'est-à-dire la gauche et le parlementarisme qui divise —, voilà l'ennemi. Et Mermoz de conclure qu'il a voulu « donner le réconfort moral d'une action simple, libérée de tout ce qui n'est pas sain, de tout ce qui n'est pas beau et propre... il y a encore des hommes en France qui croient en ce qu'ils font et qui aiment plus agir que discuter et se plaindre... notre pays... arrivera tôt ou tard, lui aussi, à franchir ses étapes dans l'ordre, le travail et la propreté ». « Se plaindre » et « discuter », au lieu d'agir et de créer, ne sont-ce pas là les deux principes politiques, et de la revendication de classe, et des « combinaisons » entre partis ?

*

La conférence du 30 mars est d'abord publiée pour l'édification des militants et des sympathisants dans *Le Flambeau* du 4 avril, à l'exception de sa conclusion, pour l'instant demeurée orale. Car, pour Mermoz, la priorité, dans cette période électorale, est d'abord de témoigner, et non de polémiquer — une attitude qu'il a jusqu'à présent refusé d'adopter en public. C'est pourquoi, aux autres réunions publiques auxquelles il se prête au printemps 1936, il se contente de soutenir par sa présence, offerte aux ovations, les plaidoyers du colonel de La Rocque et de ses lieutenants, et, à l'occasion, de délivrer de brefs messages d'encouragement, de confiance.

Dans cette période où plus les élections approchent et plus les adhésions se multiplient, l'essentiel de son effort militant se porte vers la sensibilisation des milieux professionnels parisiens et provinciaux, ou encore d'Afrique du Nord, ainsi du Maroc où La Rocque a de nombreux partisans. Il agit désormais à deux titres. Comme vice-président du « mouvement » investi de la confiance personnelle du chef. Et comme vice-président de l'Association des officiers de réserve de l'armée de l'Air, qui compte plusieurs centaines de membres, et que préside le commandant Alfred Heurteaux, un ancien « as » de 1914-1918 couvert de victoires et de décorations. Très marqué à droite, antirépublicain, Heurteaux bénéficie de relations étroites avec certaines grandes firmes industrielles. Il utilise l'association pour sensibiliser un public d'ingénieurs, de professions libérales et de grands exploitants fonciers, tandis que Mermoz cherche à approfondir les liens entre les officiers mobilisables et le personnel de l'aviation civile. Jean étend à l'échelle nationale l'action entreprise dès 1934 parmi les réservistes du 34e régiment d'aviation du Bourget et ses camarades de la Ligne.

*

Dans ce contexte, mûrit en lui le projet d'un mouvement national spécifique à l'aviation, qui, peu à peu, conquerrait la jeunesse industrieuse. Là où Heurteaux s'efforce de sensibiliser « au cas où » une base d'activistes aguerris capables de sauver la nation en danger, Mermoz veut, par l'aviation, désamorcer d'avance les risques de confrontation sociale aiguë, diffuser un idéal d'harmonie sociale autour du « métier ».

Ce projet est adapté aux circonstances. Des aviateurs connus, et non des moindres, ainsi Sadi Lecointe ou Bossoutrot, portent ostensiblement les couleurs du Front populaire. Le second est même candidat aux élections sous l'étiquette SFIO. Chacun sait que Blum suit les questions d'aviation de près ; et que son fils, Robert, polytechnicien, est directeur technique chez Hispano-Suiza. En cas de succès du Front, on peut prévoir le retour de Pierre Cot au ministère de l'Air. Or, depuis le 6 février 1934, Cot passe, à tort ou à raison, pour un des plus chauds partisans de la répression de l'émeute et de la répression des ligues. Pour cette raison, ironisant sur son apparence d'éternel jeune homme, les feuilles nationalistes l'ont baptisé « le galopin sanglant ».

Et puis, avec l'approche du 26 avril, date du premier tour, l'aviation fait la une de la chronique sociale. Le 14 avril, les métallos de la CGT Unifiée, proches du PCF, posent les outils chez Bloch à Courbevoie, chez Farman à Billancourt, chez Potez à Levallois. Ils déclenchent une grève avec occupation, pour les salaires et pour montrer leur impatience d'obtenir les quarante heures, les quinze jours de congés payés et les délégués d'ateliers promis par le programme du Front. Résultat : le 15, les directions des trois firmes cèdent sur les salaires ; vivant des commandes publiques, elles n'auront qu'à repasser la note au prochain ministre de l'Air, et au contribuable. Cette explosion limitée mais inattendue annonce, pour les adversaires du Front populaire, ce qui attend toute la France après les élections si la gauche l'emporte.

En 1933, les cégétistes de l'Aéropostale ont déjà eu la tête de Daurat. Que se passera-t-il demain dans toute cette industrie, si vitale pour la défense du pays, s'ils sont déjà en pointe dans les revendications ?

*

Le 3 mai, les résultats du second tour tombent. Les communistes font une percée inespérée, les socialistes, déjà bien placés en 1932, sont consolidés. Le parti radical perd du terrain, surtout là où ses membres étaient les plus réticents à l'alliance à gauche. Commence alors un très long interrègne ministériel — un mois —, où Léon Blum, pressenti par le président Lebrun, s'efforce de composer un gouvernement où les communistes ont fait savoir d'avance qu'ils n'entreraient pas.

Pour la première fois depuis la Belle Époque, un socialiste va conduire le gouvernement. Des deux côtés de l'arène politique, c'est l'hystérie. Les uns voient le pays en révolution, en route vers un avenir radieux, les autres pronostiquent la faillite et l'abaissement définitif de la France. D'autant plus que le contexte international ne prête pas à rire. Le 7 mars, Hitler a envoyé son armée occuper la rive gauche du Rhin, démilitarisée depuis le traité de Versailles, et il a rétabli le service militaire. Chaque jeune Allemand devra passer deux ans sous les drapeaux. Le compte est vite fait : depuis 1920, il naît en moyenne trois fois plus de jeunes Allemands que de jeunes Français.

Dans l'affaire de Rhénanie, la France, empêtrée dans sa campagne électorale, et militairement timorée, n'a rien fait, sinon protester, alors qu'elle conserve sur l'Allemagne un avantage militaire indiscutable, mais voué à une rapide disparition. Car outre-Rhin, on réarme à tour de bras au nom d'une « plus grande Allemagne », après avoir ranimé la grande industrie métallurgique et mécanique.

Pour ceux qui, à droite, se sont toujours défiés de l'Allemagne, même désarmée et désorientée, que se passera-t-il demain, quand une France en révolution, ou en réformes profondes, sera encore plus divisée et que l'ennemi quasi séculaire, dopé par un régime policier et par la mise au travail forcé de sa nation tout entière, commencera à produire en quantités industrielles les matériels de guerre ultramodernes lancés depuis 1934 pour la Kriegsmarine, les divisions de cavalerie, la nouvelle Luftwaffe ?

Ce genre de réflexion agite la direction du mouvement Croix-de-Feu, au moment où la France des derniers jours de mai 1936 connaît ses premières grandes grèves avec occupation, où Blum n'a toujours pas de gouvernement et où la presse socialiste, et plus encore communiste, tire à boulets rouges sur les « réactionnaires » et les « fascistes » qui composeraient l'essentiel de la droite.

Six jours après la victoire de la gauche, *Le Flambeau* publie la fin de la conférence de Mermoz du 30 mars, le passage où l'aviateur demandait « de l'ordre » et des choses « propres et saines » au lieu des discussions et des plaintes. C'est prémonitoire, mais inefficace. Il est vrai, le « mouvement » a d'autres chats à fouetter : ici et là, en banlieue, en province, des heurts violents opposent les militants qui organisent des réunions aux contre-manifestations de « gros bras » syndicaux.

Ce climat encourage, à tous les échelons de l'organisation, et jusque dans l'entourage de La Rocque, les tendances activistes, antirépublicaines. Parmi les « nationaux », ceux qui ont toujours vomi la République rêvent d'en découdre avec les « rouges ». Aussi le « mouvement » est-il à la croisée des chemins : faut-il oui ou non inclure l'insurrection dans le programme de résistance à une gauche chauffée par les surenchères communistes ? La question n'est pas anodine, car, paradoxalement, les Croix-de-Feu n'ont pas à rougir de leurs résultats électoraux. La Rocque a fait et refait ses comptes. Une bonne cinquantaine de députés d'opposition sont, ouvertement ou discrètement, acquis aux thèses du mouvement.

*

Dès sa formation, le gouvernement Blum s'efforce de désamorcer une grève devenue générale. Ce sont les accords Matignon du 7 juin 1936, puis le dépôt au Parlement des projets de loi sur les quarante heures et les congés payés, et la promesse d'autres réformes — contrats collectifs, délégués syndicaux, etc. Ces concessions conduisent cahin-caha, du 13 au 17 juin, à la « reprise » dans les usines et les bureaux, à travers toute la France. Le temps est alors venu de tenir les promesses sur l'interdiction des ligues, qui concerne aussi les Croix-de-Feu. Pierre Cot, de nouveau ministre de l'Air, redoute le « noyautage » de l'aviation par les opposants à la « ligne rouge ». Il n'est donc pas le dernier à pousser les feux et à diaboliser le mouvement Croix-de-Feu et ses filiales. Cot avouera bien plus tard qu'il sait que les hommes de La Rocque ne sont pas des « fascistes » mais, dans le contexte de l'heure, ils offrent une cible idéale parce qu'ils forment le mouvement de droite populiste le plus nombreux, et qu'il faut bien rendre concrète la menace qui pèserait sur la République.

44

Le Parti social français

Les Croix-de-Feu, les Volontaires nationaux, les Filles et Fils de Croix-de-Feu sont donc interdits le 20 juin, et sommés, soit de disparaître, soit de se transformer, sous peine de poursuites pénales. Mermoz et ses compagnons sont placés face à un vrai choix politique. Comment prolonger leur action ? On hésite, on se divise. La Rocque accepte de prendre langue avec l'ancien député communiste de Saint-Denis, Jacques Doriot, qui vient d'emporter ce « bastion » sur ses anciens camarades et veut fonder un mouvement de droite très radical, ouvertement antirépublicain, le PPF — Parti populaire français.

À ce moment, selon plusieurs témoignages concordants, Mermoz hésite sur la voie à suivre. Lors de ses passages à Marignane, il a sympathisé avec le maire de Marseille, Simon Sabiani, un populiste plutôt équivoque qui, aidé des « gros bras » de la pègre et des dockers, règne en dictateur sur la deuxième ville de France. Sabiani aurait aidé Mermoz à faire se rencontrer La Rocque et Doriot dans les derniers jours de juin. Jean est-il, à ce moment, saisi par le démon activiste ? Pense-t-il vraiment que la République est décidément un régime sans issue, qu'il faut, pour l'avenir, rechercher d'autres voies politiques ? La rumeur circule, insistante.

Mais La Rocque aborde d'une âme ferme son entretien avec Doriot, et rejette ses choix et ses haines. Le colonel n'a dès lors plus le choix : fonder un nouveau mouvement qui prendrait date pour les prochaines élections, en 1940. Entre-temps, il faut « tenir » et approfondir le quadrillage du pays, l'action de masse. Au prix de plusieurs défections importantes, La Rocque impose son point de vue. On remarque que Mermoz, dans cet intervalle, part du 29 juin au 8 juillet se « ressourcer » sur la Ligne, aux commandes du *Ville-de-Santiago*, le troisième hydro Laté. Sans doute Jean souhaite-t-il se reprendre, méditer — ou oublier — l'échec de son audacieuse médiation.

*

Et c'est empreint d'un sentiment filial renouvelé que, le 12 juillet au matin, l'aviateur apparaît, introduit par La Rocque, à l'assemblée constitutive du nouveau mouvement, le Parti social français. Le colonel a assuré la salle, tout à fait comble, que Jean arrivait à l'instant d'Amérique, et les ovations en l'honneur du héros redoublent quand il prend le micro après « Ybar ».

Mermoz est calme et décidé. Il prône un ralliement sans conditions à La Rocque, au nouveau mouvement, qui entend devenir un parti de masse. Il prononce ce jour-là des paroles qui signent son ralliement définitif. C'est un « acte de foi » envers La Rocque, car, selon les propres termes de Jean, « j'aime la mystique du chef. Je ne connais que le chef »... « En France, nous crevons du manque de chefs. » Au passage, il écorne, sans les nommer, Maud'Huy et Pucheu, deux camarades des Volontaires, qui ont viré leur cuti et rejoint la droite extrême : « Notre chef a créé le Parti social français. Je n'ai jamais fait de politique (*sic* !) et je n'aime pas cela. Seules les questions sociales me passionnent et m'intéressent. J'ai eu à en souffrir. D'autres en souffrent. Voilà pourquoi j'entre au Parti social français. Parce que ce n'est pas un parti de "partis", parce que nous devons vivre sous un seul signe, autour d'un chef : le nôtre... Ne critiquez pas notre chef : suivez-le... Les chefs commandent et la masse suit... Le colonel, lui seul a su nous grouper, lui seul a su nous diriger... je suivrai toujours le chef, qui saura attendre son heure. J'ai trouvé ce chef, je le garde... Nous devons tous nous unir contre le danger commun, intérieur et extérieur. Le moment viendra où il faudra agir, je suis sûr que ce moment est proche... Nous ne sommes pas "foutus"... Avant peu, nous réussirons et nous les aurons. »

*

Ces derniers mots prononcés, Mermoz se tait et se tient assis, droit et fier, au milieu du comité de direction du nouveau mouvement. Le voici désormais vice-président du PSF, une dignité qu'il partage avec Noël Ottavi, l'autre « héritier spirituel » de La Rocque.

Dès lors, Jean devient la personnalité autour de laquelle, au nom du mouvement, on rassemble les sympathisants les plus variés. Sa signature apparaît aussi de temps en temps dans les chroniques du *Flambeau*, alors même que l'audience de l'hebdomadaire militant ne cesse de s'élargir, par réaction au déferlement triomphant de la gauche marxiste dans les médias et dans la rue. Le 25 juillet et le 8 août, *Le Flambeau* publie, revues et corrigées, les parties inédites de sa conférence salle Wagram du 30 mars, augmentée de nouveaux épisodes et détails.

Maintenant, sous sa plume, ou du moins sous sa signature, l'aviation est résolument présentée comme « une école sociale, une école de chefs », car, selon lui, elle serait avant tout « une mystique », une « œuvre de foi », avec « son apostolat, son martyrologe », qui en fera « une religion sociale » et non pas un simple instrument technique.

Bien que le PSF se démarque officiellement des mouvements fascistes, on est frappé par la résonance que les propos de Mermoz offrent à la propagande de Mussolini ou de Balbo sur le même sujet. De même, on s'interroge sur ce que Mermoz veut dire, quand il demande une « action sociale », une « politique purement française ». Et, bien sûr, quand on connaît la vie personnelle de l'aviateur — totalement ignorée de ses lecteurs —, on lit avec attention son appel à la lutte contre « l'hypocrisie de certains principes qui ne servent qu'une fausse morale d'opportunisme ».

Pour un des plus proches amis de Mermoz, le don de sa personne à La Rocque et au PSF masquerait en vérité une fissure entre les convictions intimes de l'aviateur et ses choix politiques publics. Mermoz oscillerait alors « entre Doriot et Mussolini », par manque de culture politique. Il croit trop aux discours de la propagande. Et ainsi, il se fourvoierait dans un combat pour lui sans issue.

*

On ne saurait reprocher à Mermoz la sincérité et la fougue de son engagement. Celle-ci saute aux yeux de ses amis, même de ceux qui sont loin de partager ses orientations. Jean a voulu absolument présenter La Rocque à Saint-Exupéry. Antoine est loin d'approuver le populisme de gauche, tellement dans l'air du temps, où il voit la mort de la conscience individuelle et de la liberté créatrice. Il n'approuve pas pour autant le populisme de droite, où il voit les mêmes vices. Entre les deux amis, les discussions vont bon train, même si la fraternité qui les unit demeure plus forte que leur opposition. De plus, Antoine est profondément déçu par le déjeuner où Mermoz lui présente La Rocque. Pour lui, intellectuel bien né rompu à la grande culture, le colonel apparaît peu ou prou comme un imbécile solennel. « De la soupe avec des croûtons dessus », note-t-il quelque part, où les idées seraient les croûtons qui surnagent.

*

« Témoigner » reste pour Jean l'essentiel. Ses gestes s'ordonnent maintenant autour de sa fonction d'inspirateur et d'exemple. Il est entré dans un rôle auquel, sans le savoir, il s'était longuement préparé, et il l'incarne sans même y penser. Comme s'il était investi d'une mission.

Il est présent sur l'aérodrome toulousain de Francazal quand, le 2 août, on apprend que son camarade Génin s'est écrasé, aux commandes de son avion, à deux ou trois heures de route de là, sur le flanc de la Montagne Noire. Aussitôt, l'emblème et l'inspecteur général d'Air France — chez lui, c'est tout un — se précipite sur les lieux, à la tête d'une petite équipe de secouristes. Le théâtre de l'accident est à peu près inaccessible aux automobiles, et c'est à pied, par des chemins escarpés, que tous montent jusqu'aux débris de l'appareil. Alors, ses compagnons voient Mermoz, dans un geste inattendu, se pencher sur le cadavre de Génin, le relever contre lui, et, en douceur, l'installer sur ses larges épaules. Et ainsi Jean redescend jusqu'au lieu où sont garés les véhicules de l'expédition, tel le berger qui ramène du pâturage un agneau foudroyé.

*

Il passe une partie du mois d'août à Saint-Tropez, dans la villa occupée par Kessel, au moment même où, pour la première fois, des millions de travailleurs découvrent la nature, grâce aux « congés payés ». Aux joies de l'amitié et aux plaisirs du bord de mer s'ajoute la découverte quotidienne d'une baie, d'un village, d'un arrière-pays magnifiques, à l'époque à peu près inviolés, fréquentés surtout par des artistes et par de riches Parisiens qui trouvent démodés la vraie Côte d'Azur et ses palaces.

Mais on est là aussi pour discuter de choses sérieuses. Kessel parvient à persuader Mermoz, au départ réticent, de faire équipe pour la préparation d'un livre, à mi-chemin entre la biographie « autorisée » et les confidences, où, bien sûr, Kessel tiendrait aussi la plume, soit pour rédiger des passages entiers, soit pour une mise en forme éditoriale. À cette occasion, Mermoz rédige quelques feuillets rapides sur ses débuts dans la vie, jusqu'à son entrée chez Latécoère, en 1924. On ne sait pas jusqu'à quel point Mermoz développe à cette occasion ses convictions devant Kessel, et encore moins jusqu'à quel point ce dernier les approuve en son for intérieur. Mais cette adhésion intime est au fond inutile : entre Mermoz et Kessel, tout marche à l'amitié et à l'admiration mutuelle. Ce sont deux êtres exceptionnels réunis une fois de plus autour de leurs préférences : la vie au grand large et à grandes guides, la fête, l'amour des horizons lointains, de la beauté incarnée sous toutes ses formes. Le reste n'a aucune importance.

Le projet éditorial demeure inachevé, en partie parce que Mermoz n'est pas un homme de plume, en partie parce que les circonstances de la belle saison, et la brièveté du séjour de l'aviateur, ne se prêtent pas à un accouchement rapide. Mais l'idée est maintenant dans l'air : Mermoz mérite d'être mis en livre, et son œuvre exposée aux lecteurs. Au panthéon des aviateurs « biographés », il rejoindrait ainsi Charles Guynemer, le grand « as » de 1914-1918, anéanti dans la chute de son avion abattu en 1917 au-dessus du ciel des Flandres, après avoir, pour ses camarades et pour la propagande, incarné par excellence l'idéal du « chevalier du ciel ».

*

Sans nul doute, et quelles que soient les convictions intimes de Kessel, un tel livre, patronné par le journaliste le mieux payé de France, servirait la propagande du parti. Une propagande à laquelle Mermoz consacre de plus en plus de temps, au nez et à la barbe de Pierre Cot qui, de son côté, a fait de Bossoutrot, élu député en mai, son « chargé de mission » au service d'information du ministère — c'est-à-dire à la propagande. Cot et Bossoutrot caressent un rêve : rallier les aviateurs à la gauche, au moment où la nationalisation des usines de guerre, plébiscitée par le Parlement, et plus encore par les syndicats CGT, fait des ouvriers qui font leur matériel des obligés du Front populaire. Mais, pour y parvenir, Bossoutrot doit marcher sur les brisées de Jean.

Mermoz s'engage de plus en plus dans son grand projet de mouvement « aviateur », creuset de la régénération nationale. Il multiplie les tournées dans les aéro-clubs, dans les cercles d'officiers de réserve, où il suscite les sympathies et multiplie les engagements.

*

Du coup, il s'expose plus que jamais. Il en a bientôt la preuve. Le 2 octobre, un rassemblement « social français » est organisé porte Molitor, à l'orée du Bois de Boulogne, pour protester contre la réunion simultanée, à deux pas de là, au Parc des Princes, d'un meeting à dominante communiste, dirigé contre « les fascistes » — c'est-à-dire contre le mouvement de La Rocque. Quand une partie du service d'ordre du PSF apparaît, tandis que le gros de ses troupes défile loin de là, sur les Champs-Élysées, la police intervient brutalement, et, en son sein, des provocateurs, certains recrutés dans la droite extrême. Il en résulte une bagarre générale, des incidents violents, qui se reproduisent près de l'Étoile pour la même raison.

Aussitôt, le gouvernement s'émeut et passe à l'acte. Une information judiciaire pour « reconstitution de ligue dissoute » est lancée contre le parti et ses dirigeants. On les soupçonne d'avoir voulu mettre Paris à feu et à sang. La Rocque, Mermoz, Ottavi et quelques autres sont inculpés. On perquisitionne chez eux, à la recherche d'armes, de munitions, des « plans secrets du complot » sans lesquels il ne saurait y avoir de « vrais » conspirateurs. La pêche est vaine, à part un revolver — à l'époque les armes de poing de petit calibre sont en vente libre.

Comme les archives le montreront plus tard, l'affaire est un coup monté par le gouvernement. Un an plus tard, l'enquête se conclura par un non-lieu qui, rétrospectivement, ne surprend pas. Mais, à l'époque, la presse se déchaîne. Non seulement *Le Populaire* ou *L'Humanité*, tribunes officielles des partis socialiste et communiste, et la presse syndicale. Mais aussi la presse de centre gauche, par exemple *L'Intransigeant*, très proche du ministère de l'Air, où l'on feint d'interpeller le gouvernement pour demander une répression aggravée. Mermoz est entendu par le juge d'instruction pendant des heures. Il n'a rien à déclarer, n'ayant rien fait, rien organisé, comme du reste ses coïnculpés. C'est de l'intimidation pure et simple.

*

Elle n'a qu'un résultat : renforcer le « dégoût » — un mot qui revient souvent alors dans ses propos privés — de l'aviateur pour la « politique » — c'est-à-dire pour la gauche — et pour la république parlementaire. En guise de pied de nez, Mermoz a recours à son remède habituel : le pilotage transatlantique. Le 19 octobre, il conduit un des Farman « à roulettes », le *Ville de Montevideo*, jusqu'à Natal ; et il revient à Saint-Louis, le 27, aux commandes de la *Croix-du-Sud*.

Bien sûr, ce geste quasi religieux, cette dépense d'énergie ne changent rien aux données du problème. Les dirigeants du PSF, qui comptent maintenant leurs partisans par centaines de mille, essaient de garder la tête froide. Mais ils se demandent aussi, à chaque convocation au Palais de Justice, jusqu'où le gouvernement est prêt à aller pour décapiter le mouvement. Chacun sent bien, tout au long de novembre, que la justice fait traîner l'instruction de l'affaire du Parc des Princes, et que le dossier d'accusation est vide.

45

La fin

Le 5 décembre, Mermoz quitte à nouveau Paris, où règne une ambiance morale épouvantable. Dix-sept jours plus tôt, le ministre de l'Intérieur socialiste, Roger Salengro, maire de Lille, s'est donné la mort, à la suite d'une campagne de la presse d'extrême droite l'accusant d'avoir déserté pendant la Grande Guerre et d'avoir menti ensuite sur ses états de service. À l'époque, c'est la pire calomnie dont on puisse accabler un homme de la génération du ministre de l'Intérieur. C'est bien sûr un mensonge éhonté, mais Salengro, surmené, a perdu son sang-froid. Pour la même presse, ce suicide est « la preuve » qu'elle disait vrai...

Salengro paie ainsi de sa vie sa fermeté face aux ligues. Pour la gauche unanime, il n'est pas la victime d'une minorité d'excités, mais celle de l'ensemble des forces nationalistes. Aussi, une fois encore, le ressentiment du gouvernement englobe le PSF, déjà désigné à la vindicte par l'affaire du Parc des Princes.

Les affrontements entre militants sociaux-français et militants de gauche se multiplient. Pour Mermoz, il est temps, une fois de plus, de communier avec les camarades autour des « valeurs » primordiales du « métier ». Et de montrer que, face à l'adversité, il ne renonce à rien. Quelques jours avant son départ, il a dîné chez Pierre, un restaurant élégant de la place Gaillon, avec Joseph Kessel, l'aviateur Henri Fournier, le journaliste Jean-Gérard Fleury, « une soirée qui devait se terminer tard dans la nuit », selon l'un des convives. Ce soir-là, il est en pleine forme, « plus heureux que jamais ». Selon Fleury, ce bonheur affiché masque en réalité un certain désenchantement.

*

Le dernier voyage de Mermoz commence dans la routine. Il vole d'abord en passager sur les trimoteurs « à roulettes » Wibault et Dewoitine d'Air France, du Bourget à Toulouse, de Toulouse à Dakar, *via* Oran et Casablanca, où il parvient le 6 décembre au soir. Aux escales, il rencontre des amis qui passent par là : ainsi le colonel Davet, auquel il reparle du martyrologe de la Ligne, du sentiment de n'être qu'un survivant.

Le 7, avant l'aube, il doit prendre les commandes du Laté 300 *Croix-du-Sud*, cette machine qu'il n'aime pas, à la tête d'un équipage qui comprend aussi le pilote Pichodou, le chef mécanicien Lavidalie, le navigateur Ezan, le radiotélégraphiste Cruveilher. Tous des habitués de la traversée, devenue maintenant hebdomadaire. Ce jour-là, c'est la cent quarante-quatrième. L'ami Guillaumet, recordman du trajet, assiste aux préparatifs du départ. On enfourne dans les soutes de l'hydro le courrier parti de Paris la veille à six heures du matin.

La base de départ, en rade de Dakar, est plongée dans une nuit tiède à peine troublée par le moteur du canot qui amène l'équipage au pied de l'hydravion, et par le clapotis de l'eau frisée par le vent qui remonte de la mer. On est un peu tendu, parce que la veille, aux essais, un des moteurs Hispano ne tournait pas très rond. Une histoire d'enclenchement entre l'arbre du moteur et l'hélice à pas variable, réparée par les mécanos de la base, et qu'on évoque, pour la forme, au moment de la « check list » qui précède tout départ.

Revenu sur la rive, Guillaumet suit du regard Mermoz qui fait déjauger l'appareil chargé de courrier. Un décollage rapide, impeccable, dans le grondement des moteurs poussés à fond. Puis les feux de balise de l'appareil s'éloignent vers le trou noir de la mer. Faux départ. Quelques minutes plus tard, l'hydravion revient. L'hélice de l'Hispano arrière droit refuse de « changer de pas ». Normalement, ses pales doivent s'orienter sur leur axe, pour brasser plus ou moins d'air, à la demande du pilote qui les commande électriquement. Or, les pales se bloquent, et l'hélice menace de se « mettre en drapeau », c'est-à-dire de se débrayer du moteur en cas de baisse de régime. Elle peut alors s'envoler, tandis que le moteur se met en surchauffe. Un risque qu'aucun équipage sensé ne saurait courir, surtout quand il faut propulser à travers l'Atlantique un mastodonte de plus de vingt tonnes.

Sur l'hydrobase, on s'affaire trois heures durant pour réparer, sous les ordres de Lavidalie. Il y a une fuite d'huile dans la transmission de la rotation de l'arbre-moteur à l'hélice, qui expliquerait le grippage du changement de pas. Les mécanos épongent l'huile répandue, colmatent la fuite, tout est à nouveau en ordre. Cette fois, à 6 h 52 GMT (une heure de plus à Paris), c'est le vrai départ. L'information court sur le réseau sans fil. À Paris, au marbre de *L'Intransigeant*, qui doit sortir en début d'après-midi, on compose une brève de routine : « L'hydravion la *Croix-du-Sud* survole l'Atlantique sud. »

*

À l'heure où paraît le quotidien, tout est déjà consommé. Tous les quarts d'heure, la TSF du bord et la station de Dakar échangent position de l'appareil et nouvelles météo. À 10 h 43, l'équipage a envoyé un bref message : « Coupons moteur arrière droit. » Ensuite, silence sur toute la ligne, malgré les appels du radio basé à terre. La *Croix-du-Sud* a disparu à sept cents kilomètres de Dakar. Non loin de l'endroit où, en juillet 1930, Mermoz a dû voir sombrer le Laté *Comte-de-La-Vaulx* depuis la passerelle d'un navire. Non loin, aussi, de celui où, en juillet 1933, il a eu chaud, aux commandes de l'*Arc-en-Ciel*, quand l'avion a connu de graves problèmes de moteurs.

*

D'abord, chacun attend. Est-ce une panne de radio à bord ? L'hydravion a-t-il dû amerrir ? Mermoz est aux commandes. Pour tous, s'il y a eu un problème à bord, il s'en est forcément sorti, comme il l'a fait déjà en Méditerranée, en février 1932. La mer est belle, le ciel calme. Les ingénieurs radio de Dakar, armés de cartes et de règles à calcul, estiment la position probable de l'avion au moment de son dernier message. Air France dépêche sur place un aviso et un avion de reconnaissance. L'avion revient à sa base vers vingt-trois heures. Partout où son équipage a poussé, il a trouvé une mer vide.

*

L'attente devient angoisse. La nouvelle « tombe » et fait la une de la presse parisienne. Tout le monde veut espérer. Dans *Le Figaro* du 8, « on espère que leur silence est dû uniquement à une panne de moteurs ». Dans *Le Matin*, on relève que l'hydravion « n'est pas arrivé à Natal dans les délais ». *L'Ami du peuple* se veut lui aussi optimiste, obéissant en cela au communiqué d'Air France, où un responsable déclare : « Mermoz, qui connaît tous les dangers [de la traversée], aurait fait demi-tour à la moindre alerte grave comme le veulent les instructions... La *Croix-du-Sud* ayant un moteur arrière droit défaillant, a dû très vraisemblablement se poser en mer au milieu de la traversée... Cette panne ne doit pas donner lieu à de trop grandes inquiétudes. En effet, la coque de l'appareil a été renforcée tout récemment et peut tenir contre les vagues durant de très nombreuses heures. »

Pendant que fleurissent les articles rassurants dans la presse du matin, l'anxiété ne cesse de croître sur le terrain. On apprend bientôt que les recherches ont duré toute la nuit du 7 au 8, mobilisant un hydro allemand, un avion français, tous les navires de commerce qui étaient « sur zone », et un navire de la Marine nationale. Depuis la mer et le ciel, on scrute chaque recoin de l'océan à l'aide de fusées éclairantes, de projecteurs. En vain. « À Dakar, l'émotion grandit », commente *Paris-Soir*. Dans les cinémas, à travers toute la France, les actualités affichent une bande annonce sobre qui annonce le voyage interrompu, mais qui laisse encore de l'espoir.

Un espoir qui s'amenuise d'heure en heure. À juste titre, *Le Figaro* du 9 au matin tire en une : « des héros de l'air ont disparu... vaines recherches... guère d'espoir... ». Dans le corps de l'article, le chroniqueur André Reichel ne laisse guère de chances à l'équipage : « la mort a surpris ces cinq vaillants champions de la ligne ». Et il achève de déciller le grand public en se livrant, à l'imparfait, à l'éloge funèbre des membres de l'équipage : « Mermoz... grand, fort, athlétique, il *avait* le cœur bien accroché. Solide physiquement et moralement, il *avait* risqué vingt fois la mort. » Même ton dans *L'Ami du peuple* de ce matin-là : « Mermoz *avait* précisé dans son dernier message... on *redoutait* que la *Croix-du-Sud* [n'ait sombré corps et biens]... » Il faut quand même attendre l'après-midi du

9 décembre pour lire, dans *Paris-Soir*, ce titre définitif : « Chaque instant qui passe confirme le silence », et, sous la plume de Paul Bringuier, un texte illustratif de l'espoir évanoui : « Le piège infernal qui avait manqué Mermoz à deux reprises le gardait cette fois avec ses compagnons. »

*

À ce moment, un seul journaliste manifeste encore de l'espoir. C'est l'ami Jean-Gérard Fleury, qui vient de regagner Rio où il avait rendez-vous avec Jean pour fêter son anniversaire. « Malgré l'effroyable silence, nous nous accrochons à l'espoir... Nous ses amis qui connaissons sa prodigieuse vitalité... nous croyons en son étoile. Impossible d'imaginer que nous ne reverrons pas son lumineux visage... Nous trouvons ici chez les Brésiliens la même communion d'inquiétude et d'espoir. »

Or, le 11 décembre en fin d'après-midi, parvient à Paris, par câble, l'incroyable nouvelle. « On » aurait localisé la *Croix-du-Sud* qui aurait dérivé en mer, et dont l'équipage serait donc vivant. Les éditions vespérales de la presse carioca, avertie par Fleury, impriment déjà la nouvelle en gras. L'agence Havas diffuse partout la nouvelle, qui lui est parvenue par son agence d'Alger. Dans les cinémas parisiens, le 11 au soir, on interrompt les programmes et, devant les spectateurs emplis d'émotion, les projectionnistes font passer un carton où on peut lire « On aurait retrouvé l'avion de Mermoz ».

L'Excelsior du 12 décembre reprend l'incroyable nouvelle, sur laquelle se jettent des lecteurs plus nombreux que d'habitude. « Mermoz et ses compagnons retrouvés ?... son appareil flotterait à cent vingt milles du rocher de Saint-Paul... le ministre de la Marine [brésilien] a reçu un télégramme de Fernando de Noronha... [Il] a demandé à tous les navires qui suivent la route... de se diriger vers ce point. »

Imprimé le 11 au soir, *L'Ami du peuple* reprend l'information, sur un mode plus dramatique encore. Un reporter du journal court confier l'ahurissante nouvelle à Gilberte Mermoz : « Un instant d'émotion se lit sur son visage contracté. Puis peu à peu les traits se détendent, un fin sourire s'ébauche sur le fin visage, “Ce serait tellement beau... C'est merveilleux, c'est merveilleux, je n'ose pas y croire”. »

*

Mais c'est une fausse nouvelle, démentie dans la nuit du 11 au 12, juste à temps pour n'être pas reprise par l'ensemble de la presse. Elle est née de la gageure d'un membre du PSF proche de La Rocque : localiser l'hydravion par radiesthésie. Deux spécialistes agissant chacun de son côté ont agité leur pendule au-dessus de cartes de l'Atlantique. Ils ont fait connaître leur hypothèse, muée en certitude chez leur commanditaire. Diffusée par lui, elle est alors devenue rumeur, puis, à tort, information. L'espoir a fait le reste, à Rio auprès de Fleury, influencé par Couzinet, alors au Brésil, mais aussi chez Havas, où, maintenant, on se mord les doigts.

*

La direction du PSF, elle aussi, a cru au miracle. Dans les dernières éditions de *Paris-Soir* du 11 décembre — daté du 12 —, La Rocque a fait publier un long communiqué. La direction du parti « ne peut admettre comme acquise la perte du grand aviateur et de son équipage tant que les dernières chances de le retrouver n'auront pas été épuisées. Il s'est assuré que les recherches ne sont pas suspendues... Il refuse de prendre encore le deuil, réclame l'intensification des recherches et s'obstine à espérer ».

Pourtant, à la même page du quotidien de Pierre Lazareff, *alias* « Pierrot les Bretelles », on peut lire ce qu'en pense Air France :

« La compagnie... ne conserve qu'un espoir très faible de retrouver *vivants* Mermoz et ses héroïques compagnons. Les pavillons de la compagnie dans toutes les escales et les agences et sur tous les navires de la flotte seront mis en berne à partir de ce matin [du 12]... Ils le seront à nouveau le lundi 21 décembre à 10 h 40, heure correspondant à l'émission du dernier message de la *Croix-du-Sud*. La compagnie... demande à chacun pour cette date et à cette heure d'élever une pensée commune à la mémoire de tous ceux qui ont donné leur vie au service des ailes françaises. »

*

La fausse nouvelle du 11 décembre est publiée alors même que les proches de Mermoz revêtent déjà le deuil qu'Air France appelle à célébrer. Dès l'aube du 9 décembre, Henri Guillaumet, ami du disparu, mais aussi expert en traversées et en hydravions, a téléphoné depuis Dakar à Henri Fournier. Il lui a demandé d'aller rejoindre « Mangaby », de ne pas « la laisser seule ». Une formule qui dit tout. Une formule qui exige de Fournier un voyage d'urgence, car, ce jour-là 9 décembre, c'était, normalement, l'anniversaire de Mermoz. Fournier et l'un des directeurs d'Air France, Foa, prennent tout de suite le chemin de Rocquigny. Ils foncent sur les routes, dans un petit matin enveloppé de brume. Ils laissent les voitures sur la place du village, pour ne pas alerter « Mangaby ». Mais, dès que Fournier pousse la grille de son jardin, celle-ci apparaît sur le perron. Dans son regard, il saisit tout de suite qu'elle sait tout, qu'elle a tout deviné. Les paroles de circonstance sont superflues. Jean n'aura jamais trente-cinq ans — à deux jours près. Bientôt, grâce à un reporter de *L'Intran*, la France entière peut communier dans le deuil avec « une mère terrassée par l'angoisse, et une femme, Mme Jean Mermoz, qui avait déjà pressenti le malheur irréparable ». « Mangaby », ramenée à Paris, se serait « effondrée sous le poids de la douleur ». Du coup, on publie des prémonitions : « Quand je l'ai embrassé avant son départ, il était fatigué et très inquiet. Je ne l'ai pas interrogé car il me semblait qu'il avait perdu sa confiance », aurait déclaré « Mangaby ».

*

Le lendemain, et les jours suivants, fleurissent les panégyriques du disparu et de ses compagnons. Dieudonné Costes, interrogé par téléphone, est laconique : « Il avait fait largement sa part mais ne voulait pas s'arrêter », alors que *L'Ami du peuple* titre désormais : « Jean Mermoz entre dans la légende ». Dans *Paris-Soir*, Bossoutrot remise ses préférences politiques, et « pond » un article où, dans un style plutôt grandiloquent, il lâche les formules rituelles : « type magnifique de ces grandes figures, peut-être victime » (Bossoutrot ou celui qui tient sa plume brode beaucoup) de la « féerie trompeuse d'une mer toute pareille », de la « hurlante sarabande des éléments déchaînés ». Et d'enchaîner, lyrique : « Quel sortilège a trompé sa vigilance, quelle heure t'a frappé... camarade au travail dans l'accomplissement de la merveilleuse conquête. Je ne voudrais ce soir qu'être le frère d'armes et le compagnon de travail. »

Une effusion maladroite qui tranche avec le texte, que Dautry juge « sublime », donné par Saint-Exupéry à *Marianne*, où il sera publié la semaine suivante. Sous la plume d'Antoine, rien que de l'émotion. Plus qu'une réponse, une réplique au papier de Bossoutrot, et à tant d'autres de la même eau répandus dans la presse entre le 10 et le 15 décembre. Saint-Exupéry revoit les traits de son camarade, ses gestes. Il entend sa voix. Il fait comprendre au lecteur que tout ce que lui, le « frère », pourrait dire de Mermoz est trop intime, trop fort, trop empreint d'émotion, pour être publié. Un texte qui impose le respect, et où Saint-Exupéry établit la distance entre Mermoz et les panégyristes empressés : « Si tu savais ce qu'ils disent de toi... »

*

La disparition de Mermoz — et de ses compagnons — acquiert tout de suite une dimension politique. Le PSF milite pour que l'aviateur ait droit aux plus grands honneurs nationaux. Dès le 13 décembre, le député Richard, membre du comité exécutif du parti, annonce qu'il demande que l'aviateur et ses compagnons soient cités à l'ordre de la Nation. Le conseil général de la Seine, où l'élément social-français fait nombre, y va, le même jour, d'une résolution émue où il adresse « l'hommage de son admiration » au « Guynemer de la paix » et à tous les aviateurs disparus.

Daurat, dont le cœur ne bat pas vraiment pour la gauche, rappelle, dans un récit confié au *Figaro*, que Mermoz avait dû « soutenir des combats imprévisibles » pour une « vérité... qu'il impose avec un tel éclat qu'elle étouffe bien des forces obscures ». Quelle vérité ? Daurat est explicite : « la ligne France-Amérique du Sud est spirituellement et matériellement française. Née française, française elle devait le rester ».

Dans le contexte de l'heure, où le patriotisme d'une partie de la population est mis en doute et où transpire de l'opinion une certaine xénophobie, Daurat présente laconiquement Mermoz comme « un Français ». Sous-entendu : un « vrai » Français. Maître Tixier-Vignancour, jeune député affilié PSF qui entame alors une carrière de quarante ans à la droite de la droite, souligne devant ses collègues de la Chambre des députés combien « cet homme qui personnifiait la forme la plus accomplie de l'héroïsme a dû, pendant ces derniers mois, partager son temps entre les comparutions au Palais de Justice en qualité de prévenu, et l'étude d'une si haute qualité qu'il consacrait aux problèmes aéronautiques et politiques ». La France est en dette envers lui, alors qu'« aucun homme n'a mieux personnifié le Citoyen pour qui l'intérêt de la Nation prime tous les autres ». L'heure est venue de lui rendre justice.

*

D'autres entreprennent de « récupérer » le héros pour le mettre au service de leur cause. Le 16 décembre, en Conseil des ministres, le président Albert Lebrun signe le décret de citation de l'équipage de la *Croix-du-Sud* à l'ordre de la Nation, ce qui ouvre la voie à une célébration nationale. *L'Action française* réplique sous la plume de Charles Maurras. Le polémiste royaliste se moque du Conseil des ministres qui « héroïse celui qu'il traquait », mais c'est pour mieux asservir à sa cause l'aviateur, pourtant membre d'un parti honni : Mermoz incarne « la vraie France », le « pays réel » où on « fait honneur à la France », tandis que, dans « le pays légal, on vit de la France, on la pressure, on la pille quitte, quand il y a lieu, à déposer au cimetière d'hypocrites salutations ». *Candide*, autre feuille d'extrême droite, également ennemie du PSF, publie le lendemain un dithyrambe à l'aviateur, sous le titre « Mermoz que nous aimons ». Le commandant Heurteaux, réputé être un des fondateurs de la Cagoule, un mouvement activiste qui veut faire parler les revolvers et la poudre, annonce dès le 20 décembre qu'il va faire dresser un monument au vice-président disparu de l'Association des officiers de réserve de l'armée de l'Air. Enfin, sous le pseudonyme opaque de Gabriel de La Varède, Gabriel Le Roy Ladurie consacre, dans *La France réelle*, une page entière à « Mermoz, enfant de la France réelle ».

*

Face à cette union combative des esprits de droite autour de la figure de Jean Mermoz, les signes de deuil offerts à sa mémoire par Air France sont destinés à apaiser l'opinion. Le directeur général de la compagnie, Allègre, réputé radical pur sucre, s'embarque le 20 décembre pour traverser l'Atlantique en passager sur l'avion *Ville-de-Mendoza*. En route, il lance une gerbe de fleurs à l'endroit où la *Croix-du-Sud* a transmis sa dernière position. La TSF de bord émet un message destiné à Havas : « La mer s'étend vide et inexorable. Nous nous recueillons pour penser à eux. »

Pour compléter l'hommage, la compagnie a fait décoller, dans l'autre sens, le courrier de Buenos Aires pour Natal, où on bichonne déjà le *Ville-de-Santiago*. En plein vol, Allègre annonce que, désormais, la ligne France-Amérique du Sud s'appellera « Ligne Mermoz », et qu'il reviendra le 22 par le courrier de retour d'Amérique. Du coup, grâce à une partie de la presse, Allègre détourne l'attention à son profit. Il devient le héros du jour, pour avoir accompli deux vols transatlantiques en moins de quarante-huit heures. Et comme il assure que la Ligne continuera, quoi qu'il en coûte, son équipée clôt pour un temps l'agitation politique autour de la mort de Mermoz.

*

La presse ne rend pas compte du chagrin des humbles, pour qui Mermoz et ses exploits étaient, chaque jour, une source d'admiration ou d'amour. Mais les télégrammes de condoléances, les lettres d'anonymes, parfois rédigées d'une main peu ferme, dans un style scolaire, s'amoncellent par centaines, puis par milliers, sur le bureau de La Rocque. Toutes ces phrases émouvantes, ces mots tremblés, voire ces petits dessins d'enfants, l'investissent d'un devoir de mémoire comparable à celui d'un père envers son enfant arraché à la vie. Que pense-t-il, quel chagrin ressent-il, dans le silence de son cabinet de travail, quand il lit, dans l'« ode à Mermoz » envoyée par une jeune fille de seize ans :

« Lorsque tu es parti sur ton bel oiseau blanc, pareil à ces héros/de nos rêves d'enfant

« Nous serions-nous douté (hélas, l'aurions-nous pu) que de ce/grand voyage, tu ne reviendrais plus. »

L'HÉRITAGE ET LA LÉGENDE

1936-2000

46

L'hommage national

Les témoignages spontanés de deuil, aussi naïfs qu'ils puissent être parfois, forment le vrai tombeau de l'aviateur sans sépulture. Mais déjà, sur la scène publique, s'esquisse, puis prend forme, un kaléidoscope des versions de la vie et de la légende de Mermoz. L'homme et sa mémoire deviennent un enjeu, dans des luttes autour desquelles se noue la vie politique nationale. C'est la rançon, et du goût des honneurs, et du militantisme de Mermoz. Maintenant, au-delà de l'émotion engendrée par l'espoir de le retrouver vivant, puis par le choc du deuil, chacun s'empare de ses gestes, de sa geste, de ses paroles, à peine les flots de l'Atlantique refermés sur la *Croix-du-Sud.*

*

D'abord vient l'hommage officiel. Ils est grandiose, mais n'offre qu'un socle où s'inscriront les revendications de l'héritage.

Le 16 décembre 1936, l'équipage tout entier de la *Croix-du-Sud* avait été cité à l'ordre de la Nation, avec une mention spéciale, dithyrambique, pour son chef : « Sublime figure d'aviateur, d'une valeur morale et professionnelle hors de pair. Créateur, au prix d'efforts surhumains, de l'aviation commerciale transocéanique ; a fait de son nom un symbole et de sa carrière une longue liste d'exploits. Allant jusqu'au bout de toute entreprise, envisageant la mort avec sérénité, a mérité l'admiration générale par la grandeur de ses actes... Entré de plain-pied dans la légende et s'inscrit parmi les héros les plus purs de l'aviation française. »

Cette « citation » salue la mémoire des disparus, et a pour effet de faire profiter les enfants des compagnons de Mermoz, jusqu'à leur majorité, du statut protecteur de pupilles de la Nation. Publiée par de nombreux organes de presse, elle se charge d'une force symbolique considérable, comme si elle s'adressait à chacun pour soumettre l'exemple des disparus à sa méditation.

Ce sont ensuite, le 30 décembre 1936, les funérailles grandioses organisées aux Invalides par le ministre de l'Air Pierre Cot. Autour de la famille — « Mangaby », Jules Mermoz et Gilberte — se pressent les délégués des plus hautes autorités de l'État et les plus grands notables de l'aviation civile et militaire. Une messe de *requiem* est célébrée dans la chapelle Saint-Louis, où officie l'aumônier général des Armées — une messe où le ministre Sarraut, par conviction personnelle, dédaigne de paraître. Puis les officiels et, derrière eux, la foule des invités, se retrouvent dans la cour d'honneur de l'édifice, devant l'immense drapeau tricolore voilé de crêpe, qui surmonte cinq catafalques, symboles des cercueils absents des disparus en mer. Aux sons lugubres de *Aux Morts*, on dispose sur chaque catafalque le coussin de deuil qui porte les insignes des disparus, leur Légion d'honneur, parfois leur dague d'officier.

Dans le froid et sous le ciel gris de ce matin d'hiver, Pierre Cot prend la parole pour un discours d'hommage où se mêlent une volonté de louer l'homme Mermoz, et celle, clairement exprimée, de faire échapper l'image du disparu à tout monopole politique — c'est-à-dire à celui de la droite. Il n'omet pas de rappeler que Mermoz et lui ne partageaient pas les mêmes convictions : « Est-ce ce goût de la discipline, ce désir intense de se dévouer, ce dégoût de la médiocrité de notre temps qui l'inclinèrent *vers certaines formes de la politique* [souligné par nous]. Je ne sais. Mais je veux m'incliner très bas devant la droiture de ses intentions, la noblesse de ses sentiments et le désintéressement de ses actes. On sait assez ce qui nous séparait sur ce plan. » Là-dessus survient une transition habile : « ce divorce intellectuel, loin de nous tenir éloignés, nous rapprochait parfois », qui permet à Cot d'enchaîner, et de ranger Mermoz dans une tradition française multiséculaire, celle des grands bâtisseurs : « Dans ce grand garçon au front haut... il y avait quelque chose qui n'était pas tout à fait humain — qui dépassait l'humain et semblait provenir de ce monde imaginaire engendré par la foi des bâtisseurs de cathédrales. »

*

Les efforts d'apaisement — ou de « récupération » ? — de Cot sont voués par avance à l'échec, car la cérémonie du 30 décembre est boycottée par celles et ceux qui, proches de La Rocque, sont aussi des opposants déclarés au Front populaire. Pour eux, le déploiement du faste républicain de l'hommage national n'est qu'une tentative de confiscation de l'image de Mermoz par un gouvernement honni qui le persécutait encore la veille de sa mort.

Il est vrai, certains passages du discours de Pierre Cot peuvent accréditer cette thèse. Le ministre n'a-t-il pas aussi déclaré : « Il était venu me voir, me trouver, il y a quelques semaines, hanté par une grande crainte. Il ne voyait pas sans terreur les divisions politiques s'approfondir... Il voulait simplement que, dans la grande famille de l'aviation française, des hommes, différents d'opinion, mais soumis aux mêmes périls, essaient de mieux se comprendre et n'en viennent pas à se détester ou à se suspecter. Il ne voulait pas que la France fût divisée en deux camps. » Belle manière de « mouiller » le disparu de l'Atlantique, le fier militant, alors poursuivi par la justice, mais qui serait venu proposer la « paix des braves » à l'un de ses plus farouches adversaires...

*

Aux fins de dissiper les sous-entendus de l'hommage officiel, le PSF organise à Notre-Dame de Paris, le jeudi 14 janvier 1937, autour de la veuve et de la mère de Mermoz, une messe de l'hommage et du souvenir. Le cardinal Verdier, archevêque de Paris, observateur intéressé des ambitions sociales du parti, conduit, devant une brassée de drapeaux, la messe que suivent, en rangs serrés, des personnalités qui, pour la plupart, ont peu de sympathie pour le Front populaire.

À côté des intimes de Jean comme Kessel, Henri Fournier ou

Martinoff, la veuve de Collenot et une « Mlle Horst » à l'identité imprécise, s'aligne une brochette de grands généraux ouvertement marqués « à droite toute », comme Gouraud, Niessel, De Goys, Pujo, Marencourt, quelques officiers de moindre rang suspects d'être « de la Cagoule » et, derrière La Rocque, une solide cohorte de membres du PSF. À quoi s'ajoute toute une collection d'industriels et d'hommes d'affaires en délicatesse d'affaires et en rupture de principes avec Pierre Cot : les avionneurs Louis Breguet, Dick et Maurice Farman, Robert Morane et René Caudron, et, symboles de la puissance et de l'influence, Louis Renault et son neveu par alliance François Lehideux, accompagnés de quelques-uns de leurs amis et comparses de la mécanique ou de l'aluminium. Au grand dam de Pierre Cot, tout ce qui a un poids dans l'aviation hors de son ministère est présent à la cérémonie, où l'on remarque aussi, véritable affront au ministre, le précédent et l'actuel chef d'état-major de l'armée de l'Air, et le numéro deux du même état-major.

*

La bagarre autour de « l'héritage » de Mermoz est lancée. D'ailleurs, les partisans du Front populaire ne s'y trompent pas. Le lundi 18 janvier, quatre jours après la cérémonie de Notre-Dame, ils essaient d'empêcher la tenue d'un office similaire dans la petite cité résidentielle de Bondues, entre Lille et Tourcoing — siège d'un aéro-club assez marqué à droite. Pendant la messe, jailli de petits groupes postés dans les bas-côtés de l'église, retentit le refrain de *L'Internationale*. À l'issue du service, quand des adhérents PSF haranguent le public depuis le perron, les activistes de gauche passent à l'action et le tout finit en mêlée générale.

47

« Opération Archange »

Pour la direction du PSF, la messe de Notre-Dame du 14 janvier 1937 donne le coup d'envoi d'une grande campagne de « béatification » politique de Jean Mermoz : l'« opération Archange ». Elle vise à transformer la vie et l'œuvre de l'aviateur en une figure digne des vitraux de cathédrale, qui servirait aussi d'emblème au parti. Cette opération, qui va se prolonger ouvertement jusqu'en 1938, ressortit dès le début au « domaine réservé » de François de La Rocque.

En consolidant l'immense sympathie spontanée dont l'aviateur jouit dans les masses, en attachant à son image un nombre croissant d'actions du parti, notamment celles tournées vers les jeunes, l'« opération Archange » entend imposer une vérité nouvelle : Mermoz, c'est la jeunesse, Mermoz, c'est le PSF, et donc, la jeunesse, c'est le PSF. Jean Mermoz doit cristalliser, dans l'opinion, l'existence et le rôle politique d'une jeunesse patriotique rassemblée au-delà des différences sociales, tandis que le Front populaire détruirait la Nation en dressant l'une contre l'autre deux jeunesses, celle des « travailleurs » et celle des « privilégiés ».

*

L'« opération Archange » repose d'abord sur la multiplication des cérémonies d'hommage au pilote, assorties, chaque fois que possible, du dévoilement de plaques et d'inscriptions votives. Pour ces occasions est renouvelée la tradition Croix-de-Feu des manifestations sur la voie publique, où militants et sympathisants, dûment mobilisés, fournissent le gros des troupes et symbolisent le peuple ordinaire, la « France profonde ». Chaque fois que possible aussi, « Mangaby » prête son concours à ces entreprises. Dans ces affaires, toutefois, le PSF ne pose pas systématiquement en initiateur, en organisateur de cérémonies. Il préfère apparaître, le plus souvent, en accompagnateur d'initiatives jaillies de « la base », en fédérateur d'admirateurs spontanés de Jean Mermoz.

Ainsi, en février 1937, s'installe au 79, Champs-Élysées un « Comité Mermoz pour la commémoration des équipages de la Ligne morts pour la France », dont le titre est en lui-même tout un symbole : « morts pour la France »... comme les combattants de 1914-1918... Sans surprise, le « haut patronage » du comité est assuré par des gloires militaires connues pour leur engagement à droite, voire leur antirépublicanisme. Les plus modérés sont sans doute le général Weygand, ancien « patron » des armées françaises, l'amiral Durand-Viel, ancien chef d'état-major de la Marine, le général Barès, chef de l'aviation en 1914. Les plus activistes sont, pêle-mêle, le général Pujo, l'avant-dernier chef d'état-major de l'armée de l'Air, et le maréchal Franchet d'Esperey, royaliste notoire. Raoul Dautry a accepté de faire partie du « comité d'action » du comité, c'est-à-dire de gérer ses œuvres.

Ainsi organisé, le comité « ratisse large », puisque, outre le maire d'Aubenton, il s'associe l'ancien ministre de l'Air Laurent-Eynac, qui fleure bon la France radicale profonde, Bossoutrot, aviateur et député socialiste de Paris, ou encore la plupart des ambassadeurs sud-américains. En tout cas, ce comité travaille en contact permanent avec La Rocque pour canaliser les propositions commémoratives. Dès le lancement du comité, deux anciens employés de l'Aéropostale rêvent d'un monument à Mermoz sur le rocher de Saint-Paul, en plein Atlantique, et d'un autre, plus beau et plus grand, en plein Paris, « pour que chaque citoyen puisse le voir ». En septembre 1937, Pontoise, où vécut quelques années la mère de Jean et où un comité PSF avait pris l'initiative de ce projet sept mois plus tôt, inaugure une avenue Jean-Mermoz. Juste avant, une messe du souvenir, à l'église locale de Notre-Dame, a réuni les admirateurs autour de « Mangaby ». On se sépare en chantant la *Marseillaise*, et au cri de « Vive la France ».

*

Même si Mermoz se sentait proche des humbles, du petit peuple dont il était issu, c'est dans le 8e arrondissement de Paris et à Neuilly, notoirement bourgeois, que cette campagne provoque le plus grand écho dans le public. Le 24 avril 1937, à l'initiative de Provost de Launay, élu local « compagnon de route » du PSF, et en présence de Raymond Laurent, président du Conseil municipal, la rue Montaigne, qui va de la rue du Faubourg-Saint-Honoré au rond-point des Champs-Élysées, est débaptisée et devient la rue Jean-Mermoz.

Selon les organisateurs et la presse de droite, « vingt mille Parisiens » se seraient rassemblés à cette occasion dans cette voie étroite et commerçante. *L'Écho de Paris*, très « mermozien », souligne l'absence remarquée des « représentants du gouvernement ». *Le Jour* du lendemain s'offusque de ce que « le ministre de l'Air a refusé les honneurs militaires à la gloire du grand Français ». Comme toute l'affaire a été menée par Georges Lebecq, membre du PSF, et par Charles des Isnards, député apparenté PSF du 8e arrondissement, tout le comité directeur du parti, autour de La Rocque, siège dans la tribune d'honneur. Bien sûr, on n'a pas oublié d'inviter le père, la mère et la veuve de l'aviateur.

Le clou de la cérémonie, enfin, n'est pas tant le dévoilement des plaques bleues aux lettres blanches portant le nom de l'aviateur, que la procession qui balaie tout l'après-midi les Champs-Élysées dans les deux sens.

À Neuilly, où la Mairie a aussi quelques sympathies pour le PSF, la grande cérémonie a lieu le 10 novembre 1937, à la veille de la célébration de l'Armistice de 1918 — encore le symbole des aviateurs « morts pour la France ». Ce jour-là, drapeaux en tête, en présence de La Rocque et de ses adjoints, Blond, le maire de Neuilly, dévoile un buste de Jean Mermoz exposé dans le square situé derrière la mairie. Il prononce un discours d'hommage vibrant, que suit celui d'Henri de Kérillis, patron de *L'Écho de Paris*, député de la circonscription. Une partie du boulevard d'Argenson, une belle voie bordée de grands marronniers et d'hôtels particuliers, change de nom à cette occasion et prend celui de l'aviateur.

Point d'orgue inattendu de la fête, au moment où La Rocque prend la parole devant les cinq mille admirateurs de Jean, déboule une bande de l'Action française, bien décidée à ne pas laisser le pavé aux hommes du colonel... Comme les partisans de Maurras ne sont pas venus les mains vides, une bagarre s'ensuit entre les deux services d'ordre...

*

Le deuxième élément de l'« opération Archange » est éditorial. Il s'agit, pour fédérer les esprits autour du souvenir de Mermoz et afin d'instruire la jeunesse, de publier, sous le titre *Mes vols*, une compilation des textes, transcrits ou enregistrés, des conférences et des discours publics prononcés par Jean Mermoz, dans lesquels il évoque ses expériences et précise le sens de son engagement. Cette entreprise se déploie de janvier à avril 1937. Bien sûr, à l'exception de quelques notes jetées ici ou là sur le papier, et de bribes confiées par lettre à des amis ou à sa mère, Jean Mermoz n'a jamais rien rédigé — au sens propre — qui puisse ressembler à un livre de souvenirs et encore moins à une véritable autobiographie. Même les articles publiés sous la signature de Mermoz dans *Le Flambeau* sont des transcriptions, relues par leur auteur, de ses interventions tribuniciennes, notamment celles de la salle Wagram.

Néanmoins, dès les premières semaines de janvier 1937, le projet avance, grâce à la diligence pieuse de Christian Melchior-Bonnet, un jeune intellectuel proche du PSF, qui, pour l'occasion, restera dans l'ombre. À trente-deux ans, ce Méridional, secrétaire d'un académicien, marié à une descendante du grand historien Hippolyte Taine, est lui-même un passionné d'histoire ; depuis 1932, il anime chez l'éditeur Flammarion les collections historiques et religieuses. Il est aussi le rédacteur en chef du *Flambeau*. À partir de la masse déjà ordonnée des conférences et des paperolles, il compte bâtir un ouvrage scandé au rythme de la vie de Mermoz, grâce à un habile montage de textes, ravaudés par un « nègre » de talent.

Ainsi, certains récits de *Mes vols* sont des reconstructions dues à Melchior-Bonnet. Trois autres chapitres s'inspirent de deux articles du *Flambeau* parus les 4 avril et 25 juillet 1936, dont le premier est même l'adaptation partielle d'une conférence donnée salle Wagram le 30 mars. Le chapitre neuf a la même origine, tandis que les chapitres sept et huit viennent d'un autre article du *Flambeau*, du 8 août 1936...

Une série de notes manuscrites relatives à la préparation de l'ouvrage, conservées dans les archives La Rocque, rend compte des intentions des auteurs du projet. Sans contestation possible, elles sont bien politiques, et doivent maintenir le personnage au cœur même du projet du PSF : « M.[ermoz], archange de l'aviation », a « défendu contre toutes les combinaisons d'intérêt... la grande entreprise de la liaison France-Amérique du Sud » ; son « courage civique... porte partout le prestige des ailes », malgré « la SDN qui s'est fichue de nous ».

Mes vols est donc un patchwork très largement apocryphe dû au talent d'éditeur de Melchior-Bonnet. Il bénéficie de la bénédiction de « Mangaby » et d'une préface de La Rocque, c'est-à-dire d'une onction affective et d'un ancrage politique qui sont deux éléments d'un marketing politique étudié. Plus tard, Melchior-Bonnet précisera que l'idée du livre datait du vivant de Mermoz, et que celui-ci lui aurait déclaré : « Faites-en ce que vous voulez, arrangez-vous avec Max Delty. »

L'influence de la commande politique prend alors le pas : « Ce livre, précise Melchior-Bonnet, n'existe que par le PSF qui en a eu l'idée, qui l'a réalisé ; l'énorme travail de groupement des textes, d'ajustement des choix, d'arrangement a été fait par le PSF représenté en l'espèce par M. Melchior-Bonnet... Il y avait toute une matière à ordonner, il y avait dans ces articles ou conférences des parties qui doublonnaient..., d'autres qu'il fallait replacer à leurs dates ; il y a eu à retrouver d'autres articles dont Mermoz m'avait parlé (*L'Intransigeant, Match, Confidences*) et à les joindre dans le bloc. Il y a eu des recherches de dates, de précisions à ajouter dans le texte que Mermoz avait parfois omises. Il y avait des passages à écrire, des jointures, des liaisons ; il y a eu à diviser en chapitres à sous-titres, bref à donner forme à une masse non préparée pour la publication. J'ai passé deux mois à faire ce travail très minutieux, à construire l'ouvrage. Je l'ai fait pour la mémoire de Mermoz, pour sa mère, pour le PSF. » Et même, « pour faire un volume courant de librairie, ce texte de Mermoz n'a pu être gonflé... que par injonction d'une centaine de pages faites d'articles de doctrine donnés par Mermoz au *Flambeau* ; de discours de Mermoz à l'assemblée constitutive du PSF... et surtout de témoignages d'amis groupés sous le titre “Mermoz toujours vivant”. » Voilà comment on fait « un gros livre... », alors que Mermoz n'avait écrit de sa main que deux feuillets en tout et pour tout.

Melchior-Bonnet est encore en plein travail de couture et de montage, à la fin de janvier et en février 1937 — il corrige le début des premières épreuves le 26 février —, quand la « sortie » et la diffusion de l'ouvrage sont lancées comme pour un best-seller.

Des lettres-contrats du 10 février 1937 et des courriers complémentaires échangés les jours suivants entre La Rocque et Flammarion stipulent que le PSF cède à l'éditeur employeur de Melchior-Bonnet la propriété de l'ouvrage, selon un barème de droits et de frais établi depuis le 30 janvier entre les deux parties. Trente mille exemplaires au moins seront jetés d'un coup sur le marché, un tirage initial considérable.

Mais La Rocque et Melchior-Bonnet veulent faire œuvre pieuse. Aussi les contrats signés avec Flammarion prévoient-ils que, pour un prix de vente au public de quinze francs, chaque exemplaire, jusqu'au trentième mille, produira deux francs cinquante au profit du PSF et de la publicité (moitié-moitié), deux francs du trentième au quarantième mille, etc. Si le tirage dépasse soixante mille exemplaires, le PSF doit toucher un franc soixante par exemplaire, la publicité absorbant de son côté quatre-vingt-dix centimes.

Que faire de cet argent ? Pour le PSF, La Rocque et Melchior-Bonnet (qui travaille bénévolement), les choses sont claires. Cette somme ira à un « fonds Mermoz » créé au PSF. Une première trace de la création de ce fonds apparaît le 9 février 1937 dans une circulaire expédiée par La Rocque aux présidents régionaux, départementaux et locaux du PSF, et dont le contenu est repris en partie dans *Le Flambeau* du lendemain.

Alimenté par les dons, parfois minimes, mais nombreux, reçus par le parti à l'occasion de la mort de Mermoz pour financer les manifestations en sa mémoire, le fonds est destiné aussi à recevoir les revenus de *Mes vols*. Du coup, pour La Roque, qui s'adresse aux militants et sympathisants, « c'est un devoir sacré que d'assurer à cette sorte de Mémoires posthumes relatant la vie et l'œuvre de notre ami le succès éclatant qu'ils méritent. Nous rendrons ainsi hommage au héros qui a illuminé le prestige de la France à travers le monde ; et accomplirons en même temps un acte de reconnaissance fraternelle à l'égard de notre vice-président dont le nom est pour toujours attaché à notre œuvre, puis à notre victoire de rénovation patriotique et sociale ».

Ce devoir est d'autant plus impérieux que « notre comité exécutif a décidé de verser intégralement à la mère de Jean Mermoz le produit des ouvrages vendus par nos soins. Vous voudrez donc bien prier nos adhérents de faire une grosse propagande autour d'eux en vue de faire vendre ce livre, qu'ils l'achètent eux-mêmes s'ils peuvent ». Et la circulaire d'insister : « ... qu'ils passent leurs commandes par l'intermédiaire des sections afin d'assurer à la mère de Jean Mermoz le maximum de bénéfice... Les commandes seront centralisées aux fédérations départementales qui les feront parvenir à notre service des commandes, accompagnées de leur montant (compte chèques postal 2046-72). » Donc, des revenus du livre, il sera fait deux parts : ceux qui proviennent des achats directs seront versés à « Mangaby » à travers le « fonds Mermoz » ; ceux versés par l'éditeur, qui iront au « fonds Mermoz » et qui y resteront, pour financer la cause générale du souvenir.

La sollicitude à l'égard de « Mangaby » s'explique. François de La Rocque vient au secours d'une mère éplorée et démunie. Non sans une certaine candeur, il explique la situation aux militants PSF : « Le plus clair de ce que gagnait Mermoz était généreusement employé à des libéralités sociales ou à des œuvres aéronautiques. Mais il m'avait récemment confié son rêve d'assurer les vieux jours de sa mère à laquelle il devait toute la tendresse de son enfance et de son existence d'homme. Et il disparaît, laissant cette admirable mère dans de cruelles difficultés matérielles... n'est-ce pas à nous, qui lui devons tant, de le remplacer dans sa sollicitude filiale ? »

Indirectement, ce secours matériel est aussi une contrepartie de l'aide apportée par « Mangaby » à la préparation de *Mes vols*. Car, des déclarations ultérieures de Christian Melchior-Bonnet, il ressort que la mère de Mermoz aurait éclairé à la fois le texte et certaines des notes de bas de page de ses propres « souvenirs », notamment sur l'enfance de l'aviateur, sur les pérégrinations de la mère et du fils pendant la Grande Guerre, sur les débuts de la vocation de Jean. Au service de cette entreprise, « Mangaby » dispose d'un trésor documentaire de premier ordre — quoique subjectif : la correspondance échangée année après année avec « son Jean ». Un trésor si riche qu'une fois nouée une relation de confiance avec Christian Melchior-Bonnet, « Mangaby » lui aurait laissé prendre copie d'une partie de ces lettres — peut-être dans la perspective d'une biographie ultérieure qui ne viendra jamais.

Mais la volonté de La Rocque et de « son comité exécutif à l'unanimité » de pourvoir aux vieux jours de Mme Mermoz a une autre explication. Ils considèrent sa mère comme « l'ayant droit naturel » de l'aviateur, tandis que, selon eux, il aurait été « en instance de divorce » avec son épouse Gilberte. Or, la veuve de Jean Mermoz jouit déjà d'une pension de la part d'Air France et d'une autre de l'armée de l'Air, car Pierre Cot a fait « reclasser » à titre posthume l'aviateur dans le « cadre navigant » des officiers. Par contraste, « Mangaby » a tout de la malheureuse délaissée.

L'initiative des « sociaux français » rejoint celle prise par Max Delty, l'ami fidèle de « Mangaby », le « secrétaire particulier » de Jean, dans les semaines qui suivent la mort de l'aviateur.

Un des à-côtés de la création du « Comité Mermoz pour la commémoration des équipages de la Ligne, morts pour la France » est le lancement d'une souscription « en faveur de la maman de Jean Mermoz ». Marcel Reine, Henri Guillaumet lui prêtent leur soutien moral auprès de la richissime Suzanne Deutsch de La Meurthe, héritière du pétrole et mécène de la plus grande course de vitesse en avion du monde. L'avoué Watteau, colonel de réserve, un homme-clé des coulisses de l'aviation française, est le grand argentier de l'affaire.

Delty se démène. Le 3 mars 1937, une de ses lettres atteint Raoul Dautry, l'ancien gérant provisoire de l'Aéropostale : « Étant le plus vieil ami de Jean Mermoz, et ayant été son secrétaire particulier, je suis au courant de la situation critique dans laquelle se trouve sa Maman, par suite de la cruelle perte de son fils. Je me suis donc donné pour devoir de faire le nécessaire afin d'assurer à cette mère une existence digne et exempte tout au moins de soucis matériels. » Résultat : Dautry verse son obole par un chèque sur la banque de l'Union parisienne et, comme il est maintenant « ingénieur-conseil » auprès de la direction générale d'Hispano-Suiza (le constructeur des moteurs de la *Croix-du-Sud*), il promet d'intervenir auprès de cette entreprise. Dans ses archives, on retrouve ainsi un projet de lettre au grand patron d'Hispano, l'ancien ministre Forgeot : « Il avait consacré toutes ses économies à acheter pour sa mère une maison et une petite propriété dans les Ardennes. Elle est donc logée mais se trouve sans ressource... Elle a d'ailleurs à sa charge son père et sa mère (*sic* !) âgés de plus de quatre-vingts ans... Il [Mermoz] était en instance de divorce (re-*sic* !). Ceci explique la situation... »

De *Mes vols*, il ressort une image nette, commode, de la carrière de Jean Mermoz. Le personnage livré au public est simple et droit. C'est d'abord un garçon sans aucune ambition, sinon celle d'aimer et d'être aimé, que les circonstances ont jeté vers l'aviation, où il se révèle tout entier pétri d'un sens du devoir désintéressé, puis vers la défense de l'intérêt public, où chacun de ses gestes est le révélateur des faiblesses de l'époque et des carences des hommes. Comme dans un mélodrame populaire, chaque exploit de Mermoz apporte une réponse virile et positive à une situation trouble produite par la lâcheté des uns, par les « combinaisons d'intérêt » des autres.

C'est surtout vrai une fois consommée, en 1931, la déroute financière de la compagnie Aéropostale. Dès lors, tels saint Michel et saint Georges, Jean s'établit en redresseur de torts de l'aviation, en prophète de l'avenir de la France. Comme eux, mais dans un combat où ses avions remplacent la lance, il terrasse les dragons que représente le « lobby de l'hydravion », incarné à la fois par certains industriels et certains décideurs politiques et administratifs, suspects d'entretenir une certaine « franc-maçonnerie », le « parti de l'étranger », qui recoupe le précédent et auquel s'ajoutent les « ennemis de l'intérieur » où brillent les pacifistes et les communistes. Il trouve sa voie dans le militantisme « social » auprès des Croix-de-Feu et du PSF, et connaît le martyre en poursuivant sa croisade, « au milieu des siens », c'est-à-dire aux commandes d'un de ces hydravions dont il dénonçait le danger.

Bien entendu, on ne trouve aucune mention des côtés les plus « humains » de Mermoz, comme son goût pour les fêtes et les femmes, ni des échecs de sa vie — ainsi celui de son mariage. Il s'agit de faire parler l'oracle.

Après sa sortie, en avril 1937, l'ouvrage rencontre un vif succès de librairie, puisqu'en quelques mois il aurait rapporté plus de cent quarante mille francs de bénéfices, ce qui suppose des ventes supérieures à soixante mille exemplaires. Les deux circulaires pressantes de La Rocque du 9 février et du 27 mars

1937 ne comptent pas pour rien dans cette réussite : les militants et les sympathisants PSF ont obéi au colonel.

Mais l'ouvrage a bénéficié aussi d'une campagne de lancement auprès de lecteurs influents, du précieux bouche à oreille des salons et des dîners en ville. En témoignent les cent quatre-vingts noms que comporte la liste dressée pour le « service de presse général » de l'ouvrage, qui vient en plus des envois faits aux journalistes de la presse nationale, de la presse régionale et coloniale (y compris socialiste, quand elle est influente, ainsi à Toulouse), et aux proches des aviateurs disparus de la *Croix-du-Sud.*

Cette liste forme un vrai *Who's Who* de personnalités variées que le PSF suppose perméables à ses idées, ou susceptibles de l'être à travers la fidélité à la mémoire de Jean Mermoz. On y trouve toute une collection de journalistes et de publicistes classés à droite, comme Robert Aron, Philippe Barrès, Henri Béraud, Francis de Croisset, André Chevrillon, Raymond Cartier, Gustave Hervé, Pierre Lucius, Édouard de Nalèche, Pierre-Henri Simon ou le patron du *Matin*, Bunau-Varilla. Bien sûr, une brochette d'écrivains ou d'historiens plus familiers des colonnes du *Figaro* que du *Populaire*, ainsi le dramaturge Henry Bernstein, Léon Bérard, Pierre Benoit, Maurice Colrat, Jacques Chastenet, Pierre Gaxotte, Gabriel Hanotaux, Abel Hermant, les ducs de Lévis-Mirepoix, de Broglie et de La Force, Henri Lavedan, Henry de Montherlant, André Maurois et François Mauriac, Thierry Maulnier, Émile Mâle, Henri Bergson, Louis Madelin, Maxence Van der Meersch, Jean Giraudoux ou Roger Vercel. Mais certaines grandes consciences de gauche, parfois très « laïques », et les milieux catholiques « sociaux » n'ont pas été oubliés, avec René Benjamin, Gaston Bergery, les cardinaux et évêques Baudrillart, Chaptal, Loutil, Liénart, Tisserant, le sénateur Fernand Bouisson, l'écrivain et archiviste André Chamson, Julien Cain, le juriste Jean Cassou, Roland Dorgelès, Daniel-Rops, Jean Guéhenno, Daniel Halévy, Bertrand de Jouvenel, Paul Langevin, Jean Perrin, François Monod, Anatole de Monzie, Emmanuel Mounier, Jacques Madaule, Jules Romains, le professeur Rivet, fondateur du musée de l'Homme, et l'incontournable Paul Valéry, conscience poétique et philosophique de la IIIe République finissante.

Parmi les « intellectuels » multicartes, à la fois agitateurs politiques et polémistes des plus engagés, le coup de barre est, dans cette liste, résolument orienté à droite, avec une série de personnages qui, un jour, tiendront le haut du pavé dans la France de Vichy et de la collaboration : Joseph Barthélemy, avocat et futur garde des Sceaux de Pétain, Fernand de Brinon, Jacques Chardonne, Marcel Déat, Léon Degrelle, Pierre Drieu La Rochelle, Philippe Henriot, Paul Marion, Paul Morand, Pierre Nicolle, Xavier Vallat.

Enfin, il faut croire que l'« Archange » a laissé d'impérissables souvenirs dans l'Italie de Mussolini, eu égard au nombre élevé d'influents bénéficiaires d'envois de *Mes vols* liés au régime fasciste. Outre Mussolini lui-même, et bien sûr Italo Balbo, ancien ministre de l'Air, on compte parmi eux le comte Ciano, gendre et bras droit du Duce, Charles Rochat, directeur de cabinet de Ciano, Oreste Bonomi « directeur du ministère de la Presse » à Rome, Cerrutti, de l'ambassade d'Italie à Paris, Ottavio de Deppo, directeur de la propagande italienne à Rome, le comte Sforza et le comte Zucchini, directeur à Paris de l'Office national italien du tourisme (l'ENIT). Bien sûr, la presse italienne, à Paris et à Rome, n'a pas été oubliée.

Il est vrai, les Italiens n'ont pas l'exclusivité des générosités de Flammarion et du PSF : le président Salazar à Lisbonne, son homologue Titulesco à Bucarest ont, eux aussi, droit à un exemplaire de *Mes vols*. Enfin, tous les dignitaires parlementaires du centre droit et de droite (d'André Tardieu à François Piétri, de Paul Reynaud aux présidents Doumergue et Lebrun), et tous les hiérarques militaires de la République (de Pétain à Denain et à Franchet d'Esperey) ont droit à leur exemplaire. Par comparaison, les leaders radicaux bénéficiaires d'un envoi (Daladier, Herriot, mais pas Pierre Cot) sont plutôt rares.

Dans le contexte de l'époque, l'ouvrage peut à juste titre passer pour l'élément fondateur de vérités biographiques sur Mermoz. À cause de la sincérité de son ton — Mermoz ne s'adresse-t-il pas directement au lecteur ? Mais aussi à cause de la qualité incontestable du travail accompli, en conscience, par Christian Melchior-Bonnet. Et il acquiert d'autant plus cette réputation qu'il apparaît chez les libraires, à un prix raisonnable (quinze francs), quatre mois seulement après la parution du premier essai biographique sur Mermoz, dû à la plume féconde mais contestée de Jacques Mortane.

Mortane est un journaliste spécialisé dans les récits d'aviation, le biographe enthousiaste des « as » de 1914-1918, comme Charles Guynemer ou Charles Nungesser, et l'auteur de nombreux ouvrages de la même veine, comme *Les Ailes de la mort ou Grands Raids*. Son *Mermoz*, publié sous la casaque des Éditions Plon, en format réduit, est résolument tourné vers le grand public. Imprimé dès décembre 1936, il est diffusé au lendemain des fêtes du Nouvel An 1937. Pour les « mermoziens » les plus scrupuleux, et pour la famille du défunt, cet ouvrage pâtit de la hâte avec laquelle il est sorti des presses. On y lit ainsi que Jean Mermoz aurait « perdu son père de bonne heure », que sa mère se voua lors « complètement à son éducation », qu'il s'engagea « en 1919 », etc.

Ce premier et bref — 94 pages — récit de la vie de Mermoz est une apologie pure et simple, coulée dans un style en ciment armé : « pilote au grand cœur et au cerveau lumineux », « beauté du caractère de celui que pleurent tous les fervents » et diverses formules du même genre courent tout au long de ses lignes imprimées en gros caractères. Mortane n'y va pas par quatre chemins : « la vie de Mermoz fut celle d'un apôtre. C'est agenouillé qu'on devrait la lire » (*sic* !).

La concurrence que fait le petit Mortane de poche au projet d'édition de *Mes vols* est d'autant plus vive que, sur le fond, Mortane se situe, du point de vue politique, dans une perspective très proche de celle des Croix-de-Feu. Quel est, selon lui, le « message » laissé par Mermoz ? Mermoz est d'abord un modèle social. Mermoz le lui aurait « confié » : si un équipage peut comprendre un pilote Croix-de-Feu et un mécano socialiste sur douze mille kilomètres de distance, c'est parce que Mermoz est à bord ; comme les grands meneurs d'hommes du temps des tranchées, comme les grands prêcheurs, il fédère les énergies et, sous lui, les divisions, les différences s'effacent. Ainsi, à grands coups de plume, le Mermoz de Mortane est-il paré des attributs évidents de la divinité. Nouveau Moïse, il a conduit le peuple aviateur vers la vérité de la Terre promise transatlantique, et révélé au commun des mortels les Tables de la Loi d'une nouvelle religion : la Ligne. Nouveau Christ, il s'est sacrifié, entouré des apôtres que forment symboliquement les équipages d'Air France. Mais il ne s'est pas sacrifié n'importe comment. Car si Mermoz, selon Mortane, lui a confié qu'il aurait « refusé d'être de gauche ou de droite pour agir », il aurait surtout, pour agir, refusé d'être « de gauche » ; n'aurait-il pas en effet expliqué à Mortane : « Je voudrais bien un jour pouvoir travailler en paix, pouvoir traverser les deux Atlantiques sans être obligé de me faire franc-maçon, radical-socialiste » ? Et d'insister : « Je n'ai pas besoin d'entrer dans une société secrète pour ficher le camp au ciel. » En multipliant ces confidences, vraies ou inventées, Mortane campe un Mermoz solidement installé dans le camp de la droite antiparlementaire.

Cette initiative n'est guère prisée par La Rocque et ses amis du PSF.

La publication de *Mes vols* est, pour partie, une réponse à celle de l'ouvrage de Mortane, qui n'est pas « sous contrôle » et qui piétine les plates-bandes du parti. La circulaire La Rocque du 9 février 1937 est, sur ce point, comminatoire : « Je vous prie d'attirer l'attention sur un fait dont je puis vous donner l'absolue certitude : Mermoz se fût littéralement révolté devant la publication, commerciale sans doute, mais indiscrètement, incorrectement précipitée, des ouvrages qui ont déjà paru à son sujet. Je puis vous attester qu'il eût blâmé l'emploi de vos disponibilités à l'achat de ces productions, au succès d'auteurs *à la sollicitude desquels il ne tenait pas* [souligné par F. de La Rocque]. » Et La Rocque d'enfoncer le clou : « J'ajoute que la publicité, les cérémonies bruyantes autour de son nom lui étaient odieuses. »

*

L'« opération Archange » comporte un troisième élément : le développement de la « Fédération aéronautique Jean-Mermoz ». Cette fédération rassemble, sous la houlette du PSF, des aéro-clubs qui se veulent indépendants du contrôle et des subsides du ministère de l'Air. Elle prolonge les projets que Mermoz avait soumis à La Rocque, et qui avaient tant ému les chantres du Front populaire : « La commission de l'Air avait été créée six semaines avant son dernier voyage », précise le colonel dans une de ses circulaires de février 1937. Elle se place aussi dans le sillage de nombreuses initiatives prises par les associations d'anciens combattants de droite depuis 1935, notamment en région parisienne, parfois avec le soutien de constructeurs d'avions de tourisme, ainsi Caudron, du groupe Renault.

On conserve donc le message mermozien d'union de la jeunesse dans le sport, avec « une aviation de jeunesse se formant et se développant au-dessus et en dehors de toutes fins politiques, englobant toutes les classes et toutes les opinions, donnant les moyens de voler à tous les jeunes gens, non pas à la mesure de leur fortune, mais à la mesure de leurs aptitudes ».

L'aviation, comme le souhaitait ardemment Mermoz de son vivant, doit donc, comme ce fut le cas pour lui, se substituer à l'école, ou la prolonger, comme creuset d'ascension sociale. Mais l'aviation ne doit pas seulement permettre à des jeunes d'assouvir leurs ambitions individuelles. Elle doit aussi, comme l'ambitionnent tous les mouvements de jeunesse, ainsi les Scouts, créer entre eux des valeurs de communauté. Elle participe, sur un arrière-plan patriotique, d'une « œuvre sociale rapprochant toutes les classes... rendant aux Français le goût de l'entreprise et du don de soi : telles sont les bases indispensables de la rénovation de la Patrie, selon la conviction commune à Jean Mermoz et à moi-même ».

Concrètement, il s'agit de répliquer à l'initiative, prise par Pierre Cot en juillet 1936, d'une « aviation populaire » que les communistes, *via L'Humanité*, réclamaient depuis plus d'un an. Au moment de la mort de Mermoz, le projet de Cot est encore mal défini, faute d'un vrai budget et parce que les tiraillements entre ses possibles leaders — les uns proches du parti communiste, les autres de la SFIO, les derniers du parti radical — ralentissent sa mise en place. Mais la menace est là : la Fédération aéronautique de France, qui regroupe la plupart des aéro-clubs, était jusqu'à présent sous le contrôle, au moins partiel, des associations d'anciens combattants, c'est-à-dire des groupes d'officiers activistes anciens de 1914-1918, et, parfois, de groupuscules plutôt orientés à droite. Le PSF, grâce à l'image de Mermoz, y avait entrepris un début de noyautage, tout en cherchant à les déborder en y associant la « jeunesse », selon le système qui avait placé les Volontaires nationaux à côté des Croix-de-Feu.

Or, l'« aviation populaire », elle aussi, entend utiliser la « jeunesse » comme levier d'une prise de contrôle des aéro-clubs, avec la création, sous l'égide des deux ministères de l'Air et de la Jeunesse et des Sports, d'une « Fédération sportive aéronautique de France », destinée à « noyauter » la FAF suspecte de « droitisme ». La disparition de Mermoz, l'émoi qu'elle soulève dans tout le pays, offrent l'occasion d'une contre-offensive.

Ainsi, en mars 1937, s'organise la Fédération aéronautique Jean-Mermoz, à partir d'un noyau d'aéro-clubs de la région parisienne. Son slogan est « l'aviation pour tous », par opposition à l'aviation « populaire » (sous-entendu : socialo-communiste, de Front populaire). Ses dirigeants, membres du PSF ou très proches de lui, sont, pour l'essentiel, des officiers de réserve, et leur chef est un ami personnel de Pierre Pucheu, le commandant de réserve Cliquot de Mentque — qui perdra la vie en héros sur son Morane 405 le 10 mai 1940.

La parution de *Mes vols* doit servir à la propagande du mouvement, qui se veut rassembleur et dont la première tâche est de chercher les adhésions, les plus nombreuses possible, d'autres aéro-clubs importants. En parallèle, une souscription est lancée, sur un compte ouvert au siège du *Flambeau*, avenue George-V, pour que la Fédération puisse créer et équiper d'avions, là où il n'en existe pas, de nouveaux clubs, avec l'aide de comités locaux, même si, officiellement, il ne s'agit que de lutter contre la « création d'aéro-clubs dissidents » par l'« aviation populaire ».

Cette entreprise est la moins réussie de toute l'« opération Archange ». Au bout d'un an de fonctionnement, le bilan de la Fédération aéronautique Jean-Mermoz est catastrophique : la souscription prend mal, les coûts sont mal calculés, les dépenses mal surveillées, une partie du personnel en dessous de sa tâche. De plus, le mouvement ne parvient pas à s'imposer là où il le devrait, parce que entre mouvements de droite règne déjà une rude concurrence pour le contrôle des associations d'anciens combattants aviateurs. Le PSF doit ainsi compter avec le noyautage d'officiers d'active ou de réserve supposés proches, tantôt de la Cagoule, tantôt des Camelots du roi. Déjà moribonde à l'été 1938, la Fédération aéronautique Jean-Mermoz ne fait ensuite que survivre, dans la mesure où des aéro-clubs se contentent d'adopter le patronyme de l'aviateur.

48

Contre-feux

L'insuccès et la déconfiture progressive des aéro-clubs Jean-Mermoz ne proviennent pas seulement de l'incompétence ou de la malchance de leurs promoteurs. Il faut aussi y voir la concurrence de l'« aviation populaire », qui profite du concours de l'État mais aussi des forces militantes de gauche et d'extrême gauche : enseignants syndicalistes chargés par les Inspections académiques d'encourager l'inscription des élèves du primaire et du secondaire dans les clubs locaux, anciens combattants « républicains » — c'est-à-dire socialistes et communistes —, militants cégétistes de l'industrie aéronautique fraîchement nationalisée. Ce réseau d'activistes, large et dense, profite aussi, avec le budget de 1937, de moyens — plus de cent millions de francs — sans commune mesure avec ce qu'apportent aux aéro-clubs PSF les souscriptions privées et les dons de quelques industriels. En 1937 et 1938, les firmes publiques d'aviation apportent aux aéro-clubs « amis » du gouvernement des centaines d'avions et de planeurs. Aussi la Fédération Jean-Mermoz mène-t-elle surtout une guérilla morale contre une institution qui la surpasse en moyens et en appuis.

*

Par surcroît, la Fédération ne parvient pas à monopoliser l'image de Jean Mermoz dans les milieux sportifs et aviateurs. Bien au contraire : dans les aéro-clubs, dans les institutions officielles rangés sous la bannière du régime, on est aussi très « mermozien ». Là encore, se déroulent des batailles autour du symbole que les « sociaux français » ne gagnent pas toujours. Le 6 décembre 1937, la première cérémonie d'anniversaire de la disparition de Jean Mermoz est organisée à Buc, par un aéro-club lié à la Fédération Jean-Mermoz, en présence de « Mangaby » et de représentants de la plupart des clubs affiliés à la Fédération.

Mais, le lendemain, une autre cérémonie, cette fois organisée au Bourget par Air France, vient rectifier le cap. Elle s'intitule « Hommage aux pilotes civils morts en service ». L'anniversaire de l'accident de la *Croix-du-Sud* devient le support d'une cérémonie aux buts plus larges, et donc dépolitisée, qui, sans surprise, est organisée par Bossoutrot, conseiller de Pierre Cot. Aussi, le 11 décembre 1937, à Notre-Dame de Paris, le PSF organise-t-il, à nouveau, une messe du souvenir de Jean...

*

La parution de *Mes vols*, elle aussi, provoque des contre-feux. Bien sûr, toute une partie de la droite protestataire et antirépublicaine, qui méprise le colonel et ses « froides queues », choisit, à l'instar des publications maurrassiennes, de faire le silence sur l'ouvrage. Mais, dès l'été 1937, la publication de *Mes vols* est attaquée depuis la gauche.

L'attaque, habilement, n'est pas dirigée contre le contenu du livre. Elle n'oppose pas une contre-légende à la légende naissante. Elle s'en prend à l'opération de publication elle-même, et, par surcroît, elle le fait de manière insidieuse. Elle s'efforce de placer un coin entre la famille « naturelle » et la « famille » politique de l'aviateur.

Cette campagne démarre le 29 juin 1937 dans *L'Œuvre*, un quotidien parisien de large diffusion, à l'époque proche des radicaux-socialistes, puis est reprise, le 3 juillet 1937, avec des détails additionnels, par un hebdomadaire local de gauche, *Le Démocrate* de Chambéry. Selon *L'Œuvre*, tout est simple. La publication de *Mes vols* serait un double détournement de l'héritage de Mermoz : moral et matériel. Un détournement moral, parce que les dirigeants du PSF « firent du grand nom un usage indécent, exploitant sans scrupule la plus pure des gloires ». Détournement moral, parce que, « pendant ce temps, les parents de Mermoz se trouvaient dans une très pénible situation matérielle. “Dispos” et “belles-mères noyauteuses” ne l’ignoraient point, mais ne s’en préoccupaient guère. Le geste de solidarité ne vint pas ».

En d’autres termes, malgré les intentions affichées par le mouvement, « Mangaby » n’aurait rien touché, ni des souscriptions PSF ou d’amis proches du PSF (Delty), ni des droits d’auteur de *Mes vols*. L’argent serait allé à la propagande du mouvement de La Rocque. Les accusateurs sont persuadés de détenir la preuve de ce qu’ils avancent, à travers l’aide qu’aurait apportée le gouvernement à la famille Mermoz. « C’est pourquoi un homme prit finalement une initiative : un galopin sanglant, qui est chaque jour attaqué, injurié, calomnié, vilipendé par le mouvement Croix-de-Feu [il s’agit bien sûr de Pierre Cot]. Ordre fut donné à la base aérienne de Paris de trouver une situation, si modeste fût-elle, au père de Mermoz. Quelque temps plus tard, Mme Mermoz mère reçut une pension qu’un homme, toujours lui, lui assure sur ses deniers personnels... Cela ne s’est jamais su jusqu’à présent, chacun ayant respecté la consigne du silence qui convient à un très beau geste. Mais des officiers républicains, écœurés des dernières injures personnelles adressées à M. Pierre Cot par des adversaires indignes, n’ont pu s’empêcher de nous révéler ces faits si éloquents dans leur simplicité. »

Ces propos doivent être décryptés. Pour les journaux qui les publient, ils sont censés émaner d’« officiers républicains », en fait, comme le montre le détail des articles, de cercles régionaux de sous-officiers qui feraient courir la nouvelle parmi leurs adhérents, par voie de bulletins ou de circulaires. Mais il est bien possible qu’ils émanent de plus haut, c’est-à-dire du « Service d’Information » rattaché au cabinet du ministre, où officie Lucien Bossoutrot. Et que valent-ils ? Il est certain que, dans les mois qui ont suivi la mort de son fils, Jules Mermoz, âgé de soixante-six ans, a bénéficié au ministère de l’Air (qui est installé sur la « base aérienne de Paris », boulevard Victor) d’un emploi de comptable. De son côté, « Mangaby » nie farouchement avoir reçu quelque argent que ce soit de Pierre Cot ou du ministère de l’Air. Dès le 29 juin 1937, par lettre transmise par huissier, elle réplique à *L’Œuvre* : « C’est indigne, je ne touche de pension de personne, et surtout pas de Pierre Cot... Il a fallu la disparition de mon fils pour voir imprimer dans votre journal le moindre éloge sur lui... J’ai là quelques articles parus il n’y a pas si longtemps dans vos colonnes où vous n'hésitez pas à répandre sur lui les affirmations les plus mensongères et les plus injurieuses. »

*

La polémique n'est pas close pour autant. Elle rebondit sur le plan judiciaire, avec pour fond la réanimation de l'ancienne mésentente entre les ex-époux Mermoz. Le 20 juillet, Jules Mermoz assigne en « nomination de séquestre » les fonds que Flammarion a recueillis de la vente de *Mes vols*. L'enjeu de la dispute est clair : oui ou non les droits d'auteur de *Mes vols* sont-ils destinés à « Mangaby » en tant qu'« ayant droit » de son fils décédé ? Dans ce cas, Jules Mermoz est habilité à en réclamer sa part. En effet, la loi est claire : même si Jean Mermoz, croit-on, a désigné sa mère comme « légataire universel », celle-ci ne peut disposer que des trois quarts des droits d'auteur, le « quart réservataire » échéant légalement pour partie au père. Or, de toute la succession de son fils, le père Mermoz n'aurait recueilli que quatre mille francs — un quart de seize mille francs. L'avocat qui représente les intérêts de Jules Mermoz pose donc clairement la question : « Qui a fait quoi chez Flammarion ? »

On s'embarque dans une sombre histoire de règlements de comptes affectifs et financiers. Dans cette entreprise, Jules Mermoz agit-il de sa seule initiative ? Le nouvel employé du ministère de l'Air est-il sous influence, et dans ce cas, laquelle ? Pour l'historien, la question reste posée, faute de documents qui permettent de trancher clairement dans un sens ou dans un autre. On constate néanmoins que, si Jules Mermoz, lors de sa plainte, réside dans une des rues les plus modestes du 15ᵉ arrondissement, la rue des Cévennes, à deux pas des abattoirs de Vaugirard, sa cause est défendue par l'un des plaideurs les plus recherchés de Paris, maître Leroy, avocat à la cour d'appel...

Quelles que soient les circonstances dans lesquelles Jules Mermoz est conduit à porter l'affaire des droits d'auteur de *Mes vols* devant la justice, cette initiative provoque un grand émoi chez son éditeur et parmi les membres du PSF. Non pas que les uns et les autres craignent grand-chose sur le fond de l'affaire : le produit des ventes de *Mes vols*, ainsi que celui des dons reçus par souscription, ont bien été versés au fonds Mermoz, qui est entre de bonnes mains, celles de Max Delty, ami fidèle des Mermoz. L'accusation de confiscation portée à l'encontre de l'éditeur et du parti est dénuée de tout fondement — ce que Jules Mermoz sait bien, puisque tout ce qu'il réclame, c'est sa part dans ce qui a été versé à son ex-épouse. La question est plutôt de savoir quelle est, sur l'ensemble du fonds Mermoz, la part qui proviendrait des droits de *Mes vols* et qui, en conséquence, pourrait faire l'objet d'une réversion au père de l'aviateur.

Noël Ottavi, vice-président du parti, cherche d'abord à rencontrer Max Delty, qui gère les fonds destinés à Mme Mermoz. Or Delty est absent de Paris et, malade, il ne peut se déplacer jusqu'à la capitale. Delty « est-il couvert du point de vue fiscal ? », se demande Ottavi, ce qui semble indiquer que les fonds recueillis pour « Mangaby » ont été placés directement en rentes viagères sans avoir été forcément déclarés au préalable comme revenus.

Puis, il faut faire le point du dossier avec Christian Melchior-Bonnet qui n'a pas été rémunéré pour sa contribution à *Mes vols*, mais qui est interpellé comme éditeur. Car il semblerait bien que les poursuivants mettent aussi en cause la manière dont le décompte des droits aurait été prévu entre Flammarion et le PSF. Réplique de Melchior-Bonnet : la moitié seulement de *Mes vols* est composée à partir des articles et des conférences donnés par Jean Mermoz. Le reste, ce sont des « additions » qui, en rendant le livre plus cher, ont permis d'augmenter les revenus de « Mangaby » « de cinquante centimes par livre », grâce à un « contrat exceptionnel » conclu avec Flammarion : « M. Jules Mermoz serait mal fondé de réclamer quelque bénéfice sur cela. »

Au cours de l'été 1937, la polémique autour des droits d'auteur de *Mes vols* s'efface peu à peu dans la presse. Elle laisse la place à une interminable bataille d'experts qui se déroule dans la coulisse en vue d'un éventuel procès, et dont les détails ne peuvent tenir le grand public en haleine.

Une chose est sûre : en jouant de la fibre sentimentale, en opposant le père Mermoz à Maman Mermoz, ceux qui ont levé le lièvre ont cherché à obscurcir l'image de la « famille » charnelle et spirituelle de l'aviateur, telle que ses amis politiques la présentent aux militants et à l'opinion.

*

En arrière-plan des disputes autour de l'héritage de Mermoz — au double sens du terme —, se profilent des rivalités industrielles. Même une fois dissipé le fantasme du « sabotage » de la *Croix-du-Sud*, les polémiques se poursuivent entre marques et constructeurs les mieux à même d'assurer les traversées transatlantiques. Comme naguère, à cause de la presse, ces polémiques se déroulent en public, et, bien sûr, elles demeurent riches d'arrière-pensées politiques.

Il ne fait de mystère pour personne, parmi les initiés, que le constructeur de la *Croix-du-Sud*, Pierre-Georges Latécoère, est à la fois un fournisseur recherché par la Marine nationale — où l'esprit « Front populaire » ne souffle guère — et un industriel qui renâcle aux injonctions politiques de Pierre Cot. Même au prix d'une longue grève, Latécoère a refusé que son entreprise serve de noyau à la création d'une « Nationale du Midi ». Aussi ne faut-il pas s'étonner que *L'Intransigeant*, quotidien radical-socialiste parisien, publie, du 13 au 16 avril 1937, une « enquête » qui est une attaque en règle contre les productions Latécoère. On leur devrait la responsabilité de l'accident de Mermoz. Il faudrait les supprimer à Air France et les remplacer par une production des nouvelles sociétés publiques... À l'occasion, aussi surprenant que cela puisse paraître à l'historien, la défense du matériel des sociétés publiques est, dans cette série de *L'Intransigeant*, placée sous l'invocation... de Jean Mermoz et de sa foi inébranlable dans les « avions à roulettes »... Or, jusqu'à la Deuxième Guerre mondiale, le dogme de la supériorité de l'hydravion dans les traversées océaniques, que Mermoz avait si âprement combattu, est plus respecté que jamais par les autorités. Même si Air France a rebaptisé « Ligne Mermoz » sa ligne vers Dakar et l'Amérique du Sud, les « avions à roulettes » y demeurent tout aussi rares. Les hydravions Blériot et Latécoère continuent d'assurer la majorité des traversées. Mieux : chez Latécoère, sur commande de l'État, on poursuit avec entrain la mise au point des hydravions du type Laté 500, encore plus gros et puissants que la *Croix-du-Sud* et que ses frères, mais à peine plus rapides. En 1938, le constructeur occitan reçoit même commande d'une nouvelle série d'appareils géants, hexamoteurs, les types 600, dont la construction sera interrompue par la guerre et par l'Occupation, mais qui, après la Libération, compteront parmi les symboles de la renaissance de l'industrie aéronautique française.

49

L'effet Kessel

Au début de 1938, Joseph Kessel intervient dans le débat et dans les polémiques où se cristallise la légende de Mermoz. Il le fait à sa manière avec un essai biographique intitulé *Mermoz*, publié d'abord en feuilleton dans *Paris-Soir*, puis en volume chez Gallimard. Un ouvrage promis à un grand succès et qui vient déplacer les lignes de la querelle autour de l'héritage mermozien.

Kessel a tous les titres requis pour écrire à chaud sur Mermoz. N'étaient-ils pas amis, « intimes » même, souligne l'écrivain ? N'ont-ils pas partagé ensemble des soirées, des nuits de fête, mais aussi des moments plus nostalgiques, au cours desquels l'aviateur n'a pas manqué de lui faire des confidences ? Kessel, lui-même ancien pilote de 1914-1918, déjà connu pour ses écrits anciens sur la Ligne, n'a-t-il pas figuré parmi les reporters du *Matin* et de *Paris-Soir* chargés, naguère, de suivre la trace du héros et de ses équipiers ? N'a-t-il pas défendu avec énergie l'Aéropostale dans la tourmente, n'a-t-il pas pourfendu les adversaires des « avions à roulettes » ? N'a-t-il pas été présenté par Mermoz à sa mère, qui l'a reçu dans sa maison ? Pour compléter son enquête, n'a-t-il pas, dès le printemps 1937, fait avec « Mangaby » le pèlerinage d'Aubenton, de Mainbressy ? N'a-t-il pas refait, grâce à Air France, certaines des plus belles traversées maritimes et continentales de Jean ? Par son œuvre, par son style, par son inspiration, n'est-il pas à même de rendre, plus que personne, l'atmosphère aventureuse et la mystique de la Ligne qui nimbent les principaux épisodes de la vie de son personnage ? Enfin, n'a-t-il pas, dès l'été 1936, fait part de son projet de biographie à Jean Mermoz ? Et, par ailleurs, n'a-t-il pas reçu, au début de 1937, un encouragement sans fard de La Rocque, qui prend la peine d'annoncer par circulaire à ses compagnons de lutte « la parution prochaine d'un livre écrit par Kessel : le seul auteur par qui Mermoz souhaitait voir retracer sa carrière d'aviateur : les déclarations qu'il m'a faites à cet égard sont *formelles* [souligné par La Rocque] ».

Kessel s'est donc mis au travail. Le résultat est plutôt réussi. En feuilleton comme en livre. De la première à la dernière page, le *Mermoz* de Kessel est l'évocation intense, poétisée, d'un homme né pour être un héros et qui disparaît en demi-dieu, comme s'il était écrit quelque part, par avance, que sa vie trop brève finirait en tragédie et en apothéose. Sous la plume de Kessel, Jean finit dans une assomption : d'abord précipités par le destin au péril de la mer, son corps et son âme se transforment en lumière pour rejoindre les cieux.

Bien sûr, le *Mermoz* de Kessel est à une biographie ce que les recueils de la vie des saints et martyrs sont à l'histoire de l'Église. Au moins le lecteur y est-il emporté par la plume généreuse de l'auteur, qui sculpte son personnage avec la vigueur d'un Rodin. Ici et là, ne manquent pas non plus les incantations à la stature morale surhumaine de Jean Mermoz, qui révèlent, en creux, la plaie ouverte chez l'auteur par le chagrin d'avoir perdu son ami. Bien sûr, Kessel n'évite pas, loin de là, les approximations, les généralisations hâtives et diverses erreurs de détail. Mais voilà : une fois de plus, il a réussi à faire sortir de sa « boîte à héros » un être exceptionnel, un être sublimé par son talent littéraire. Et bien sûr, à son personnage, Kessel a beaucoup prêté de lui-même, notamment son formidable appétit de vivre chaque instant avec une intensité sans pareille.

*

Mais, pour nombre des lecteurs que conquiert le *Mermoz* de Kessel, l'essentiel n'est pas seulement de retrouver dans le livre tout autant la marque du « Lion » qu'un portrait, plus sincère qu'exact, de l'« Archange ». Il provient de ce que, sans malice apparente, le *Mermoz* de Kessel vient ruiner les efforts de déification chrétienne de son héros par le PSF. En effet, Kessel présente sans fard les aspects de la personnalité de Mermoz les moins à même de satisfaire les bien-pensants. À commencer par ses boulimies alimentaires et bien sûr sexuelles. C'est Joseph Kessel qui révèle au public, certes en mode mineur, la liaison de Mermoz avec une prostituée, en 1924. C'est lui qui raconte l'affaire de la jeune femme qui se serait suicidée à ses côtés, pendant son sommeil, par peur de son départ sans retour.

Sans pour autant prendre parti dans les querelles de famille — mais tout en donnant l'avantage aux thèses de « Mangaby », qui l'a beaucoup renseigné —, Kessel ne fait pas l'impasse sur les difficultés des premières années, sur la douleur née de la séparation du fils et de la mère — même s'il ne soupçonne pas ses causes réelles. Il met aussi en scène, à plusieurs reprises, un Mermoz fêtard, capable, sans remords, de « claquer » en quelques jours un ou deux mois de salaire. Et il n'omet pas de laisser entendre qu'après son mariage Mermoz aurait eu bien des aventures féminines.

Pour Kessel, ces épisodes, ces écarts à la norme ne font qu'illustrer le chemin de croix charnel et spirituel, d'essence laïque, qui conduit l'enfant d'Aubenton vers l'héroïsme, vers la gloire, et vers une fin de martyr.

Ce qui ressort au premier chef du récit, c'est la sympathie de Kessel, et plus encore sa passion, à la fois d'homme et d'écrivain, non seulement pour Mermoz, mais pour ce type de personnage, fait en apparence de la pâte la plus ordinaire mais que les circonstances et une lutte constante sur soi-même élèvent au-dessus du sort commun.

*

C'est là que, pour certains, le bât blesse. Le récit de Kessel donne « un coup de vieux » aux tentatives d'idéalisation du « petit gars Mermoz » par les animateurs du PSF. Pire, à cause de Kessel — sans que celui-ci puisse être soupçonné de malice —, les amis de Mermoz perdent dès l'été 1938 une partie du bénéfice politique qu'ils escomptaient retirer de la déification de l'aviateur.

Dans certains milieux catholiques, l'« Archange » perd son auréole. Les Scouts de France deviennent perplexes. Comment accorder leur patronage — tant recherché par La Rocque et ses amis — à un personnage qui, en permanence, a cédé à au moins trois des sept péchés capitaux ? Il semble exclu de donner en exemple à la jeunesse un fornicateur, un fêtard, un adultère.

Même si, dans la coulisse politique, nul n'ignore que l'entourage de La Rocque compterait quelques mâles « couverts de femmes », au moins les milieux éducatifs catholiques auraient-ils pu espérer que l'aviateur, lui, serait fait d'une autre étoffe. Ou, pour le moins, tout péché méritant miséricorde, ils auraient souhaité que l'indicible restât pudiquement dans l'ombre. Maintenant, par la faute de Kessel, la France entière sait que la vie de l'aviateur, toute héroïque qu'elle ait été, passerait assez mal pour un modèle de vertu évangélique.

Une note publiée en 1938 dans le bulletin de liaison des Scouts de France, où on lit qu'il n'est pas possible « de placer des troupes ou des patrouilles sous ce patronage », inquiète à juste titre François de La Rocque. Il y réplique fermement. « Il faut que nos membres demeurent chez les Scouts » — qu'ils entendent influencer. Et puis, pour ses propres cadres, il livre une version personnelle de la chose, qu'il enveloppe de précautions : « Prière aux présidents de section de lire la présente note à leur première réunion comportant *exclusivement* [souligné par La Rocque] des adhérents et des adhérentes du parti. Cette lecture ne doit, en aucun cas, être faite à une réunion de propagande, ou devant des personnes étrangères au PSF. » Quelle est donc cette version, pour qu'elle doive rester à ce point confidentielle ? C'est un aveu de l'« ignorance » ou de l'indifférence dans laquelle La Rocque aurait, du vivant de l'aviateur, été de ses « débordements » : « D'après mes souvenirs formels de 1936, j'affirme que Jean Mermoz a été, aux yeux du croyant que je suis, un objet d'édification, par son courage, son désintéressement, son esprit de charité, sa modestie, sa recherche ardente du vrai et du beau. Croyant, j'ai prié pour lui. Je n'ai rien oublié de ce que je sais, de ce que j'ai observé, de ce qu'il m'a confié pendant la dernière période, si attachante, de son passage dans le monde. Dieu, qui seul juge, en toute connaissance de cause, l'a jugé. J'ai confiance en Dieu. »

*

Joseph Kessel a restitué à ses lecteurs un Mermoz de chair, parfois exagéré — il lui prête des excès qui lui sont propres —, comme s'il se glissait dans la peau d'une vie rêvée. Mais, ce faisant, il lui a rendu, *post mortem*, un fier service en le plaçant d'emblée au-dessus des personnages de son époque, et même, en élevant Mermoz au-dessus de lui-même, en assignant à sa brève existence des buts, des ressorts, des motifs dont lui-même n'avait pas toujours conscience.

Kessel l'a-t-il fait, à son tour, en conscience, ou bien a-t-il été porté et, au sens fort du terme, inspiré à la fois par sa fougue littéraire et par son sujet ? On peut se poser la question.

Maurice Druon, neveu de Kessel, a peut-être, en son nom et au nom de son oncle, livré la clé de l'énigme dans un texte de l'époque. « Mermoz et ses compagnons, écrit-il, parmi les premiers hommes volants, représenteront aux yeux du futur ce que représentent pour nous Jason et ses Argonautes. Ils ne prendront pas figure de nains parce que l'aéronautique aura atteint un développement encore insoupçonnable. Ils resteront des géants. Le progrès des armements n'a fait pâlir ni Achille ni Roland. Avec Mermoz nous assistons à la création du héros ; sa vie et celle de ses frères de danger demeurera pour l'avenir un symbole. »

Jason, les Argonautes : ainsi, les exploits de Mermoz ressortissent autant au mythe qu'au réel historique ; mais il appartient à l'écrivain, dans l'époque qu'il décrit, d'être soit le comptable de l'histoire, soit l'égal des bardes antiques. Kessel a choisi d'être ce barde et a choisi Mermoz comme héros — au sens le plus fort : le héros d'aventures qui, pour l'humanité de demain, deviendra aussi magique que sont pour l'humanité du XXe siècle les héros des temps les plus reculés de l'Antiquité.

50

Entre consensus et confrontation

La publication et le succès de librairie du *Mermoz* de Kessel auraient pu réconcilier les Français autour de la figure de l'aviateur, car l'ouvrage enracine le personnage dans les passions de son époque, et parce que l'auteur renvoie dos à dos les militants de gauche et de droite qui veulent annexer le personnage à leur propagande. Mais la violence des affrontements idéologiques dans la France de la fin des années 1930 est telle que la partie n'est que partiellement gagnée.

C'est, semble-t-il, seulement dans les colonies que les batailles autour de l'image de Mermoz sont rares. Pourtant, au ministère de la France d'outre-mer, sous le très socialiste Marius Moutet, pullulent les fonctionnaires franchement « républicains ». Mais ici, sous le regard des « indigènes », la communauté des Français « de souche » doit apparaître plus soudée qu'en métropole. Elle chante donc d'une seule voix la louange d'un héros dont tous, dans l'Hexagone, se disputent l'héritage et la légende. Les escales de la Ligne sont le lieu privilégié de ce raccommodage autour de la figure du mort. Ainsi, l'inauguration à Dakar de l'épreuve en plâtre d'un futur groupe à la gloire de Mermoz est-elle l'objet d'une réunion consensuelle entre les autorités coloniales, les proches politiques, les agents d'Air France et l'Église catholique. Car on dit ici que le cardinal Verdier aurait joué un rôle important dans le style du monument. Celui-ci, dû au sculpteur parisien Saupique, place d'emblée le pilote sous la protection de l'archange saint Michel, selon un vœu que — selon les promoteurs du monument — il aurait lui-même prononcé.

Quelques mois plus tard, toujours à Dakar, nouvel hommage, cette fois à l'instigation d'Air France. C'est le baptême officiel du nouveau nom donné à la ligne France-Amérique du Sud, elle devient pour de bon, selon un vœu vieux d'un an, la « ligne Mermoz ». Pour l'occasion, on a réuni sur l'aéroport de Ouakam quelques-uns des appareils que pilotait Mermoz. Devant ce spectacle, Maman Mermoz, invitée d'honneur de la cérémonie, ne peut retenir ses larmes. Le même jour, on jette une couronne de fleurs dans l'Océan, en souvenir du dernier envol de l'« Archange ». Une semaine plus tard, nouvel hommage à Casablanca, de nouveau en présence de « Mangaby », dont personne ne peut ignorer qu'elle est une militante PSF convaincue. Grâce à l'entregent d'un comité local, on inaugure la place Jean-Mermoz. Les autorités du protectorat sont là, cette fois à titre semi-officiel. En revanche, une semaine plus tard, à Rabat, les autorités civiles et militaires président, toujours en présence de Mme Mermoz, une cérémonie commune d'hommage au pilote et au défunt maréchal Lyautey devant le monument funéraire de ce dernier, sur les pentes du Chella, colline sacrée.

*

Ces hommages coloniaux font échapper le souvenir mermozien au monopole des « sociaux français ». Voilà qui, par contraste, ravive le zèle des élus parisiens à célébrer toujours plus Mermoz sous le patronage de La Roque. Le 8 juillet 1938, Provost de Launay, déjà actif lors de l'inauguration de la rue Mermoz, devenu depuis président du conseil municipal, prononce le discours qui accompagne le dévoilement d'une plaque à Mermoz sur la façade de sa dernière demeure parisienne, rue de la Cité-Universitaire. Pour augmenter l'impact de la manifestation, les conseillers de Paris ont cherché à rendre cet hommage relativement consensuel en y invitant Bossoutrot aux côtés du général Denain et de deux élus de droite du quartier. En revanche, en décembre 1938, l'inauguration d'une autre plaque sur un immeuble du 18e arrondissement se fait entre amis proches : La Rocque préside, nul élu du quartier ne se montre. « Mangaby » s'est excusée, pour la bonne cause : elle est à nouveau au Maroc, pour l'inauguration d'une rue « Aviateur-Mermoz ».

*

En juillet 1939, la polémique sur les droits d'auteur de *Mes vols* rebondit lorsque est tenu le référé devant le tribunal d'instance de Paris. Elle pourrait passer inaperçue — au fond, c'est une affaire civile sans grands enjeux — si la presse hostile au PSF ne s'empressait de la monter en épingle. À nouveau, *L'Œuvre* ouvre le feu, dans son édition du 22 juillet, sous la signature de « Jander ». Sous le titre accrocheur « De quels "droits", mon Colonel ? », le réquisitoire est d'une rare violence : « le Colonel voulait faire de Mermoz, exclusivement, un héros du PSF dont le culte aurait été réservé aux membres du parti... Le PSF est allé un peu loin dans sa prétendue dévotion à l'aviateur Jean Mermoz ». Dévotion « prétendue », donc insincère, parce que, selon *L'Œuvre*, elle dissimulerait une sombre affaire d'intérêt. Malgré le conditionnel d'usage, l'accusation est frontale : « il en aurait, paraît-il, retiré un bénéfice substantiel », évalué, plus bas dans l'article, à « au moins 179 000 francs ».

Et le quotidien radical d'approfondir les griefs du père de Jean Mermoz : « M. Jules Mermoz n'a jamais été averti de cette publication [donc son droit moral n'aurait pas été respecté] et [deuxième infraction] il a raison de s'étonner que les documents que son fils conservait à son domicile aient pu non seulement tomber dans des mains étrangères [détournement de biens] mais être publiés sans son assentiment. » Bien entendu, tout cela résulterait d'un complot organisé par le PSF qui « ignore le père de l'aviateur à peu près d'une manière absolue, alors que Mme Mermoz jouit auprès de ce parti d'un prestige... que lui confère son affiliation au PSF ». Et *L'Œuvre* de dénoncer l'évacuation du père Mermoz de la vie de son fils : « Jean — les témoignages sont formels — venait le voir régulièrement à Soissons, où M. Jules Mermoz habita jusque 1937. Père et fils ont échangé une abondante correspondance que pieusement M. Mermoz a conservée... L'aviateur, lui, n'ignorait pas son père, bien qu'il ne fût pas membre du parti de M. de La Rocque. »

Or, selon les avocats de Jules Mermoz et « un expert », le contrat d'édition « avait été passé entre des personnes étrangères à la famille du disparu... sinon étrangères au PSF ». Saura-t-on la vérité, s'interroge *L'Œuvre*, qui insinue que les droits forment une somme qui « est tombée dans les caisses de cotisation du Colonel... M. de La Rocque fait payer les morts, maintenant ? ».

Cette philippique est reprise le lendemain par *Le Populaire*, organe officiel de la SFIO, qui met en cause un accord passé entre « Mme Mermoz » et « le Führer Croix-de-Feu ». Le rédacteur du *Populaire* insiste sur l'hypothèse du détournement d'héritage, et mentionne, sans détours, « un carnet de bord dont nul n'osait disposer » ainsi que la mise à sac de son domicile : « on a fait main basse, dans son appartement, sur tout ce qu'il possédait ». Aussi le père « a été frustré, dépouillé », car « celui qui a touché chez Tardieu [accusation portée par la gauche contre La Rocque depuis des années] pouvait aussi bien, il est vrai, s'emparer de l'héritage d'un mort et se servir d'un disparu comme d'un drapeau : Mermoz ne resurgira pas du fond de la mer pour protester ». Et de conclure, au terme de ces propos à la limite de la diffamation : « On dira tout. Vous pourrez m'en croire, ce sera du joli. »

Le 29 juillet, *L'Humanité*, « organe central du Parti communiste », prend le relais. Non sans habileté, le rédacteur n'est pas aussi direct. Il reprend intégralement l'affaire et les accusations graves portées contre La Rocque — et indirectement contre « Mangaby » — mais il les fait endosser par des tiers qui « auraient dit », qui « prétendent » : une manière comme une autre de se mettre à l'abri d'éventuelles poursuites pénales. Le même jour, un droit de réponse énergique de « Mangaby » dans *L'Œuvre* accroît la polémique. Mme Mermoz défend son honneur, mais aussi sa légende : « Il faut que soient rendues publiques toutes les douleurs de mon existence et que soient discutées les volontés du fils bien-aimé que j'ai seule (*sic* !) élevé moralement et matériellement... je n'ai de mon fils disparu — sans laisser aucune fortune — qu'une maison... désespérée et malade en cette demeure pleine du souvenir de mon enfant, je dois au PSF l'essentiel de mes ressources actuelles... mon fils m'avait confiée à celui qu'il avait choisi comme chef... Non seulement le PSF n'a tiré aucun bénéfice de la publication de l'ouvrage *Mes vols*, mais il m'a remis l'intégralité des sommes qu'il a recueillies... De plus je peux certifier... que l'un des principaux collaborateurs du colonel de La Rocque a bénévolement travaillé pendant plus de deux mois à la composition de l'ouvrage, servant ainsi dans l'anonymat la pensée de mon Jean... » Et de conclure : « On m'a arrachée à la détresse matérielle en me permettant de me recueillir au milieu des reliques de celui que je pleure, je pense qu'on a droit au respect comme les larmes ont droit au silence... »

L'Œuvre prétend qu'il n'est pas « tenu » de publier cette lettre — ce qui est parfaitement faux en regard de la loi de 1881 sur la presse. Mais, de fait, cette lettre sert le travail de sape — pour ne pas dire de dénigrement — que poursuit le quotidien puisque au fond, dans sa défense naïve, Mme Mermoz conforte l'accusation : le père Mermoz a bien été dépouillé par les initiatives du parti. Et, dans l'article qui jouxte la lettre de « Mangaby », le rédacteur d'insister : « M. Mermoz envoya souvent de l'argent à son fils avant que celui-ci ne gagne bien sa vie. » Il cite aussi, en partie, une lettre envoyée en 1927 par Jean à son père, où il regrette de ne l'avoir vu que « vingt-quatre heures » entre deux voyages, où il l'invite à venir lui rendre visite quand il sera en Amérique du Sud.

La polémique pourrait durer encore pendant des semaines, d'autant plus que le président du tribunal a renvoyé l'affaire « au fond » — ce qui signifie de longs délais avant un jugement — et que, le 29 juin 1939, le PSF annonce, par son quotidien de prédilection, *Le Petit Journal*, qu'il attaque en diffamation *L'Œuvre* et *Le Populaire*, « au nom de Jean Mermoz et de sa mémoire ». Mais les vacances judiciaires et les congés payés mobilisent les esprits à partir du 1er août 1939, et, le 3 septembre 1939, la guerre est déclarée à l'Allemagne. L'affaire Mermoz passe aux oubliettes.

51

Un échec de Vichy

Le régime de Vichy a beaucoup encensé les aviateurs d'avant-guerre. Il a tenté, à travers maintes manifestations et maints discours officiels, d'en faire les otages moraux de sa propagande et des exemples pour une jeunesse que la situation de la France privait de repères.

Cette attitude résulte d'abord du rôle éminent tenu par les états-majors militaires dans un régime qui n'a qu'une armée croupion. Sous Pétain, les dignitaires de l'armée de Terre président aux négociations franco-allemandes, la Marine se veut la « gardienne de l'Empire », et l'armée de l'Air est la vitrine héroïque du régime. En même temps, la persistance des trois armes traduit la continuité de la France, trahie, selon Vichy, par les « politiciens » et les « affairistes » qui l'ont entraînée dans la défaite.

Or, Jean Mermoz, naguère contempteur des « bureaux » partisans des hydravions, des industriels proches des francs-maçons et des radicaux-socialistes, et qui périt dans l'Atlantique d'une panne mécanique, n'appartient-il pas, par définition, à la double catégorie, et des grands aviateurs, et des réprouvés de la IIIe République ? N'est-il pas aussi une figure capable, par sa popularité, de cimenter la nouvelle union nationale autour des valeurs du régime naissant ? La propagande de presse, qui s'est déjà emparée des personnages de Guynemer et de Garros pour encourager les engagements dans l'armée de l'Air vichyste, est tentée par une nouvelle « opération Archange ».

*

Mais la figure de Mermoz se prête moins bien que prévu aux manipulations vichystes. Dans cette « résistance » du sujet se mêlent, sans logique apparente, de nombreux éléments. D'abord, l'ombre portée de l'œuvre de Kessel s'étend sur toute tentative de célébration. Quel Mermoz faut-il célébrer : le vainqueur des Andes, ou le client assidu du *Tabarin* de Casablanca et du *Tabaris* de Buenos Aires ? Doit-on laisser circuler l'ouvrage de Kessel alors que cet auteur a été interdit par les Allemands à cause de ses origines juives ? Ensuite, replacer l'aventure mermozienne dans son contexte expose à des contorsions. Ne faudrait-il pas revenir sur la compétition aéronautique franco-allemande d'avant-guerre en Amérique latine ? Peut-on évoquer son parcours militant d'avant-guerre sans réveiller le souvenir des Croix-de-Feu et du PSF, un mouvement qui ne parvient pas, dès 1941, à recevoir la bénédiction morale de Vichy, et qui n'a pas la faveur des collaborationnistes parisiens parmi lesquels brillent de vieux ennemis politiques de La Rocque ?

Toute célébration de Mermoz sous Vichy est dès lors minimaliste. Son nom est invoqué, à côté d'autres — surtout celui de Guynemer — dans les campagnes de recrutement de l'armée de Vichy. Dans *Le Petit Journal*, où continuent d'écrire les anciens du PSF, on célèbre surtout les anniversaires de sa disparition.

Le 5 décembre 1942, La Rocque tient lui-même la plume pour un hommage rituel qui ne diffère pas de ceux rendus avant la guerre : Mermoz ou le modèle de vertus morales qui s'appellent commandement, enthousiasme, discipline et bon sens. D'autres articles spéculent sur ce qu'aurait fait Mermoz s'il avait vécu la défaite de 1940 et ses conséquences : il aurait été « à coup sûr » maréchaliste, aurait apprécié l'œuvre de « redressement » du pays. Bref, beaucoup de banalités. Certes, Mermoz entre désormais dans les évocations historiques colportées par les petits journaux pour la jeunesse, aux côtés du chevalier Bayard ou de Jeanne d'Arc, comme un exemple de courage et de ténacité : c'est l'homme qui ne renonce jamais, qui est prêt à se sacrifier pour son idéal.

*

Mais cette image est floue. Elle reprend à son compte ce qui, chez Mermoz, est le plus fade : son côté grand sportif, athlétique, chez qui le bon sens et le goût de l'action l'auraient emporté sur le jugement. Après tout, Jeanne d'Arc et Bayard avaient œuvré pour un champion de la cause française : Charles VII, le « petit roi de Bourges », ou François Ier, le « roi-chevalier ».

Mais qui donc Mermoz a-t-il servi ? Il n'aimait pas la République défunte et pestait contre les travers et les « renoncements » de la Nation. Il ne lui reste qu'une cause : l'« aviation marchande ». Malgré tout le mal que se donnent, sous Vichy, les admirateurs de Mermoz pour l'insérer dans les pages les plus glorieuses de l'histoire de France, ils doivent lui voir céder le pas devant la figure de Charles Guynemer dont la vie héroïque, qui tient entièrement dans ses combats lors de la Grande Guerre, se prête mieux à l'évocation patriotique de la France éternelle.

Il est enfin délicat d'annexer Mermoz à un camp, à mesure que la guerre prolonge ses méfaits. Son dégoût de la république parlementaire et son engagement au PSF l'auraient-ils, définitivement, fait se ranger du côté de Vichy ? Après tout, parmi les adversaires de la IIIe République, certains, chez qui le patriotisme le plus authentique l'a emporté sur le ressentiment franco-français, se sont précocement placés dans le camp de l'honneur et de la Résistance, qui les éloigne jour après jour d'un Pétain, quelle qu'ait pu être leur admiration antérieure pour le Maréchal. Ni Henri Fresnay, ni le colonel Dewavrin (Passy), ni Guillain de Bénouville, ni le commandant Heurteaux, tous héros de la France Libre, n'ont jamais passé pour des républicains convaincus...

Alors, comment préjuger des choix qu'aurait, dans l'épreuve, fait Mermoz, patriote — et même nationaliste — avéré ? Le colonel de La Roque lui-même, après avoir tenté de faire vivre les restes du mouvement social français dans le système de Vichy, est allé de déconvenue en déconvenue. Il termine la guerre emprisonné aux abords de Buchenwald, voisin de Daladier, pris en otage par les Allemands, avec la bénédiction de la police de Vichy. Un de ses fils trouve la mort dans les rangs des Forces aériennes françaises libres, rejoignant son aîné mort au combat en mai 1940. Celui qui, avec Mermoz, était naguère son autre « bras droit », Noël Ottavi, finit ses jours en déportation. L'ami Kessel et son neveu Druon sont quant à eux, en 1943, les auteurs du *Chant des partisans*, autour duquel se fédèrent les combattants de l'ombre de toutes tendances.

Dans la mesure où la résistance à l'occupation et à Vichy est un kaléidoscope humain où le sens de la liberté et de la patrie sublime — pour la durée de la lutte — les clivages sociaux et politiques d'avant-guerre, n'est-elle pas, dans son essence morale, éminemment « mermozienne » ?

*

On comprend dès lors que le film *Mermoz*, réalisé en 1942 à Paris par un réalisateur laborieux, Jean Cuny, soit d'une inspiration pauvre. Il s'agit à la fois de faire rêver un public qui n'a jamais autant fréquenté les salles obscures, et de donner le portrait édulcoré d'un héros présentable qui illustre, en cette période où la France et les Français sont diminués, les « vertus éternelles » de la « race française ».

Plutôt qu'une biographie, le film met en scène une série d'exploits incarnés dans une figure. Le « clou » du film reste la mésaventure vécue par Mermoz et Collenot dans les Andes en 1929, les plans étant soigneusement tournés en studio, ce qui écorne la part du rêve. À sa sortie, le film n'obtient même pas un succès d'estime et demeure peu de temps au programme des cinémas parisiens, où il ne sera jamais reprogrammé. Le seul élément qui mérite d'être retenu, c'est, on le saura bien plus tard, le sort tragique connu par l'interprète à l'écran de Mermoz. Robert Hugues-Lambert a été choisi pour sa ressemblance approximative avec l'aviateur plus que pour son talent. En plein tournage, il se retrouve interné au camp de Compiègne, après avoir été pris dans une rafle de la police allemande dans une boîte de nuit fréquentée par des homosexuels. Pour « sauver le film », l'équipe de tournage va alors enregistrer le malheureux à travers les barbelés du camp, pour pouvoir, au montage, raccorder sa voix aux images qu'on a prises de sa « doublure ». Robert Hugues-Lambert ne reviendra pas de déportation.

*

En marge de cette cinématographie pour dames d'œuvres et de diverses brochures de la même eau, Mermoz est le personnage, au début de 1944, de deux ouvrages d'édification morale de facture littéraire plutôt médiocre qui démarquent en grande partie l'ouvrage alors interdit de Kessel. Le 14 février 1944 est réédité le livre déjà publié en 1938 de l'avocat et publiciste Jean-Gérard Fleury, proche naguère des filiales sud-américaines de l'Aéropostale et ami de Mermoz. Il s'intitule *La Ligne*, et replace l'aventure mermozienne au cœur de celle de ses congénères pilotes, avec Jean en majesté au centre du tableau. Dans son culte banal de l'héroïsme et ses récits démultipliés d'exploits aériens, cet ouvrage au patriotisme discret n'a rien pour attirer l'attention.

Plus intéressant est le cas de *La Vie de Jean Mermoz* d'Albert Rèche — un nom qui rappelle curieusement celui d'Albert Reichel, naguère journaliste à *L'Ami du peuple* —, ouvrage édité sous la marque Sequana, en février 1944, pour le compte de l'éditeur René Julliard, *via* les Éditions littéraires de Monaco. L'ouvrage, inspiré quant aux faits par celui de Kessel et par la lecture de *Mes vols*, est pour le moins édifiant.

Passons sur les lourdes erreurs commises par l'auteur lorsqu'il entreprend de conter l'enfance et l'adolescence de Mermoz. Passons sur les inexactitudes de son récit des « exploits » de Mermoz. Allons à l'essentiel : Mermoz est un rédempteur. Un rédempteur moderne, que l'auteur installe dans le sens de la morale « civique » en vogue au moment où son livre paraît. Mermoz est « un de ces hommes qui réhabilitent la condition humaine par une lutte incessante lui permettant de dépasser les limites ordinaires, par l'exaltation de l'être attiré par l'inaccessible. Un Mermoz... redonne l'espérance... L'aviation fut un instrument que la providence lui offrit... ». Ce qui explique son engagement « moral » en 1934. Car, pour Albert Rèche — on est, bien sûr, au début de 1944 dans la France occupée et le lecteur lit une histoire qui se passe entre 1934 et 1936 —, c'est le rédempteur Mermoz qui « s'indigne et se révolte devant l'incompréhension des dirigeants d'un pays dont il a toujours cherché à accroître le prestige... Il regarde avec douleur... cette abdication des élites... Mermoz qui a toujours haï les politiciens et sans cesse s'est détourné avec horreur de la politique... Mermoz qui a toujours eu la mystique du chef... se décide à servir comme un obscur militant (*sic* !)... il accepte, lui, l'ennemi des orateurs, des bavards, de prendre la parole, car il peut crier ses pensées... ».

Mieux : Mermoz a fait des miracles. C'est ainsi qu'un jour, à l'occasion d'un incident de rue, alors qu'il circule en Delage, il est apostrophé « par une cinquantaine de jeunes communistes aux regards menaçants ». On discute, et le lendemain quarante-huit sur cinquante de ces « communistes » viennent « adhérer au PSF »... On imagine l'effet de cette histoire édifiante dans une France où tout opposant au régime et à l'occupant est désormais taxé de « communisme » et, à ce titre, emprisonné, torturé, déporté vers les camps de la mort ou fusillé...

52

La légende se fige

Une fois passée la tourmente de la guerre, l'image de Mermoz, que Vichy n'a guère su capter à son profit, entre dans le patrimoine commun des Français. En même temps, elle se fige pour longtemps. Dans la mémoire nationale, le prestigieux défunt devient un instituteur des vertus viriles à l'usage de la jeunesse. Son rôle d'instituteur lui est reconnu par la nouvelle République qui, bonne fille et quoique ancrée à gauche dans ses premières années, oublie volontiers les engagements politiques du Mermoz de 1934-1936 pour lui dédier, au fur et à mesure qu'on en construit, qu'on en baptise pour absorber le baby-boom, des établissements scolaires primaires et secondaires. N'en dédie-t-on pas tout autant à Maryse Bastié, à Hélène Boucher, à Antoine de Saint-Exupéry ?

L'ouvrage de Kessel demeure la référence pour les auteurs qui prennent ou reprennent la plume pour encenser Mermoz, même si tous jettent désormais un voile pudique sur les aspects les plus controversés de la vie de l'aviateur : ses comportements intimes et, plus encore, son engagement politique, devenu un sujet tabou. De ce dernier, seule la dimension catholique surnage, comme en témoigne l'homélie prononcée par le père Carré, jésuite de renom, à l'église Notre-Dame-de-Lorette à Paris, le 8 décembre 1951, à l'occasion du quinzième anniversaire de l'accident de la *Croix-du-Sud* : « Où est-il ? Mais il est vivant, celui dont le souvenir nous rassemble dans cette église. Nous le retrouverons. Mais simplement, il est entré avant nous, le premier comme d'habitude, dans la Miséricorde et l'Éternité de Dieu. »

*

Cela n'empêche pas l'imagerie mermozienne, dans les années d'après-guerre, de s'enrichir de détails, à défaut de « révélations ».

À cette œuvre pieuse, « Mangaby », toujours vaillante malgré le poids des ans, n'est pas la dernière à participer. Voici en feuilleton dans *L'Époque*, du 3 au 28 septembre 1948, un nouveau récit de la vie de Mermoz, inspiré pour partie par « des textes et documents inédits recueillis par Mme Gabrielle Mermoz et présentés par A. Avronsard ». On y lit — revu et corrigé par rapport à *Mes vols* —, un récit émouvant du séjour de Mermoz à Istres, où, comme dans les précédents, il fait figure de persécuté. On y trouve aussi, passés à la moulinette du « rewriting », des « extraits » d'un « journal » que Mermoz aurait tenu pour raconter « l'Afrique et le courrier Atlantique sud ».

Maman Mermoz accorde encore son concours à la préparation d'un numéro de *La Vie catholique illustrée* du 14 décembre 1952 qui retrace une partie de la jeunesse de l'aviateur. Cela s'appelle « 14, avenue du Maine ». Elle a prêté des photos de famille. Sur l'une d'entre elles, on voit Maman en cape avec le double baudrier des infirmières et la coiffe plate à pans qui va avec, à côté de fiston, sa bonne bouille d'adolescent sous ses cheveux longs, en cravate et veston clair. Le texte, intimiste, relève du légendaire pur : « Il veut préparer l'École Centrale, mais à peine reçu à la première partie du bac (*sic* !) il vient d'échouer à la seconde. Tout s'écroule par la simple volonté d'un professeur inhumain, dur comme ses notes (re-*sic* !). » Après que cet enraciné des coteaux de la Thiérache eut connu — dixit *La Vie catholique* — « une enfance nomade », il aurait été « pensionnaire » à Aurillac, où il rêvait « à celle qui était restée dans le nord de la France, sous la botte des occupants »... « La vie défile dans son regard gris »... Sa mère est « son ancre de miséricorde », etc.

Tous les pieux efforts déployés par l'auteur de *La Vie catholique* ne satisfont pas Mme Mermoz : elle prend la peine d'écrire à la rédaction pour se plaindre de divers défauts de ce monument d'hagiographie. C'est l'écrivain Xavier Grall, animateur notoire de la revue — et peut-être l'auteur de cette prose non signée —, qui prend la peine d'apaiser « Mangaby »...

*

Le personnage ainsi purifié, à la biographie allégée, peut enfin remplir, aussi bien chez les éducateurs laïcs que chez leurs collègues chrétiens, son rôle de modèle pour la jeunesse.

Retirés de leur contexte, les exploits de Mermoz deviennent des événements magiques et indéchiffrables, des scènes figées pour toujours que l'on récite comme, en d'autres temps, à la veillée, on égrenait les miracles attribués au saint du jour. C'est surtout le nom de Mermoz qui est colporté, comme celui d'un exemple à donner aux jeunes gens, d'autant plus qu'il évoque une vie « de civil » empreinte de caractéristiques militaires : rôle des « chefs » (ainsi Didier Daurat), des « camarades » (Guillaumet, Saint-Exupéry, etc.), des équipiers (Jean Dabry, Gimié) et des fidèles subordonnés (le « mécano » Collenot). Selon sa sensibilité et ses engagements personnels, l'éducateur peut utiliser à peu près chacun des épisodes de la vie de l'aviateur pour mettre en évidence les différents types de personnage qu'il présente.

*

Bien sûr, ce qu'il y avait d'unique, pour un Kessel, dans l'épopée d'un Mermoz se dissipe, parce que la guerre, où elle a été employée en masse, de manière anonyme et hautement destructrice, a changé l'image de l'aviation. Elle l'a banalisée, elle en a fait une machine industrielle. Et, en même temps, la guerre a révélé de nouveaux héros aviateurs, plus jeunes, auréolés, comme naguère ceux de 1918, de la grâce des combattants survivants — de la grâce des vainqueurs. Ainsi l'archétype du héros aviateur français devient le Français libre Pierre Clostermann, qui publie bientôt ses mémoires d'« as » aux trente-trois victoires sous le titre *Le Grand Cirque.*

*

Le culte sourcilleux de la geste, des paroles mermoziennes, la collation et le commentaire du moindre document où apparaissent le nom, la silhouette ou le visage de l'« Archange » deviennent la passion d'une petite phalange de desservants du culte. Au premier rang de ceux-ci se situent certains professionnels de l'aviation commerciale. Pour eux, Mermoz est une figure tutélaire de l'histoire et de la légende des origines d'Air France, un témoin des âges anciens, des temps mal assurés de la profession.

C'est que, pour les navigants, entre l'Air France des années 1930 et la compagnie refondée sous le même nom en 1945, au capital entièrement étatique, il n'y a pas de solution de continuité, malgré la disparition de l'enseigne et du réseau sous Vichy. Or, dans une large mesure, Air France est organisé autour de son personnel navigant. Et, en même temps, la compagnie s'efforce, au nom de la France, de reconstituer un réseau mondial, de faire revivre son slogan d'avant-guerre qui était un héritage de « la Ligne » : « le plus long réseau du monde ».

Nul hasard, donc, si en 1948 une des premières grandes brochures de propagande du nouvel Air France prend la peine d'évoquer longuement, sous la plume de Maurice Bedel, la figure de Mermoz, dans des formules riches de métaphores qui laissent songeur. Voici « Mermoz face à l'Océan. Ces traîtres flots, ces flots voraces qui, depuis la nuit des siècles, dévorent les vies humaines, vont avoir à compter avec de grands oiseaux à vol mécanique, avec de curieux albatros, avec d'étranges goélands qui ne battent pas des ailes... un chevalier de l'air, un beau saint Georges s'est levé. Il domptera par la douceur et l'énergie — le velours du gant et le fer de la main — le monstre au corps mol et mouvant, à la crinière d'écume... La France s'est portée avec une tendresse impatiente vers l'Amérique latine ». Et, pour que le lecteur comprenne bien, l'illustration souligne le texte. Une gravure de Decaris présente le profil mermozien placé sous la protection de saint Georges, sur fond de flots déchaînés.

Encore quelques années et, en 1955, Air France publie une nouvelle brochure commémorative où Mermoz est sollicité. Il s'agit, illustrations à l'appui, de fêter « 25 années de vol transatlantique — 1930-1950 ». Toute une partie du fascicule est consacrée à la remémoration des temps pionniers et, bien sûr, du vol historique du 12 mai 1930, avec des extraits du récit qu'en donna *Mes vols* et les portraits des trois vainqueurs de l'Océan. Mais le climat a changé. Une page consacrée à des statistiques comparées du trafic en 1930 et 1954 fait la transition avec le reste de la publication, beaucoup plus fourni, et accompagne un titre révélateur : « Une page d'histoire était tournée ».

Car il s'agit maintenant d'oublier les vicissitudes du passé, de se concentrer sur l'avenir, et d'inciter les contemporains à voyager sur Air France. L'époque aventureuse est terminée. Le reste de la brochure consacre textes et images à montrer le confort et même le luxe des avions, et surtout la sécurité du matériel. En point d'orgue, une photo insiste sur tout ce qui a changé : sur un tarmac d'aéroport, la passerelle d'embarquement d'un gros Lockheed *Superconstellation* d'Air France, où une ravissante hôtesse accueille une petite fille au visage gai et rassuré. On est loin des silhouettes viriles d'aviateurs engoncés dans d'épaisses vestes de cuir...

*

La conservation du souvenir mermozien devient alors une affaire d'« anciens », d'une phalange de « témoins » de la vie du héros, pilotes, mais surtout radiotélégraphistes, mécaniciens d'escale, navigateurs des temps héroïques de l'Aéropostale et d'Air France. Les plus notables des survivants, comme Didier Daurat, Paul Codos ou Maurice Bellonte, se sentent désignés par le temps pour colporter les moindres anecdotes sur la vie et l'œuvre de Mermoz, en l'absence de ses camarades les plus proches, tous disparus en mer, comme Mermoz lui-même : Collenot dès 1936, Guillaumet et Reine en novembre 1940, Saint-Exupéry en juillet 1944.

Aux côtés des descendants et des héritiers spirituels de François de La Rocque, les pionniers survivants de l'aviation forment, jusqu'à sa mort en novembre 1955, la dernière garde rapprochée de « Mangaby ». Diminuée par les ans, celle-ci, depuis son petit appartement parisien, consacre depuis 1948 ses dernières forces à la promotion d'une œuvre antituberculeuse ouverte en priorité aux enfants de la « grande famille » aviatrice. Pour elle, qui ne demande rien, ils briguent la Légion d'honneur qu'ils lui remettent, pressés autour de son lit de souffrance, le 25 novembre 1952. À elle, ils demandent, en 1954, de préfacer un ouvrage sur l'Aéropostale, commandé à Georges Clerc par les Éditions de Minuit. C'est le troisième volume d'une série sur « les grandes entreprises qui ont porté, au cours des siècles, le nom de la France aux quatre coins du globe », série qui commence avec un livre sur le canal de Suez, un autre sur

Austerlitz. Là, pour ces fidèles, et en mémoire de Jean, elle dépose son dernier témoignage très personnel : « De leur temps, les pionniers de l'Aéropostale étaient seuls. Seuls, isolés dans leur travail : aucune publicité, aucune propagande n'était là pour les soutenir dans leur labeur... À cette époque, les hommes étaient seuls, abandonnés à eux-mêmes, quand ils n'étaient pas délibérément combattus... je le répète, les efforts de ces hommes ont été accueillis en France avec la plus grande indifférence, indifférence qui a confiné à la plus grande ingratitude... »

Et puis, le 29 novembre 1955, « Mangaby » s'éteint. Le lendemain, les mêmes « grands témoins » l'escortent jusqu'à sa dernière demeure, à Rocquigny. Ils accomplissent son dernier vœu, qui est d'être ensevelie avec tous ses souvenirs de Jean, et notamment avec toute leur correspondance. L'enfouissement de ces lettres prive les générations suivantes de documents exceptionnels qui dessinaient de Mermoz un portrait spontané, au jour le jour. N'en réchappent que certaines copies de lettres qu'avait prises, du vivant de « Mangaby », Christian Melchior-Bonnet, le compositeur de *Mes vols*.

Dès lors, la vérité du personnage échappe à la connaissance du public, d'autant plus que la publication ultérieure, partielle, de ces documents n'intervient que comme ornement ou comme document complémentaire des rééditions de l'ouvrage pieux publié par le PSF en 1937. Les « grands témoins » demeurent seuls face à leurs souvenirs, qu'ils déposent dans des recueils tissés autour du récit circonstancié de leurs rencontres avec l'« Archange ».

Finalement, le souvenir de Mermoz se cristallise dans une juxtaposition d'évocations, par le récit personnel et par l'image, des « grands moments » de la geste mermozienne, ainsi lors du trentenaire, puis du cinquantenaire de la mort du pilote, dans la luxueuse revue *Icare* que publie le Syndicat national des pilotes de ligne. Enfin, dans un dernier hommage pieux, les gardiens du temple prêtent leur concours, à l'occasion du cinquantenaire de la mort du pilote, en 1986, à la création dans son village natal d'Aubenton, où il a si peu vécu, d'un petit musée Jean-Mermoz.

53

L'érosion de l'héritage

Dans les décennies qui ont suivi la fin de la Seconde Guerre mondiale, le personnage Mermoz a pris place sur les étagères au rayon des célébrités plus ou moins bien connues. Pendant ces années, ce qui, pour lui, eût été son héritage — les valeurs et les opinions qu'il avait illustrées et défendues pied à pied — perd de son actualité.

La Rocque est mort en 1946, et ses descendants et ses héritiers spirituels, réunis dans l'association Les Amis de La Rocque, continuent pieusement, jusqu'à nos jours, à célébrer chaque année à Paris en mémoire du « vieux chef » une messe à laquelle est associée la mémoire de ses deux fidèles lieutenants, Jean Mermoz et Noël Ottavi. Néanmoins, au fil des ans, leur héritage politique a été dispersé entre des mouvements variés intégrés dans une vie politique républicaine recomposée.

L'année même où La Rocque disparaît, Charles de Gaulle, dans son « discours de Bayeux », annonce l'avènement futur d'une République dirigée par un chef de l'État puissant, charismatique, maître du Parlement. Une prophétie qui, à partir de 1958, devient la réalité. Une partie des aspirations « sociales » des Croix-de-Feu est reprise par les conservateurs catholiques des années 1950 et 1960, ainsi par les « Indépendants », d'Antoine Pinay à Valéry Giscard d'Estaing. Une autre, plus « corporatiste », a sombré avec Vichy pour ne survivre qu'à travers certains syndicats d'artisans et de boutiquiers, des professions en perte de vitesse.

Aussi, de la lecture des textes de *Mes vols*, surnagent les imprécations contre l'ordre existant en 1935-1936 et une mystique naïve du « chef » qui, pour reprendre une expression de Charles de Gaulle, sent son « godillot » à plein nez. En une génération, ce que l'engagement mermozien pouvait, en son temps, avoir de « révolutionnaire », de provocateur, s'est affadi. Sans le tour de clé et le code de l'historien, il a perdu son sens.

Dès lors, les auteurs qui ont écrit sur Mermoz après Kessel ont, le plus souvent, réduit l'importance de son engagement politique à une affaire de « sentiment personnel », quand ils ne l'ont pas passé son silence. En 1938, Maurice Druon évoquait les « douze travaux » de Jean Mermoz, et concluait : « Et ne venons pas affadir tout cela sous le vain prétexte que Mermoz s'engagea dans l'action politique. Ce fut la seule fois qu'il fut la dupe de son rêve, et c'est le seul exploit qu'il ne put réussir : il voulait nettoyer les écuries d'Augias. » Pour le neveu de Kessel, à Mermoz-Hercule il n'avait manqué que d'accomplir le douzième de ses « travaux ».

Changement de ton, quelques décennies plus tard, sous la plume du rédacteur en chef d'*Icare*, porte-parole des pilotes d'Air France : « Sur ses actions politiques, beaucoup de choses ont été dites ; là encore, comme ailleurs, Mermoz était un homme qui n'avait pas craint de s'engager... il a choisi l'option politique qu'il croyait être la meilleure pour son pays. Cela ne nous concerne pas, ses opinions ne regardaient que lui. »

Quelle prudence... D'autant plus datée, vue de l'an 2000, que depuis les années 1960 la formation de l'Union européenne, la mondialisation des échanges et des cultures ont ranimé les courants politiques « souverainistes » — terme politiquement correct pour désigner les patriotes les plus incisifs — et les nationalismes.

*

Et puis, le temps a fait son œuvre. Couche après couche, le nouveau a recouvert l'ancien. Le geste de Mermoz retenant son avion sur une pente des Andes perd peu à peu le sens héroïque qu'il pouvait avoir pour le grand public de 1929. Les avions sont devenus d'énormes machines qui traversent les Andes tous les jours. Le réflexe se perd vite, de penser que cette routine est due au geste désespéré, mais créateur, d'un pilote européen disparu quelque part dans l'Atlantique en 1936. Mermoz exprime bien vite une époque révolue. Dès le début des années 1950, le voyage aérien devient, sinon banal, quotidien et plus sûr quelle que soit la distance. Avec les premiers grands aéroports, les escales ne sont plus ces havres conquis après une lutte de chaque instant contre les éléments.

De surcroît, à partir des années 1960, l'explorateur des horizons inconnus, c'est l'astronaute ou le cosmonaute. Le Soviétique Youri Gagarine accomplit la première orbite en apesanteur en avril 1961, ses successeurs de 1965 improvisent les premières « sorties dans l'espace ». Entre 1969 et 1973, les astronautes américains des missions Apollo rejoignent à six reprises la Lune et en explorent des îlots, dans le « direct » des caméras de télévision.

En 1970, l'aviation entre dans l'ère des masses. Les Jumbo Jet de Boeing — plus tard les long-courriers Airbus — mettent Buenos Aires ou Rio à onze et treize heures de l'Europe, dans un confort et un silence sans précédent. Leurs passagers croisent en l'ignorant le « pot au noir » à l'heure du petit déjeuner ou du déjeuner, l'œil rivé sur l'écran du cinéma de bord. Casablanca et Dakar, naguère têtes de pont de l'aventure mermozienne, deviennent celles d'un tourisme cosmopolite véhiculé par *charters*, qui colonise, à coups de « villages de vacances », les littoraux de l'Atlantique. La silhouette musclée, à la Mermoz, d'un gaillard nageant seul vers *la barre* sur un fond de cocotiers n'existe plus que sur les brochures publicitaires des *tour operators*. Au « village », à l'« hôtel-club », les vacanciers, les équipages d'avions en escale s'entassent par dizaines autour de la piscine, et s'inscrivent la veille pour prendre leur tour à la séance de plongée sous-marine.

L'aventure commerciale et financière que fut l'Aéropostale conserve-t-elle un sens pour le plus grand nombre ? Avec plus de vigueur encore qu'au temps magique des Bouilloux-Lafont, les entreprises françaises sont reparties, à partir des années 1960, à la conquête du Brésil. Mais c'est pour y vendre des produits et des services quotidiens et standardisés : verrerie et matériaux Saint-Gobain, hypermarchés Carrefour, aliments Danone, cosmétiques L'Oréal, eaux épurées de Vivendi ou de Suez-Lyonnaise des Eaux.

*

Les repères géopolitiques ont changé. Entre 1945 et le milieu des années 1960, la pacification de l'Europe, la création de la CEE, la prépondérance américaine sur l'Ancien et le Nouveau Monde, enfin la décolonisation, ont renvoyé dans le passé les rivalités franco-allemande et franco-italienne qui fondaient la compétition aéronautique des temps pionniers dans les cieux africains, atlantiques et sud-américains. La supériorité technologique *yankee* d'après-guerre a imposé les gros multimoteurs *made in USA* sur toutes les grandes liaisons aéronautiques du monde, et relégué les hydravions au convoyage à courte distance dans les zones d'archipels ou sur les grands lacs.

Seuls les Sud-Américains — Brésiliens, Argentins, Chiliens — ont continué à aduler Mermoz et ses pairs comme d'immortels contemporains. Mais pour une raison qui échappe au grand public européen : parce qu'ils ont, vol après vol, aidé les Sud-Américains à prendre conscience de leur identité politique et culturelle, à se penser comme les membres de nations, certes vaguement parentes, mais radicalement différentes, des nations européennes. On est loin de l'utopie, chère à Latécoère, d'une latinité réunie et unifiée par-dessus les mers.

Dans ce grand mouvement des hommes et des choses, la domination internationale de la culture américaine a fait passer, au palmarès mondial des héros, les pionniers de l'aviation américaine devant ceux de l'Ancien Monde. Dans la culture américanisée, ce sont les frères Wilbur et Orville Wright qui ont inventé l'avion en 1903, bien qu'ils viennent dix ans après le Français Clément Ader. De même, les deux héros absolus des airs sont d'un côté Charles Lindbergh, auteur d'un grand exploit unique, la traversée New York-Paris de 1927, et d'autre part le capitaine « Chuck » Yeager, premier homme supersonique en 1947.

54

Un des derniers héros français

Malgré tout, Mermoz demeure, dans le panthéon imaginaire des Français, un des plus grands héros nationaux du siècle, comme le révèlent les enquêtes d'opinion conduites par les revues *Clefs pour l'Histoire* et *L'Histoire*. Or, ce plébiscite s'accommode d'une certaine méconnaissance, parmi le grand public, de l'œuvre, des engagements, des passions de l'aviateur, et de leur contexte exact.

C'est que Mermoz incarne d'abord la mythologie d'une époque, et certaines valeurs attachées à cette mythologie. Son évocation transporte dans la nostalgie d'une époque où un individu sans antécédents notoires et éternellement jeune pouvait réaliser son destin à travers une aventure où il passait en premier, sans l'appui, et même faute de l'appui, d'une « technologie » et d'une organisation envahissantes.

Mermoz affronte la nature, les éléments, presque à mains nues, non pas à la manière des héros antiques invoqués par Kessel, placés sous la protection des dieux de l'Olympe, mais à la manière d'un homme ordinaire que les circonstances hissent au-dessus, et de l'adversité, et de lui-même.

Aussi porte-t-il en lui une croyance durable de l'humanité en elle-même, en sa survie, en son accomplissement, en ses possibilités d'avenir. Une croyance que le siècle a rudement mise à l'épreuve, de guerre mondiale en guerre mondiale, à travers massacres et destructions. Une croyance que Mermoz incarne d'autant mieux que, à la différence du héros antique, son but n'est pas d'obéir aux dieux ni de faire étalage des pouvoirs surnaturels que ceux-ci lui ont accordés, mais de participer à une œuvre collective.

Si Mermoz dépasse — et de loin — un Codos, un Costes, un Bellonte, noms à peu près oubliés, sauf d'une minorité d'amateurs, parmi les aviateurs français, c'est parce qu'il parvient, à lui seul, à incarner, à rendre simple et intelligible une œuvre collective complexe, inégale dans ses résultats : « la Ligne » du courrier France-Amérique du Sud. Avec le temps, il est même devenu nettement plus populaire que Charles Guynemer, figure mythique de l'entre-deux-guerres, qui pourtant incarne à la fois l'aventure de l'aviation, propre au XXe siècle, et la tradition patriotique.

*

Sans doute, au panthéon des héros français du XXe siècle, deux autres personnalités seulement — et combien différentes de Jean Mermoz — incarnent, autant ou mieux que lui, pour le plus grand nombre, le dévouement sacrificiel à une œuvre collective : Jean Moulin et Charles de Gaulle.

Néanmoins, à la différence de ces deux personnages, Mermoz reste, pour des millions de gens, assez mal situé dans la trame factuelle précise de l'histoire de France. Le plus grand nombre sait, *grosso modo*, qui est le Charles de Gaulle des années 1940-1945 (l'homme « qui a dit non » le 18 juin 1940, le fédérateur de la lutte pour la liberté) et qui est Jean Moulin (l'emblème et aussi le plus célèbre martyr de la Résistance).

Rien de tel dans le cas de Mermoz. Le fait qu'il ait été un aviateur est beaucoup plus connu que le détail de sa carrière, que la plupart situent dans l'entre-deux-guerres, sans être capables d'évoquer précisément une de ses grandes traversées, son rôle en Amérique du Sud, ou celui qu'il a joué sur la scène nationale dans les premières années 1930.

Aussi les mises en scène modernes de la vie de Mermoz, ou de certaines de ses composantes, insistent-elles, non sans raison, sur le rôle de Mermoz comme fédérateur d'aventures collectives au service d'un idéal pacifique, celui du courrier porté à travers le monde.

À la fin des années 1970, une série produite par la télévision publique française, aux épisodes signés par l'auteur populaire et scénariste Marcel Jullian, met en scène les hommes des lignes

Latécoère, puis de l'Aéropostale débutante, aux prises avec les dangers multiples qui jalonnent la route Toulouse-Casablanca. Dans cette série, où la reconstitution historique a été soignée jusqu'au détail, Mermoz intervient, d'épisode en épisode, à la suite de Daurat, comme l'élément pivot de l'aventure en commun.

Il appartient enfin au cinéaste français Jean-Jacques Annaud de mettre Mermoz en scène, soixante ans après sa disparition, dans *Les Ailes du courage*, un court-métrage de quarante minutes qui retrace les premières traversées des Andes par les avions de la Ligne.

Autant le *Mermoz* de Jean Cuny était poussif, laborieux, autant la série de Jullian était pédagogique, autant le film d'Annaud, produit selon les règles américaines, aidé par la technique de l'image en trois dimensions, est, dans son genre, à la croisée de l'épopée et du documentaire. Le plus remarquable du film est que son scénario déplace la victoire sur les Andes d'un personnage — Jean Mermoz — vers un trio. Bien sûr, les vols historiques de Jean Mermoz apparaissent en bonne place dans l'aventure, mais, tout autant, la mésaventure vécue au-dessus de la Laguna Diamante par Henri Guillaumet le 13 juin 1930, qui s'est produit alors que Mermoz était au Brésil. Enfin, Antoine de Saint-Exupéry est présenté dans son rôle de chef du réseau de l'Aeroposta Argentina, comptable anxieux et fraternel de la vie de Guillaumet.

Au cœur du film, auquel des paysages grandioses servent de décor et où les scènes de vol animent l'action, se trouve l'amitié des hommes entre eux, leur solidarité. Ils partagent les mêmes vertus, la même foi en leur mission, bien qu'ils soient très différents les uns des autres. Guillaumet est présenté, dans la réalité qui était la sienne, comme le prototype de l'« antihéros », du professionnel serein, « père tranquille » à la vie rangée. Saint-Exupéry est restitué dans toute la fragilité du poète partagé entre le goût de l'action et l'attirance pour la méditation. Le message que le réalisateur entend transmettre aux spectateurs est clair : c'est l'aventure collective qui est héroïque, et les héros n'ont pas besoin de posséder l'allure ni les signes extérieurs de la surhumanité. Car la force et la puissance de leur action se trouvent dans leur richesse intérieure.

Venu plus de soixante ans après les faits, *Les Ailes du courage* d'Annaud, un grand succès en France et à l'étranger, procède à une « réhumanisation » du personnage de Jean Mermoz, qui est « recentré » sur la lutte entre les éléments et la machine pilotée, et réintroduit dans un concert d'humains. C'est là, sans doute, l'achèvement à la fois de la laïcisation du personnage et de son inscription dans une vision romantique, voire nostalgique, de l'aviation d'autrefois et de son époque.

*

Car Mermoz est devenu une figure romantique. Avec le recul du temps, le détail de l'aventure que furent les premières décennies de l'aviation s'est estompé. Il n'en surnage que des silhouettes. La littérature populaire — que l'on songe à l'œuvre de Saint-Exupéry, où l'aventure vécue devient un tissu d'impressions qui, intériorisées, visent à l'universel — a contribué à cet état de fait.

Or, qui mieux que Mermoz, beau, souriant, élégant, terriblement jeune, à la prestance simple et virile, figure, en silhouette, l'idéal de l'aviateur romantique ? Mermoz, c'est un visage photogénique rehaussé par les accessoires du pilote d'autrefois — la veste de cuir, l'écharpe — qui porte en lui les souvenirs inexprimables d'une vie faite de voyages sur trois continents.

Mermoz possède une force de dépaysement, d'exotisme. C'est donc d'emblée, dans la conscience populaire, une personnalité exceptionnelle qui vit des expériences inaccessibles au commun des mortels.

Après tout, du vivant de Mermoz, la moitié des Français étaient des ruraux et, parmi les « urbains », la plupart vivaient dans des bourgades ou des petites villes. Ils avaient, au quotidien, des horizons limités. Puis, une ou deux décennies après la mort de Mermoz, quand les Français ont commencé, en nombre, à se déraciner pour rejoindre des villes plus grandes et des banlieues démultipliées, ils ont, à travers leurs nouvelles routines, conservé, comme en témoignent le roman ou la fiction télévisuelle, la nostalgie du temps ancien.

*

Comme en contrepoint, ils ont aussi conservé intact leur émerveillement pour les éternels voyageurs, pour les globe-trotters invétérés. Jusqu'à une date très récente, toutes les générations de Français ont dévoré, à un âge ou un autre de leur vie, les aventures trépidantes des héros de Jules Verne, emportés au loin par des sous-marins, des ballons, des paquebots. Et, les statistiques de la librairie en témoignent, les romans modernes de dépaysement, d'aventures au loin, caracolent périodiquement en tête des ventes de livres — pour ne rien dire des albums, des guides et des récits de voyage.

Dans l'histoire du XXe siècle, Mermoz incarne, plus que d'autres, l'envie populaire de voyage et de dépaysement révélée au XIXe siècle avec le *désir de rivage* des habitants de la France intérieure, élargie pendant plusieurs décennies par les mirages de l'exotisme colonial et poursuivie aujourd'hui avec le succès commercial (mais aussi l'attraction imaginaire) des destinations de vacances les plus exotiques. Mermoz appartient à cette catégorie de personnages, chéris par le cinéma hollywoodien, qui, selon l'époque, auraient pu être interprétés à l'écran par Robert Mitchum, puis par Robert Redford, enfin par Harrison Ford.

Dès 1956, un an avant le premier *Spoutnik*, la compagnie de navigation Paquet saisit cette dimension du personnage et du mythe. Elle donne le nom *Mermoz* à un paquebot de taille moyenne, luxueux, taillé pour les croisières de loisir tout autant que pour les traversées directes. La croisière inaugurale du navire se fait bien entendu sur l'Atlantique sud. *Mermoz* devient pour Paquet — plus tard pour Costa Croisières, qui lui succède — un navire emblème de la nostalgie du bon vieux temps des aventuriers maritimes et terrestres.

Selon les prospectus qui invitent chaque saison à participer à ses croisières, on ne s'embarque pas sur le *Mermoz*. On part en voyage avec *Mermoz*. Pour des croisières thématiques, le plus souvent à connotation historique (« L'Égypte de Napoléon Ier », « Les royaumes du nord de l'Europe », etc.), où des conférenciers invités ponctuent les trajets de leurs savantes interventions, pour le plus grand plaisir d'une clientèle d'amateurs aisés. Sur *Mermoz*, comme naguère avec Mermoz, on vit de grandes aventures collectives — certes, de manière indirecte, par le truchement de l'évocation historique.

*

La vie de Mermoz comporte un dernier élément héroïque : sa mort tragique et prématurée. Les circonstances ne lui ont pas permis de survivre aux exploits de sa jeunesse.

Sa mort à trente-quatre ans, comme celle de Charles Guynemer, abattu à l'automne 1917 au-dessus des Flandres, comme celle de Jean Moulin, massacré sous la torture à l'été 1943 par Barbie et ses hommes de main, accomplit l'engagement du héros. Et puis, elle lui épargne le vieillissement, la décrépitude physique, et l'inévitable passage du statut de héros à celui de retraité de l'action.

Une fois Jean Mermoz disparu en mer, Saint-Exupéry a ressenti l'angoisse de celui qui a survécu à une aventure exceptionnelle où le danger est omniprésent. Dans *Terre des hommes* (1939), dans *Pilote de guerre* (1942), elle transparaît au détour de certaines pages. Dans la correspondance et les écrits intimes des années de guerre de l'écrivain-pilote, elle devient envahissante. Entre-temps, en novembre 1940, Guillaumet a disparu en avion au-dessus de la mer. Saint-Exupéry est le seul rescapé du trio d'amis. Il voudrait, s'il survit à la guerre, se faire « jardinier » ou « se retirer dans un couvent », c'est-à-dire disparaître aux yeux du monde, ne pas devoir se présenter au public sous les traits d'un pilote retraité, ne plus porter en lui les questions obsédantes : « Pourquoi eux ? Pourquoi pas moi ? Que vaut mon témoignage, face à leur sacrifice ? » Les circonstances lui évitent d'avoir à choisir entre devenir « l'ancien qui sait tout » ou se taire : à son tour, le 31 juillet 1944, il disparaît en mer aux commandes de son Lockheed *Lightning* de grande reconnaissance. Et il est troublant, plus d'un demi-siècle après cette fin, de constater combien demeurent mystérieuses les circonstances d'une mort qui, finalement, a rapproché Saint-Exupéry de ses camarades les plus chers.

L'ultime mystère de la vie de Mermoz, celui qui entoure les circonstances du naufrage de la *Croix-du-Sud*, demeure propice à l'érection du pilote en héros absolu. Au fond, si dès 1936 de nombreuses questions ont jailli sur les causes du naufrage de la *Croix-du-Sud*, c'est parce qu'il semblait impossible que Mermoz ne soit pas parvenu, avec tout son art, tout son courage, à surmonter les effets de la plus dramatique des pannes. L'accident eût-il frappé un autre équipage, un autre chef de bord, qu'il eût été placé sous le signe d'une simple fatalité. Frappant Mermoz, il s'inscrit comme une manifestation du destin : n'était-il pas écrit quelque part qu'il ne lui serait pas donné le temps de prendre de l'âge, de devenir un héros retraité ? Et ainsi, sa silhouette est demeurée éternellement jeune, et sa geste a conservé toute sa fraîcheur.

*

Depuis Mermoz, parmi les infatigables voyageurs, un seul Français est entré dans la légende : le navigateur Éric Tabarly, emporté par la mer dans la nuit du 12 au 13 juin 1998. D'une certaine manière, il est même devenu une sorte de nouveau Mermoz. Comme lui, Tabarly affirme résolument ses choix techniques et éthiques à travers une science et une maîtrise extrêmes, réaffirmées chaque saison, des éléments, des vents, des courants, des machines. Comme Mermoz, Tabarly a rivalisé avec ses compétiteurs entre plusieurs continents. Comme lui, il forme des disciples — ainsi Alain Colas ou Olivier de Kersauson — et vit d'amitié, de tendresse pour les *happy few* qui partagent ses aventures ou qui en sont les témoins privilégiés. Il meurt en marin, comme Mermoz en aviateur : à la manœuvre, sur le pont de son *Pen-Duick*, face à la mer. Même s'il a été emporté à soixante-six ans, Tabarly est, lui aussi, demeuré un éternel jeune homme qui proposait sans cesse, et prenait le risque de conduire en mer, de nouveaux types de bateaux. Derrière un visage chaque année plus buriné, le public n'a cessé de voir le barreur de trente-trois ans du *Pen-Duick II* qui, en 1964, surgit de la brume après des heures de silence radio, pour remporter l'épreuve Plymouth-New York et clore plusieurs décennies de suprématie anglo-saxonne dans la course au large.

Mermoz aurait pu, sans mal, faire sienne une des sentences de Tabarly : « L'homme a besoin de passion pour exister. » Quel humain ne souhaite-t-il pas, de cette sentence, faire le guide de chacun de ses jours ? Mais combien d'entre nous sont prêts à en payer le prix ?

ANNEXE

QUE SONT-ILS DEVENUS ?

Bouilloux-Lafont, Marcel : consacre toute son énergie au sauvetage de ses affaires américaines après la fin de l'Aéropostale. Meurt en 1944.

Bouilloux-Lafont, André : aux côtés de son père ; après le décès de celui-ci, continue la restauration des affaires familiales.

Costes, Dieudonné : carrière à Air France, meurt à Paris en 1973.

Cot, Pierre : ministre de l'Air jusqu'en janvier 1938 — refuse la défaite de 1940. Réfugié aux États-Unis, y sert les Français libres, malgré de mauvais rapports avec de Gaulle. Après la Libération, trouve un siège à la Constituante, sous l'étiquette « Front national », parmi les élus non communistes soutenus par le parti. Disparaît de la vie politique nationale avec l'avènement de la Ve République et se replie sur son « fief » de Savoie. Meurt en 1977.

Couzinet, René : s'installe en Amérique latine comme ingénieur-conseil et constructeur d'avions. Second époux de Gilberte Chazottes-Mermoz ; meurt en même temps qu'elle dans un accident.

Daurat, Didier : cofondateur en 1935 d'Air Bleu, compagnie privée de transport postal de nuit, avec le soutien des Chargeurs réunis et de Caudron (groupe Renault), qui doit arrêter son trafic en 1937. Réintégré ultérieurement à Air France. Finit ses jours à Toulouse.

Dautry, Raoul : limogé de la direction générale des Chemins de fer de l'État lors de la création de la SNCF, en août 1937. Devient ingénieur-conseil chez Hispano-Suiza. Ministre de l'Armement des cabinets Daladier et Reynaud du 14 septembre 1939 au 16 juin 1940. Se replie alors dans sa propriété de Lourmarin. Rejoint la

Résistance en 1943. Ministre de la Reconstruction du général de Gaulle en 1944-1945. Nommé par celui-ci administrateur général du Commissariat à l'Énergie atomique (CEA) lors de sa création en 1945. Meurt en fonctions en 1951.

Davet, René, colonel : termine sa carrière général de l'armée de l'Air, ayant traversé sans encombre la période de Vichy.

Denain, Victor : inspecteur général de l'armée de l'Air, soutient activement le régime de Vichy. Rayé des cadres après la Libération.

Guillaumet, Henri : poursuit sa carrière à Air France, puis à Air France-Transatlantique ; ouvre en juillet 1939 la ligne Paris-New York sur Latécoère 500 ; mis à disposition du secrétariat d'État à l'Aviation de Vichy ; abattu au-dessus de la Méditerranée le 27 novembre 1940, peut-être par un chasseur italien, en traversant sur un avion civil en route vers la Syrie une mêlée entre aviateurs britanniques et italiens. Il conduisait à Damas le nouveau haut-commissaire au Levant, le préfet Chiappe.

Heurteaux, Alfred : suspect de liens étroits avec la Cagoule en 1936-1937 ; s'engage dans la Résistance en 1940. Un des fondateurs de l'Organisation civile et militaire. Fait général de l'armée de l'Air, compagnon de la Libération.

Kessel, Joseph : poursuit sa carrière littéraire ; ses ouvrages sont interdits par les Allemands sous l'Occupation. Résistant, compose en 1943, avec son neveu Maurice Druon, les paroles du *Chant des partisans* et publie *L'Armée des ombres* (1944). Continue d'être un globe-trotter, et un best-seller prolifique. Entre à l'Académie française en 1962 et meurt en 1979.

La Rocque, François de : s'efforce de faire vivre son « mouvement » sous Vichy, après l'interdiction des partis politiques, mais est suspect aux yeux de Pétain comme des milieux politiques parisiens de l'époque. Arrêté, puis déporté à Buchenwald. Libéré des camps, malade. Meurt en avril 1946.

Latécoère, Pierre-Georges : cède en 1938 son usine de Montaudran à Breguet. En a créé deux autres : à Anglet en 1937, rue Périole à Toulouse en 1939, pour fournir la Marine et Air France. Ne travaille pas pour les Allemands après l'occupation de la zone sud en 1942. Meurt à Paris, à soixante ans, le 11 août 1943.

Laurent-Eynac, André : ministre des Postes en 1934 ; sénateur ; ministre de l'Air du dernier cabinet Reynaud en mai-juin 1940 ; vote les pleins pouvoirs au maréchal Pétain le 9 juillet 1940 ; après la Seconde Guerre mondiale, poursuit une carrière politique locale en Haute-Loire, où il meurt.

Martinoff, Vsevolod, dit « Vova » de : ayant rejoint Air France en 1936, est chef d'escale à Amsterdam ; finit sa carrière au service de la compagnie.

Mermoz, Gabrielle, née Gillet, dite « Mangaby » : la mère de Jean Mermoz poursuit après la mort de son fils son action sociale près du PSF, puis d'associations diverses ; participe à l'œuvre de mémoire sur son fils ; faite chevalier de la Légion d'honneur en 1952, meurt en novembre 1955 à Paris, à l'âge de 75 ans.

Mermoz, Gilberte, née Chazottes, veuve de Jean Mermoz : remariée à l'ingénieur René Couzinet, trouve la mort avec son époux dans un accident.

Ottavi, Noël : entré dans la Résistance, arrêté, mort en déportation en 1945.

Reine, Marcel : poursuit sa carrière à Air France. Coéquipier d'Henri Guillaumet (voir ce nom) lors de son dernier vol, le 27 novembre 1940 : trouve la mort en même temps que lui.

Saint-Exupéry, Antoine : publie en 1939 *Terre des hommes*, Grand Prix du roman de l'Académie française ; participe à la bataille de France dans l'armée de l'Air (mai-juin 1940) ; part pour les États-Unis, *via* le Portugal, en décembre 1940. Séjourne essentiellement à New York. Y publie *Pilote de Guerre* (1942, également édité à Paris, avant d'être interdit) puis *Le Petit Prince*. Rejoint en avril 1943 les Forces aériennes françaises d'Afrique du Nord. En Italie puis en Corse en 1944 avec son escadrille de reconnaissance. Disparaît en mer le 31 juillet 1944 au retour de sa dernière mission.

Weiller, Paul-Louis : chassé de la direction de Gnome & Rhône en 1940 par Vichy et emprisonné par le régime qui, par décret spécial, lui ôte la nationalité française — ses ancêtres, Alsaciens, sont français depuis la Révolution. Parvient à s'enfuir par Marseille, en 1942. Rejoint le Canada, et, après la Libération, la France. Confisquées par Vichy, ses parts dans Gnome & Rhône sont nationalisées (contre indemnités) en 1945, pour créer la SNECMA. Ayant rebâti une grande fortune internationale, devient mécène ; ami d'André Malraux ; membre de l'Institut (Académie des beaux-arts, 1964). Grand-croix de la Légion d'honneur, meurt centenaire à Genève en décembre 1993.

SOURCES ET BIBLIOGRAPHIE

Archives nationales

I. Centre d'accueil et de recherche des Archives nationales (CARAN), Paris

— F7 14 773, Police générale, affaire Lucco
— F7 15 934/2, Police générale, notes biographiques diverses
— F12 8798, Conseil national économique, Notes et Rapports jusqu'en 1935 : Aéronautique et Automobile
— 130 AP, Papiers Jacques-Louis Dumesnil, boîtes n°s 22, 23, 26
— 307 AP, Papiers Raoul Dautry, boîtes n°s 9/2, 12, 13, 18, 88, 91, 92, 93, 94
— 425 AP, Papiers René Renoult, boîte n° 3
— 427 AP, Papiers Louis de Robien, boîte n° 3
— 451 AP, Papiers de La Rocque, boîtes n°s 99, 100, 100 bis
— 475 AP, Papiers Lyautey, boîtes n°s 86, 289
— 496 AP, Papiers Daladier (dépôt de la Fondation nationale des sciences politiques), boîtes n°s 3, 4, 5

II. Centre d'Archives du monde du travail (CAMT), Roubaix

— 65 AQ, Association nationale des porteurs de valeurs mobilières, N 357 et Q 982
— 120 AQ, Banque nationale de Crédit, 635, 636, 637, 638, 685, 688, 702

Fondation nationale des sciences politiques

— Archives Pierre Cot, boîtes n°s 3 et 4

Archives départementales

I. Département de l'Aisne, Laon

— Série R, affaires militaires, sous-série 2R, recrutement, 2R 78, classe 1890, n° 2003, Charles Léon Jules Mermoz

— Série communale, commune d'Aubenton, D4,
— Série E, dépôt, Archives communales d'Aubenton
— F1, liste nominative du recensement de 1921
— H1, ordres des Allemands, 7 oct. 1914-novembre 1915
— 1E, commune d'Aubenton, état-civil, 244, 1893-1902

II. Département des Ardennes, Charleville-Mézières

Séries communales
— sous-série 2U, Justice, affaires criminelles et délits, 1852-1939
— ville de Charleville, Série H, affaires extraordinaires, administration du temps de guerre, 5H56, 77, 79, 81, 89,
— 1F3, Charleville, recensements et dénombrements de population, 1906, 1906-1910, 1911, n° 379, 380 à 395, 396
— 1F8, ville de Mézières, recensements et dénombrements, listes nominatives 1911, n° 8
— 2E, commune de Mainbressy, état-civil, 1854-1902, n°s 266/2 à 266/6 (microfilms, 2 MI EC R1 et R2)

III. Département du Cantal, Aurillac

— Série R, affaires militaires sous-série 10R, organismes temporaires, Première Guerre mondiale, liasses n°s 10, 12, 33, 34, 35, 36, 59, 60, 61, 64, 65, 66, 67, 68, 75, 76, 78, 90, 95, 96, 105, 144, 147, 149, 151, 158, 208, 209, 210, 213, 224, 237

IV. Département de la Seine, Paris

— Enseignement, 1563 W, lycée Voltaire
— Auditions et enquête sur les agissements du PSF, 1936, déposition de Jean Mermoz, 1936, 212/69-1, art. 149

Archives communales

Commune de Rocquigny, Ardennes, archives de Mainbressy, registres de délibérations du conseil municipal, 1872 — [1912 et 1913] — 1939

Archives des armées

I. Armée de l'Air, Vincennes

— Série B, 1919-1939
sous-série 2B, État-Major, *boîtes nos 56, 77, 84 ; 3e Bureau de l'État-Major, matériel, 2B 133-134 et 135*
— Série 1P, Personnel de l'armée de l'Air, *boîtes nos 27408, 28444 3-4, 31572 3-5, 63780, 99990*

— Série G, Historiques et Journaux de marche d'unités d'aviation, G 769
— Série Z, dons et legs, 10802
— Histoire orale, entretien avec Pierre Cot, 1977

II. Armée de Terre, Vincennes

Série 7N, attachés militaires et missions militaires à l'étranger, 1914-1918 à 1940
— Argentine, boîtes n°s 3382, 3383, 3384,
— Brésil, boîtes n°s 3391, 3392, 3393, 3394, 3396
— Chili, boîtes n°s 3400 et 3401

III. Légion étrangère, Aubagne

Engagés dans l'armée française au titre de la Légion étrangère, 1914-1918 : capitaine Almonacid, sous-lieutenant Joseph Kessel

Bibliothèque nationale de France, manuscrits

Papiers Pierre-Étienne Flandin, boîtes n°s 23 à 27, 30 et 31, 36 à 39

Dépôts privés d'archives

I. Archives personnelles de Pierre-Georges Latécoère

— Période 1918-1927 : compagnies aériennes
— Période 1927-1936 : contentieux avec l'Aéropostale, questions industrielles, hydravions

II. Société industrielle d'aviation Latécoère (SIDAL, SIAL ou SILAT, selon les époques)

Dossiers techniques, rapports, plans et documents photographiques sur la conception, la construction, les essais et la mise en service des avions et hydravions, 1924-1937

III. Crédit Lyonnais, Paris

— Études du Service des Études économiques et financières (SEEF), cotées « DEEF », boîtes n°s 31 731, 73 404, 73 413 & 73 414
— Direction des Affaires financières, documents cotés « DAF » suivi du numéro de boîte d'archives : boîtes n°s 40 à 67

IV. Groupe Renault, Boulogne-Billancourt

Anciennes archives d'entreprises de Louis Renault, anciennes cotes 91AQ, boîtes n°s 30 à 32, 81 et 82, 120 et 121

SOURCES ÉDITÉES

1. Catalogue d'exposition

Antoine de Saint-Exupéry, 1900-1944, Archives nationales/Gallimard, Paris, 1984

2. Presse

L'Aérophile, Les Ailes, L'Ami du peuple, Annuaire et *Bulletin trimestriel* du Comité français de propagande aéronautique, *Le Figaro, Le Flambeau, Le Matin, Paris-Soir, Le Petit Journal, Le Populaire, Revue des Forces aériennes, Revue des Grands Procès, Revue du ministère de l'Air, Revue technique Hispano-Suiza, Le Temps*

3. Études contemporaines de Mermoz

Aéronautique militaire, coloniale, maritime et marchande (L'), Paris, De Bruhnof, 1931

Air France, *Rapport de M. Didier Daurat sur sa mission aux États-Unis, décembre 1933-janvier 1934*, brochure dactylographiée, 1934 (DGAC TRAC 28 558, ITA not. 3)

BOUILLOUX-LAFFONT Claude, *L'Aviation commerciale en France*, Paris, Librairie des Sciences aéronautiques, 1931

Cie générale Aéropostale, *La Vérité sur l'Aéropostale*, brochure, Paris, 1932

Cie générale Aéropostale, *Rapport du Conseil d'administration à l'Assemblée générale des actionnaires... 14 février 1934*, Paris, 1934

DALISSIER, *Les Transports aériens, étude économique*, Paris, 1931

DAUTRY Raoul, *Rapport au Conseil économique et social sur la situation de l'aéronautique marchande*, Paris, 1928

FAURE Pierre, *L'aviation tuera la guerre*, Paris, Gallimard, 1935

KAHN Louis, *La Navigation aérienne sur l'Atlantique nord*, Paris, 1931

LEWANDOWSKI Maurice, « L'aviation postale, ses progrès, son avenir », *Revue des Deux Mondes*, 15 août 1929

MOCH Jules, *Capitalisme et Transports*, Paris, 1932

NEBOUT (G.-A.), *Le Ministère de l'Air*, Paris, 1929

ROMEYER Jean, *Étude sur l'aviation italienne*, Paris, 1936

Société française Hispano-Suiza, *Documentation administrative et technique*, 1924-1933

VOITOUX Georges, *La Navigation aérienne transatlantique*, Paris, 1930

4. Mémoires, témoignages, essais, évocations, récits et fictions littéraires

— Publiés avant décembre 1936 :
ANIANTE Antonio, *Italo Balbo*, Paris, Grasset, 1933
CHAMBE René, *Enlevez les cales*, Paris, Baudinière, 1935
FLEURY Jean-Gérard, *Chemins du ciel*, Paris, Nouvelles Éditions latines, 1933 (préface de Joseph Kessel, postface de Jean Mermoz)
KESSEL Joseph, *L'Équipage*, Paris, Gallimard, 1923
— *Chez les fils du désert*, Paris, 1929
— *Vent de sable*, Paris, Éditions de la France, 1929 (rééd. Gallimard, 1966)
MORTANE Jacques, *Les Ailes de la mort*, Paris, 1932
SAINT-EXUPÉRY Antoine de, *Courrier Sud*, Paris, Gallimard, 1929
– *Vol de nuit*, Paris, Gallimard, 1931

— Publiés de décembre 1936 à 1947 :
BERGERY Gaston, *Air Afrique, Voie impériale*, Paris, 1937
BLANC Edmond, *La Vie héroïque de Mermoz*, Paris, Société parisienne d'Éditions, 1939
COT Pierre, *L'Armée de l'Air*, 1936-1938, Paris, 1939
DÉAT Marcel, BONNIER Claude, *Pour une politique de l'air*, éditions du journal *La Concorde*, Paris, 1937
DÉTROYAT, Michel, *Tu seras aviateur*, Paris, Éditions de France, 1938 (ill. de Paul Lengellé)
ESTAILLEUR-CHANTEREINE Philippe d', *Ciels d'Afrique*, Paris, Julliard, 1945
FLEURY Jean-Gérard, *La Ligne de Mermoz, Guillaumet, Saint-Exupéry et de leurs compagnons d'épopée*, Paris, Gallimard, 1938
— *La Ligne*, Paris, Gallimard, 1944
FLORIAN-PARMENTIER, *Le Roman de Nungesser*, Paris, Paul Dupont, 1946
KESSEL Joseph, *Jean Mermoz*, Paris, Gallimard, 1938 (nombreuses rééditions)
MACAIGNE Jean, *Mineurs du ciel*, Dakar, Ars Africa-Maurice Vialle, 1944
MARTI Anne, *Quelques gloires françaises*, Les Éditions d'Outre-Mer, Paris, 1942
MERMOZ Jean, *Mes vols*, Paris, Flammarion, 1937 (présentation du colonel de La Rocque), nombreuses rééditions
— Préface à Pierre Viré, *T.V.B., les batailles quotidiennes des routes de l'air*, Gallimard, 1937
MORTANE Jacques, *Jean Mermoz*, Paris, Plon, 1937
— *Deux Archanges de l'air, Guynemer et Mermoz*, Paris, Baudinière, 1937
— *Guynemer, Mermoz*, La Technique du Livre, 1946
NARBONNE René de, *Le Destin des Ailes*, Paris, Baudinière, 1943

RÈCHE Albert, *Vie de Jean Mermoz*, Paris, Julliard, début 1944
ROCHE, Raymond, *Mermoz, 7 décembre 1936-7 décembre 1943*, Tours, secrétariat d'État à la Jeunesse, 1943
ROMEYER Jean, *Le Survol héroïque des mers*, J. de Gigord, 1947
SAINT-EXUPÉRY, Antoine de, *Terre des hommes*, Paris, Gallimard, 1939
VIRÉ Pierre, *T.V.B., les batailles quotidiennes des routes de l'air*, Gallimard, 1937 (préface de Jean Mermoz)

— Publiés après 1947 :
ANCY Jacqueline, *Images de Jean Mermoz*, Lire et Savoir, 1959
ASTIER de LA VIGERIE Emmanuel d', *Mermoz*, Discours, Rio de Janeiro, 13 pages, 1956
BERGIER Marcel, *Les Plus Belles Histoires d'aviation*, Paris, Segep, 1952
CASTROVIEJO Gilles, *Enlevez les cales ! Des Lignes aériennes Latécoère à l'Aéropostale*, Toulouse, Éditions Dominique Bedou, 1992
CHARLIER Jean-Michel, et Hubinon Victor, *Jean Mermoz*, Dupuis, 1956 (bande dessinée)
CLERC Georges, *L'Aéropostale*, Éditions de Minuit, 1954 (présentation de Gabrielle Mermoz)
COUZINET Alexandre, *Mermoz-Couzinet ou le rêve fracassé de l'Aéropostale*, Paris, Jean Picollec, 1986
COVER Francis, *Sur toute la Ligne*, Paris, Les Ailes brisées, 1960 (préface de Didier Daurat)
DAURAT Didier, *Dans le vent des hélices*, Paris, Le Seuil, 1956, rééd., Presses de la Cité, 1962
LECHEVALIER Charles, *95 fois le tour du monde*, Paris, Seuil, 1951
MASSIMI Beppo de, *Vent debout, Histoire de la première ligne aérienne française*, Paris, Plon, 1949
MORÉ Marcel, *J'ai vécu l'Aéropostale*, Paris, L'Acropole, 1980
ODIER Antoine, *Souvenirs d'une vieille tige*, Paris, 1955
PALLUEL-MARMONT, *L'Epopée aérienne de l'Atlantique sud*, Paris, Larousse, 1953
RICORD Maurice, *Le Jean Mermoz*, Compagnie Fraissinet, 1957 (avant-propos de Joseph Kessel)
SAINT-EXUPÉRY Antoine de, *Œuvres*, Paris, Gallimard, coll. La Pléiade, 1959
— *Œuvres complètes*, t. 1 et t. 2, Gallimard, coll. La Pléiade, 1994 et 1999
SAUVAGE Roger, *Les Conquérants du ciel*, Paris, La Jeune Parque, 1950
VACHET Paul, *Avant les jets*, Paris, Hachette, 1964
VALLUET Roger, *Courriers du ciel*, Paris, Le Livre artistique, 1961
ZORN Jacqueline, *Mermoz, Guillaumet, pionniers de la ligne Atlantique sud*, Rouff éd., 1950

BIBLIOGRAPHIE

A. Aviation et aviateurs

Album Saint-Exupéry, Paris, Gallimard, coll. La Pléiade, 1994

BACCABRÈRE, Georges, Jorre, Toulouse, *Toulouse, terre d'envol*, Toulouse, 1966

BODEMER Jean, LAUGIER Robert, *Histoire des moteurs aéronautiques français à pistons (1900-1960)*, Paris, Larivière, « Docavia », 1987

BONNAUD Laurent, *Unité économique et technique de la ligne France-Amérique du Sud (1919-1940)*, mémoire de maîtrise d'histoire, université Paris IV-Sorbonne, 1985

BOOG Horst, *Die Deutsche Luftwaffenführung, 1933-1945*, Stuttgart, 1982

BOUSSARD Dominique, *Un problème de défense nationale, l'Aéronautique militaire au Parlement (1928-1940)*, Vincennes, SHAA, 1983

BRIMEUR Denise, FERRY Vital, PÉLISSIER Bernard, SUEL Marc, *Regards sur l'aviation civile, Histoire d'une administration*, Toulouse, Cepaduès-Editions, 1991

COURRIÈRE Yves, *Joseph Kessel ou Sur la piste du lion*, Paris, Plon, 1985

CASTELLAN Georges, *Le Réarmement secret de l'Allemagne*, Paris, 1954

CASTEX Louis, *De Clément Ader à Gagarine*, Paris, Hachette, 1967

CHADEAU, Emmanuel, *L'Industrie aéronautique en France, de Blériot à Dassault (1900-1950)*, Paris, Fayard, 1987

— *Latécoère*, Paris, Olivier Orban, 1990

— *Saint-Exupéry*, Paris, Plon, 1994

— *Le Rêve et la Puissance, l'avion et son siècle*, Paris, Fayard, 1996

— « Mermoz, un héros chez les Croix-de-Feu », *L'Histoire*, décembre 1996

— *Les Entreprises aéronautiques françaises, 1909-1945*, Fondation Crédit Lyonnais/Le Monde Éditions, 1997

CHRISTIENNE Charles (général), *L'Âge d'or de l'aviation militaire française*, Paris, Albin Michel, 1990

— et BUFFOTOT Patrice, « L'armée de l'Air française et la crise du 7 mars 1936 », in *La France et l'Allemagne, 1932-1936*, Éditions du CNRS, 1980

— et LISSARAGUE Charles (général), FACON Patrick, BUFFOTOT Patrice, HODEIR Marcelin, *Histoire de l'aviation militaire française*, Paris, Lavauzelle, 1980

COLLOT Gérard, CORNU Alain, *Ligne Mermoz*, Paris, Bernard Sinais, 1990

CORD-MEYER Henry et GALLUP Stewart V., « France Perceives the Zeppelin, 1924-1937 », *The South Atlantic Quaterly*, hiver 1979

CUNY Jean et DANEL Raymond, *L'Aviation de chasse française 1918-1940*, Paris, Larivière, « Docavia », 1977

— *L'Aviation française de bombardement et de renseignement*, Paris, Larivière, « Docavia », 1981

— *Latécoère, avions et hydravions*, Paris, Larivière, « Docavia », 1992

DANEL Raymond, *Émile Dewoitine, créateur des usines de Toulouse de l'Aérospatiale*, Paris, Larivière « Docavia », 1982

— *Les Lignes Latécoère, 1919-1927*, Toulouse, Privat, 1986

— *L'Aéropostale, 1927-1933*, Toulouse, Privat, 1989

DAVIES Ronald, E. G., *Airlines of Latin America since 1919*, Putnam, Londres, 1984

— *Rebels and Reformers of the Airways*, Smithsonian Institution Press, 1987

ESPÉROU, Robert, *La Politique française du transport aérien*, Étude, Paris, 1982

— *Histoire d'Air France*, La Guerche, Éditions Ouest-France, 1986

— « French Atlantic Wings », *Aeroplane Monthly*, June & July, 1993

GAUBERT Jean-Pierre, *Cavaillès, compagnon de Mermoz*, Toulouse, Privat, 1983

HEIMERMANN Benoît et MARGOT Olivier, *L'Aéropostale*, Paris, Arthaud, 1995

HIGHAM Robin, *Britain Imperial Routes, 1918-1839*, London, 1960

HOMZE Edward L., *Arming the Luftwaffe, The Reich Air Ministry and the German Aircraft Industry, 1919-1939*, Lincoln et London, 1976

Icare, Revue des pilotes de ligne, *Jean Mermoz*, n° 48/49, hiver 1968-printemps 1969

Icare, Revue de l'aviation française, *Jean Mermoz*, n° 119 et 123, 1986 et 1987

— *Didier Daurat*, n° 140, 1992

— *La Conquête de l'Atlantique nord*, tome 2 : *La France*, n° 157, 1996

— *Henri Guillaumet*, n° 162, 1997

LABROUSSE Pierre, *Répertoire des traversées aériennes de l'Atlantique sud par l'Aéropostale et Air France, 1930-1940*, brochure, Libourne, chez l'auteur

LEGRAND Jacques (éd.), *Jean Mermoz*, Chronique, Périgueux, 1997

LIRON Robert, *Les Avions Farman*, Paris, Larivière « Docavia », 1984

— *Les Avions Bernard*, Paris, Larivière, Docavia, 1990

MARCK Bernard, *Il était une foi, Mermoz*, Paris, Jean Picollec, 1986, 482 pages

MEUNIER Pascal-Clément, *Nungesser et Coli disparaissent à bord de l'Oiseau Blanc, mai 1927*, brochure dactylographiée, Paris, Direction générale de l'Aviation civile, 1984

MIGEO, Marcel, *Henri Guillaumet*, Paris, Arthaud, 1949

— *Saint-Exupéry*, Paris, Flammarion, 1959

— *Didier Daurat*, Paris, Flammarion, 1962

MOUSSEAU Jacques, *Le Siècle de Paul-Louis Weiller*, Paris, Stock, 1997

MÜLLER Hans, *Der Wirtschaftkampf der deutschen Flugszeugindustrie nach dem Krieg*, sl, sd (1932)

PETIT Edmond, *Nouvelle Histoire mondiale de l'aviation*, Paris, Bordas, 1977

— et FACON Patrick, *La Vie quotidienne dans l'aviation, 1900-1935*, Paris, Hachette, 1979 et rééd.

POLACCO Michel, *Hispano-Suiza, le futur a sa légende*, Paris, Le Cherche-Midi, 1993

ROCHAT Giorgio, *Italo Balbo*, Turin, UTET, 1986

SORBETS Jacques, *Soixante ans de livres d'aviation*, Paris, chez l'auteur, 1984

SORLIN Pierre, « L'aviation militaire sous la République de Weimar », *Forces aériennes françaises*, n° 126, mai 1957

STROUD, John, *European Transport Aicraft since 1910*, London, 1966

SUPF Dieter, *Das Buch der Deutschen Fluggeschichte*, vol. 2, *Vorkriegzeit, Kriegzeit, Nachkriegzeit bis 1932*, Stuttgart, 1958

VIÉ-KLAZE Marie-Paule, *Les Grands Latécoère sur l'Atlantique, 1930-1956*, Paris, Denoël, 1981

WOHL, Robert, « Par la voie des Airs : l'entrée de l'aviation dans le monde des lettres françaises, 1909-1939 », *Le Mouvement social*, n° 145, décembre 1988

XUAN BAO BUI, *Aviation et Littérature*, thèse de doctorat, Paris, imprimerie A. Dubin, 1960

B. Méthodes et contexte historiques

Archives départementales des Ardennes, *Les Ardennes dans la Grande Guerre*, catalogue d'exposition, Charleville-Mézières, 1994

Association des « Amis de La Rocque », *La Rocque, les Croix-de-Feu et le Parti social français*, 1985

BAUDOUÏ Rémi, *Raoul Dautry, 1880-1951, le technocrate de la République*, Paris, Balland, 1992

BÉDARIDA François (dir.), *La France et l'Allemagne, 1932-1936*, Presses du CNRS, 1980

BLANCPAIN, Jean-Pierre, *Migrations et mémoire germanique en Amérique latine*, Strasbourg, Presses de l'université de Strasbourg, 1994

BRUNET, Jean-Paul, *Jacques Doriot*, Paris, Balland, 1986

CHADEAU, Emmanuel, *L'Économie du risque, les entrepreneurs*, Paris, Orban, 1988

— *Louis Renault,* biographie, Paris, Plon, 1998

DARD Olivier, *Les Années 30*, coll. « Références », Paris, Le Livre de Poche, 1999

DELATTRE Daniel, *L'Aisne, les 816 communes*, chez l'auteur, 1996 (album photographique commenté)

DUROSELLE Jean-Baptiste, *La Décadence, 1932-1939*, Paris, Imprimerie nationale, 1982

MILZA Pierre, *Mussolini*, Paris, Fayard, 1999

MIQUEL Pierre, *La Grande Guerre*, Paris, Fayard, 1983, et rééditions

MILLEVILLE Maximilien, *Dictionnaire historique du département de l'Aisne*, Laon, 1863, rééd, Éditions de la Tour Gile

MONNIER Frédéric, *Les Années 20*, coll. « Références », Paris, Le Livre de Poche, 1999

MONSERRAT Joëlle, *Édith Piaf*, Paris, PAC, 1983

NOBÉCOURT Jacques, *Le Colonel de La Rocque, 1885-1946, ou les pièges du nationalisme chrétien*, Paris, Fayard, 1996

ORY Pascal, *La Belle Illusion, culture et politique sous le signe du Front populaire, 1935-1938*, Paris, Plon, 1994

POUGET, Germain, *La Vie quotidienne dans le Cantal, 1914-1919, les réfugiés*, Aurillac, chez l'auteur, 1992

RIOUX Jean-Pierre, SIRINELLI, Jean-François (dir.), *La France d'un siècle à l'autre, 1914-2000, Dictionnaire critique*, Paris, Hachette Littératures, 1999

ROWLEY Anthony, DROZ Bernard, *Histoire générale du* XXe *siècle*, Paris, Le Seuil, 4 vol., 1986-1992

Service historique de l'Armée, *Les Armées françaises dans la Grande Guerre*, tome 1, vol. 2, sd

TAURANT Louis, *Le Cantal, c'était hier, 1900-1920*, Clermont-Ferrand, De Borée, 1996

VEUILLOT François, *La Rocque et son parti*, Plon, 1938

FICTIONS ET ÉVOCATIONS AUDIOVISUELLES (sélection)

Jean Cuny, *Jean Mermoz*, film cinéma, noir et blanc, 1942

Jean-Jacques Annaud, *Les Ailes du Courage*, film cinéma couleur, 1997

France Inter, Georges Arnaud, coll. « Histoires impossibles et improbables », dimanche 6 décembre 1997, « La Mort de Mermoz »

INDEX

TABLE

Des débuts difficiles (1901-1924)

L'aventure (1924-1929)

La gloire et l'amitié (janvier 1930-mars 1931)

Maintenir (mars 1931-1934)

Le militant (1934-1936)

L'héritage et la légende (1936-2000)

Achevé d'imprimer en janvier 2000
sur presse Cameron
par ***Bussière Camedan Imprimeries***
à Saint-Amand-Montrond (Cher)

Édition exclusivement réservée
aux adhérents du Club
Le Grand Livre du Mois
15, rue des Sablons
75116 Paris
réalisée avec l'aimable autorisation des éditions Perrin
ISBN : 2-7028-5196-7

N° d'impression : 000024/1.
Dépôt légal : janvier 2000.
Imprimé en France